Biblioteca Era

HÉCTOR GUILLÉN ROMO

México frente a la mundialización neoliberal

HÉCTOR GUILLÉN ROMO

México frente a la mundialización neoliberal

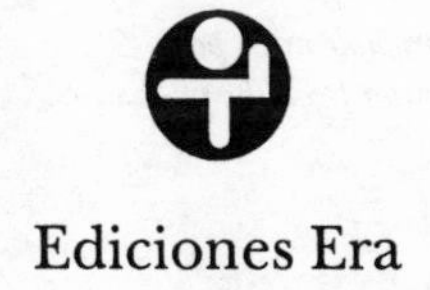

Ediciones Era

Primera edición: 2005
ISBN: 969.411.597.0

Calle del Trabajo 31, 14269 México, D. F.
Impreso y hecho en México
Printed and made in Mexico

www.edicionesera.com.mx

A Yvonne

A Elisa Chantal y Héctor Andrés

A Arturo y Manuel

Índice

Introducción, 13

1. La globalización del consenso de Washington, 19
Economía-mundo, economía internacional y economía mundial, 20
Orígenes y evolución del concepto de globalización, 26
Tendencia a la globalización de la economía, 29
El fenómeno de la globalización, ni tan abrumador ni tan nuevo como se afirma, 42
Efectos de la globalización sobre el empleo y la distribución del ingreso en los países del norte, 49
Efectos de la globalización sobre el empleo y la distribución del ingreso en los países del sur, 56
La globalización como estrategia del capital, 59

2. De la integración cepalina a la integración neoliberal en América Latina: de la ALALC al TLCAN, 63
Las definiciones tradicionales de integración, 64
De la concepción de Perroux a un enfoque estructuralista, 69
Los acuerdos regionales de primera generación en América Latina: el caso de la ALALC, 71
Los acuerdos regionales de segunda generación en América Latina: el caso del TLCAN, 84
La relación entre regionalismo y mundialización, 94

3. Globalización financiera y riesgo sistémico, 103
Tendencia hacia la globalización financiera, 103
Efectos de la tendencia hacia la globalización financiera, 110
El riesgo sistémico, 114
Orígenes del riesgo sistémico, 123

Un modelo económico de las crisis financieras, 129
¿Qué hacer frente al riesgo sistémico?, 133

4. Movimientos internacionales de capital hacia las economías emergentes de América Latina, 145
El ABC de la balanza de pagos, 145
Movimientos internacionales de capital, 148
Los mercados emergentes latinoamericanos, 163
Los efectos de la afluencia de capitales y del boom bursátil sobre los países emergentes, 170
¿Qué hacer frente a la libre movilidad del capital?, 180

5. Del desarrollo "hacia adentro" al desarrollo "hacia afuera" en México, 191
El desarrollo "hacia adentro", 191
El desarrollo "hacia afuera", 205
Los límites del desarrollo "hacia afuera", 213
El lugar de México en la economía mundial, 217

6. El régimen macrofinanciero mexicano, 221
Del nacimiento del banco central al "desarrollo estabilizador", 224
Los cimientos de la liberalización del sistema financiero, 229
La nacionalización bancaria y el despegue de los mercados financieros, 232
El fin de la represión financiera y la implantación de una economía de mercados financieros, 236
La crisis del sistema bancario, 240
Hacia un sistema mixto, 252

7. Finanzas y trabajo, 257
Régimen de acumulación financiero-rentista en los países centrales, 257
Finanzas y trabajo en la periferia latinoamericana, 269
Sistemas flexibles y flexibilidad del trabajo en México, 277

8. Hacia la mundialización de los sistemas de pensiones, 289
El modelo del ciclo de vida, 290
Sistemas informales, repartición y capitalización, 292
El debate repartición-capitalización, 296
Los sistemas nacionales de pensiones, 301
La propuesta del Banco Mundial: un modelo global para las pensiones, 307
La reforma mexicana del sistema de pensiones, 311
Algunas consideraciones en torno a la reforma mexicana del sistema de pensiones, 317

9. Regreso hacia una economía humana: el Indicador de Desarrollo Humano, 323
La comparación internacional de los niveles de vida, 323
El pensamiento de Amartya Sen en materia de desarrollo, 325
El desarrollo humano, 329
Los indicadores del PNUD en el caso de México, 334
Ventajas y límites del enfoque del desarrollo humano, 337
La noción de costos del hombre de François Perroux, 341

Bibliografía, 343

Introducción

La mundialización y el neoliberalismo son dos realidades vinculadas pero no equivalentes. La mundialización es un proceso muy antiguo que Marx identificó como una de las grandes tendencias del capitalismo. La idea según la cual el desarrollo de los intercambios internacionales y la construcción del mercado mundial (global) constituyen la clave de la acumulación será profundizada por el análisis marxista y desembocará en las teorías del imperialismo de Lenin y de Rosa Luxemburgo. El desarrollo de los intercambios, de los flujos de capitales y la explotación global no esperó el surgimiento de la ideología y de las políticas neoliberales para manifestarse.

A inicios de los años ochenta la ideología neoliberal comienza a imponerse en el mundo entero, arrogándose el monopolio de la cientificidad e imprimiendo nuevas formas a la mundialización.

Como una auténtica Iglesia o secta, la escuela neoliberal posee –según René Passet–[1] sus textos sagrados, sus profetas y sus guías: sus "Tablas de la Ley", denominadas el Consenso de Washington, formulan lo esencial de la doctrina: apertura de las fronteras a los movimientos de mercancías y de capitales, reducción del Estado en beneficio de los intereses privados, primacía absoluta de la regulación mercantil.

Sus profetas como Friedrich Hayek y su Sociedad del Monte Pèlerin, Milton Friedman y su Escuela de Chicago, sin olvidar sus vulgarizadores como Pascal Salin en Francia, Xavier Sala i Martín en España y Luis Pazos en México.

Sus guías como Ronald Reagan y Margaret Thatcher en el

[1] René Passet, *Une économie de rêve! "La planète folle"*, Mille et Une Nuits, París, 2003, pp. 11-12.

centro y Augusto Pinochet en la periferia, quienes tras el negro periodo del Estado Providencia y de la sustitución cepalina respectivamente condujeron a sus pueblos –en muchos casos con la ayuda del nuevo neoliberalismo social– a los linderos de la Tierra prometida.

Los neoliberales prometieron opulencia gracias al libre juego del mercado, pleno empleo por medio del crecimiento, productividad a través de la competencia, prosperidad común por intermedio de la rentabilidad, valorización del mundo entero gracias a la libre circulación de los capitales.

Para lograr sus fines, los neoliberales proponían la riqueza monetaria como valor supremo, e impusieron nuevos modos de funcionamiento del capitalismo tanto en el centro como en la periferia, imprimiendo nuevas formas a la mundialización: una nueva disciplina del trabajo y de la gestión en beneficio de acreedores y accionistas, un retroceso de la intervención estatal en materia de desarrollo y de protección social, una amplia liberalización financiera, un crecimiento espectacular de las instituciones financieras, la creación de nuevas relaciones entre los sectores no financiero y financiero en beneficio de este último, una nueva actitud favorable a las fusiones y adquisiciones, el reforzamiento de los poderes y de la autonomía de los bancos centrales obnubilados con la estabilidad de los precios.

Analizar las nuevas formas de la mundialización y sus resultados tanto en el centro como en la periferia, y particularmente en México, es el principal objetivo del presente libro. El texto se divide en dos partes. En la primera (capítulos 1-4) se analiza la mundialización neoliberal de una manera general. En la segunda (capítulos 5-9) se presentan los efectos de esta mundialización en el caso de México.

Suele afirmarse que la globalización es la culpable de todas las tendencias negativas que se observan en el desarrollo económico y social tanto en los países del norte como en los del sur. Oponiéndonos a esta idea, el objetivo del capítulo 1 es triple: 1] contribuir a la destrucción de algunos de los mitos que sustentan la ideología de la globalización; 2] analizar los efectos de la globalización sobre el empleo y la distribución del ingreso tanto en los países del norte como en los del sur; 3] encontrar las causas de algunos de los males que aquejan a la economía mundial contemporánea.

En el capítulo 2 se analiza la evolución del proceso de integración latinoamericano, ilustrado con los casos de la Asociación Latinoamericana de Libre Comercio (ALALC) y del Tratado de Libre Comercio de América del Norte (TLCAN). Se examinan dichos procesos de integración en el marco de los modelos de acumulación que los gestaron. En el caso de la ALALC, la integración se considera un instrumento para redinamizar el modelo de industrialización por sustitución de importaciones. En el caso del TLCAN, se la percibe como un instrumento para favorecer el nuevo modelo de desarrollo orientado hacia el exterior. Por último, se trata de demostrar que el debate entre regionalismo y multilateralismo es un falso debate, ya que ambos constituyen formas complementarias para abrir las economías a diferentes niveles (regional y mundial) con un mismo objetivo: la consolidación de la mundialización neoliberal.

En el capítulo 3 se examina la tendencia a la globalización financiera y sus efectos. En particular se estudian el riesgo sistémico, sus orígenes y las soluciones *ex ante* y *ex post.*

El capítulo 4 analiza la dinámica de la circulación internacional de capitales y uno de sus mayores problemas: la vulnerabilidad de los mercados emergentes, en particular los de América Latina. Para ello se parte del análisis de la balanza de pagos, en virtud de que no sería posible estudiar las finanzas internacionales sin considerar la interacción nación-mundo. Enseguida se examinan los movimientos internacionales de capital y se concluye con el análisis de los mercados emergentes y sus riesgos.

Entre 1950 y 1982 México vivió dentro del modelo de industrialización sustitutiva de importaciones, caracterizado por una fuerte protección, una importante regulación y una política industrial activa con un Estado omnipresente y un mercado controlado. Con la crisis de la deuda, México abandona la industrialización sustitutiva y se orienta hacia un nuevo modelo económico caracterizado por la apertura, la desregulación y la ausencia de política industrial en el marco de un Estado que tiende a estrecharse y un mercado que se libera cada vez más. El objetivo del capítulo 5 es analizar algunas de las consecuencias para nuestro país del paso del desarrollo "hacia adentro" al desarrollo "hacia afuera", en particular con respecto al papel desempeñado por México en la economía mundial.

En el capítulo 6 se investiga la evolución del régimen macrofinanciero mexicano, tomando como punto de referencia la distinción entre una economía de endeudamiento y una economía de mercados financieros. Nuestro objetivo es demostrar cómo el régimen macrofinanciero de nuestro país se orienta cada vez más hacia un sistema mixto donde los bancos cohabitan con un importante mercado financiero.

El punto de partida del capítulo 7 es el estudio de lo que se ha dado en llamar en los países centrales "el fordismo" y su sustitución por un régimen de acumulación financiero-rentista. En este último, el poder pertenece cada vez más al capital financiero, con consecuencias negativas para las empresas y los asalariados. Más adelante se examina cómo los vínculos entre las finanzas y el trabajo no son privativos del mundo desarrollado, sino que se manifiestan también en la periferia latinoamericana. En particular se analiza cómo la introducción de sistemas flexibles y de mayor flexibilidad del trabajo son una respuesta a la financierización de las empresas, resultado de la estrategia neoliberal. En la parte final del capítulo se ilustra este fenómeno con la presentación del caso mexicano.

En el mundo subdesarrollado se ha emprendido una reforma de los sistemas de pensiones inspirada en las recomendaciones del Banco Mundial. El capítulo 8 presenta el debate entre los defensores de la repartición y los partidarios de la capitalización. Asimismo se examinan los modelos anglosajón, alemán y latino, y se describen las características e inconvenientes del sistema de las Afores implantado en México en 1997.

Para superar los enfoques tradicionales de comparación internacional de los niveles de vida, el Programa de Naciones Unidas para el Desarrollo (PNUD) propone en 1990 el Indicador de Desarrollo Humano (IDH). Dicho indicador, situado en la tradición humanista de François Perroux e inspirado en la óptica del desarrollo de Amartya Sen, pretende captar mediante una cifra las capacidades fundamentales de supervivencia y de elección de vida de que disponen los individuos en cada país. Tras presentar y dar los resultados para México del Indicador de Desarrollo Humano y de otros indicadores propuestos por el PNUD (el Indicador de Pobreza Humana, el Indicador Sexoespecífico de Desarrollo Humano y el Indicador de Participación de las Mujeres), en el capítulo 9 se analizan las ventajas y límites del enfoque pnudiano.

Universidad de París 8, otoño de 2003

1. La globalización del Consenso de Washington

Justo en el momento en que Asia se encontraba sacudida por el más violento terremoto económico de la era de las finanzas desreguladas y globales, John Kenneth Galbraith[1] declaró en una entrevista que la globalización no era un concepto serio. Específicamente, este singular economista señaló que fue un concepto inventado por los estadounidenses para volver respetable su entrada a otros países y facilitar los movimientos internacionales de capital que siempre causan muchos problemas. Esto no está muy lejos de la afirmación de Pierre Bourdieu[2] en el sentido de que la globalización constituye un "discurso poderoso", una idea fuerte que se ha convertido en el arma principal contra el *Welfare State.* Como dice Hirsch, la globalización se ha vuelto un fetiche que "describe algo así como un poder oculto que agita al mundo, que determina toda nuestra vida y que nos domina cada vez más".[3] En este trabajo rechazamos el uso normativo del concepto globalización que la considera como la única vía posible de liberalización plena de los mercados mundiales y de integración a ellos como destino inevitable y deseable para toda la humanidad. En esta perspectiva, el objetivo del presente capítulo es triple: contribuir a la destrucción de algunos de los mitos que sustenta la ideología de la globalización; analizar los efectos de la globalización sobre el empleo

[1] *Folha de São Paulo,* 7 de noviembre de 1997, citado en José Luis Fiori, Marta Skinner de Lourenço y José Carvalho de Noronha (coords.), *Globalização. O fato e o mito,* Universidad del Estado de Río de Janeiro, 1998, p. 7.

[2] Pierre Bourdieu, *Contre-feux,* Liber-Raisons d'Agir, París, 1998, p. 39.

[3] Joachim Hirsch, "¿Qué es la globalización?", *Cuadernos del Sur,* Buenos Aires, 24 de mayo de 1997, p. 10.

y la distribución del ingreso tanto en los países del norte como en los del sur, y encontrar el origen de algunos de los males que aquejan la economía mundial contemporánea.

Economía-mundo, economía internacional y economía mundial

Como en todos los debates serios, se impone una definición precisa de los términos. Para comenzar, siguiendo a Braudel,[4] tratemos de diferenciar muy bien dos nociones que comúnmente se prestan a confusión: *economía mundial* y *economía-mundo.* Por *economía mundial* se entiende la economía del mundo tomado en su totalidad, el mercado del mundo entero como lo había señalado Sismondi en sus *Nuevos principios de economía política.* Por *economía-mundo,* noción inventada por Braudel, se entiende la economía de sólo una porción de nuestro planeta, en la medida en que forma un todo económico, "un mundo en sí".[5]

Para Braudel, la *economía-mundo,* escenario del nacimiento del capitalismo desde el siglo XIV, se define como una triple realidad:

• se trata de un espacio geográfico que varía lentamente. Los límites de la *economía-mundo* se sitúan ahí donde comienza otra economía del mismo tipo;

• la *economía-mundo* tiene un centro representado por una ciudad dominante. En el pasado se trataba de Estados-ciudad; en la actualidad se trata de una capital en el sentido de capital económica. Aunque pueden existir incluso de manera prolongada dos centros a la vez en una misma *economía-mundo,* uno de los dos termina por ser eliminado;

[4] Fernand Braudel, *Civilisation matérielle, économie et capitalisme. XVe-XVIIIe siècles,* 3 t., Armand Colin, París, 1979. Véase también su obra sintética *La dinamyque du capitalisme,* Flammarion, París, 1985.

[5] Se trata de un espacio geográfico que sólo mantiene relaciones marginales con otros espacios, relaciones que, por lo demás, podrían suprimirse sin que esto afectara de manera significativa su dinámica económica.

• la *economía-mundo* se divide en zonas sucesivas jerarquizadas. En primer lugar el corazón, es decir, la región que se extiende alrededor de un centro. Después vienen las zonas intermedias alrededor de un pivote central. Finalmente las zonas periféricas, que están subordinadas y son dependientes de las primeras.

La emergencia de una economía-mundo precedió a la formación de los Estados-nación. En efecto, hacia 1380 Europa más el Mediterráneo con sus antenas en dirección del extremo oriente forma una *economía-mundo* cuyo centro es Venecia. Con el descubrimiento de América se anexará el Atlántico, sus islas y litorales, y posteriormente el interior del continente americano. Esta *economía-mundo* multiplicará sus vínculos con las economías-mundo aún autónomas que constituyen India, China y las islas del sureste asiático. Al mismo tiempo, en Europa el centro de gravedad se desplazará del sur al norte. Así, hacia 1500 hay un salto brusco y gigantesco, de Venecia hacia Amberes y después hacia 1550-1560 un regreso al Mediterráneo, pero en favor de Génova. La situación cambia de nuevo hacia 1590-1610 con una transferencia hacia Amsterdam, donde el centro económico de la zona europea se estabiliza durante casi dos siglos. Entre 1780 y 1815 se opera un nuevo desplazamiento hacia Londres que durará hasta 1929, con el desplazamiento del centro de la economía-mundo occidental hacia Nueva York.

Para Braudel, hasta 1750 los centros dominadores fueron ciudades, ciudades-Estado. A este respecto se puede decir que Amsterdam, que domina la economía-mundo a finales del siglo XVIII, es la última de las ciudades-Estado.[6] Londres, nuevo centro dominante, no es una ciudad-Estado, es la capital de las islas británicas, lo que le otorga la fuerza irresistible de un

[6] "Las Provincias Unidas detrás de ella, no ejercen ninguna sombra al gobierno. Amsterdam reina solo como un faro luminoso que se ve en el mundo entero, desde el mar de las Antillas hasta la costa de Japón" (F. Braudel, *La dinamyque du capitalisme*, cit., p. 99).

mercado nacional. Este mercado nacional corresponde a una *economía nacional,* entendida como

> un espacio político transformado por el Estado, debido a las necesidades e innovaciones de la vida material, en un espacio económico *coherente* unificado cuyas actividades pueden dirigirse conjuntamente en una misma dirección.[7]

Dicho de otra manera, las economías nacionales son espacios económicos coherentes formados sobre la base de espacios políticos estructurados por los Estados.

Los espacios económicos nacionales pueden ser identificados a partir de cuatro dimensiones: la moneda, el mercado, las barreras a la movilidad de factores de producción y un conjunto de normas institucionales y compromisos sociales.[8]

Con el propósito de volver comparables y conmensurables los diferentes trabajos efectuados en una nación, es necesaria una medida que permita dicha evaluación. Ésa es una de las funciones de la *moneda.* En cada país la moneda nacional es el "denominador común" de todos los bienes ofrecidos y demandados en los mercados. Ya Bernard Schmitt había demostrado que no se puede hablar de producción, como resultado del proceso de producción, si no se tiene el concepto de su medida. En cada país el efectivo nacional sirve de unidad de medida, "monetizando" la producción.[9] Así, la moneda desempeña en la integración de un espacio económico nacional una función esencial, y no es casualidad que sea indisociable

[7] Ibid., p. 103.

[8] Gérard Kébadjian, *L'économie mondiale,* Seuil, París, 1994, pp. 16-24. Véase también Gérard Kébadjian, "Analyse économique et mondialisation: six débats", *Regards croisés sur la mondialisation,* Cahier du GEMDEV, n. 26, París, junio de 1998.

[9] Bernard Schmitt, *L'ECU et les souverainetés nationales en Europe,* Dunod, París, 1988, p. 106.

del Estado: el aprovisionamiento de la moneda es realizado por el banco central mediante los bancos comerciales.[10]

El segundo componente de una economía nacional es el *mercado* entendido como

> un conjunto de firmas, centros de decisión autónoma, vinculados entre ellos gracias a una red de intercambios que vuelve interdependientes todos los precios y todas las cantidades.[11]

En ese sentido se considera que la economía nacional se desplaza en un espacio territorial en el cual toma forma la dimensión espacial del mercado. En dicho espacio destaca la existencia de mecanismos de ajuste, que impulsan la unificación del precio de los bienes ofrecidos en el mercado. En efecto, en el mercado nacional el precio de los bienes tiende a ser idéntico si se dejan de lado los costos de transporte y otras diferencias secundarias.

La tercera dimensión que define una economía nacional es la existencia de *barreras que obstaculizan la movilidad de los factores de producción* (trabajo y capital). Ante todo, se trata de barreras tarifarias (específicas o *ad valorem*) y no tarifarias (normas, cuotas, etcétera) a los movimientos de mercancías y servicios, de control de los movimientos de capital y de limitaciones a la libre circulación de los trabajadores. A estas barreras político-administrativas se agregan barreras lingüísticas y culturales que afectan la libre movilidad del trabajo. A este respecto, es importante hacer notar que la escuela neoclásica considera a la nación como un bloque de factores que pueden desplazarse en el interior (geográfica o sectorialmente), pero carentes de movilidad hacia el exterior de las fronteras.

[10] Maurice Byé y Gérard Destanne de Bernis, *Relations économiques internationales*, Dalloz, París, 1987, pp. 18-19.

[11] François Perroux, "Marché 'mondial'?", *L'économie du XXe siècle*, Presses Universitaires de Grenoble, Grenoble, 1991, p. 308.

El cuarto criterio que define el espacio económico nacional se refiere a *la reglamentación y a la política*, en particular a la política económica. En dicho espacio existe todo un arsenal de mecanismos de intervención (monetarios, fiscales, laborales, sociales, etcétera) expresados a través de formas institucionales y compromisos sociales (convenciones).

Una vez explicitados los cuatro criterios que definen una economía nacional se puede expresar la idea de que la *economía internacional* supone la división de la *economía-mundo* en Estados y la organización de las sociedades bajo la forma de Estados-nación, siendo el hecho estatal el que crea las naciones, y no a la inversa.[12]

En estas condiciones las naciones con una moneda central, un mercado interno, fronteras bien definidas y reglas en materia laboral, social y económica son la base de una economía internacional que surge a finales del siglo XVI y principios del XVII, pero se consolida sólo hasta el siglo XIX. Esta economía internacional se vuelve un objeto de estudio pertinente de la economía estándar que va a dedicarse a analizar (con los mismos métodos que aplica a otras ramas de la ciencia económica) las relaciones entre unidades económicas homogéneas denominadas naciones sujetas al mismo tipo de racionalidad que las empresas y los individuos.[13]

Por el contrario, hablar de economía mundial implica cuestionar este tipo de análisis. Las fronteras políticas ya no corresponden con las económicas y los mercados desbordan las naciones.[14] La *mundialización* o *globalización* entraña una ruptura con respecto al movimiento de internacionalización, pues significa la desaparición de la economía internacional como principio de organización de la *economía-mundo* en el sentido de Braudel. La internacionalización y la mundialización son

[12] G. Kébadjian, *L'économie mondiale*, cit., p. 22.

[13] Paul R. Krugman y Maurice Obstfeld, *Économie internationale*, De Boeck Université, Bruselas, 1995.

[14] Jean-Marc Siroën, *L'économie mondiale*, Armand Colin, París, 1994, p. 7.

dos fenómenos distintos: en tanto que la primera es un proceso que se refiere a la *apertura* de las economías nacionales, la segunda alude a la *integración*, lo que implica el cuestionamiento parcial y total de los factores que fundamentan las economías nacionales.

Siguiendo a Gérard Kébadjian, podemos afirmar que el modelo puro de "economía mundial integrada" correspondería a un orden planetario aún inexistente en el cual estarían ausentes las cuatro dimensiones que permiten la identificación de los espacios económicos nacionales. En dicha economía, la integración de la moneda y de los mercados, la movilidad de factores, la armonización de reglas y la convergencia de políticas económicas habrían avanzado tanto que se asistiría a la desaparición de las economías nacionales, reducidas a simples cortes estadísticos sin significación económica.[15]

Así, el modelo puro de economía mundial integrada es una *abstracción* en la que habrían desaparecido las propiedades que sustentan a la economía internacional. La economía mundial globalizada obedecería a su propia lógica, que dejaría de ser la de relaciones económicas entre entidades nacionales independientes. Las empresas multinacionales se habrían desprendido de su base local, los movimientos de capitales escaparían a las preferencias nacionales y los países habrían perdido el control de su moneda.

En la realidad, las lógicas "internacional" y "mundial" coexisten.[16] El desarrollo de todas las formas de intercambio acelera la evolución hacia la mundialización, pero los "pueblos" y las naciones no dejan de estar apegados a la defensa, incluso ilusoria, de la soberanía económica.[17] En estas condiciones, la

[15] G. Kébadjian, "Analyse économique de la mondialisation: six débats", *Regards croisés sur la mondialisation*, cit., p. 67.

[16] Hay quien va más lejos y habla de una configuración entretejida en escalas local, nacional y supranacional. Robert Boyer, "Les mots et les réalités", *Mondialisation. Au delà des mythes*, La Découverte, París, 1997, p. 41.

[17] J.-M. Siroën, *L'économie mondiale*, cit., p. 8.

economía-mundo se encuentra de hecho en algún punto intermedio entre el modelo de economía internacional y el de economía mundial, planteando muchos problemas de *global governance*: amenazas sobre el medio ambiente global, seguridad nuclear, degradación de los recursos naturales, crecimiento de la población mundial, tráfico de drogas, riesgos de contaminación sanitaria, inestabilidad de los mercados financieros, etcétera.[18] Tratar de dilucidar las características de ese punto intermedio es parte de la problemática que desarrollaremos a continuación.

Orígenes y evolución del concepto de globalización

El término globalización aparece a principios de los ochenta en el mundo anglosajón. Intelectuales y periodistas anglosajones comienzan a hablar de globalización. En particular, es en la literatura dedicada a las empresas multinacionales donde el término tiene su origen. Posteriormente, designa un fenómeno complejo de apertura de las fronteras políticas y de liberalización que permite que la actividad económica se despliegue en el mundo entero. El concepto evolucionó con el tiempo, de tal suerte que ha designado diversas realidades. A

[18] El término de "gobierno mundial" expresa el problema básico de la organización económica internacional: ¿cómo gobernar sin gobierno? En un mundo políticamente dividido en Estados-nación autónomos, pero interdependientes, un conjunto de principios, de prácticas y de instituciones comunes concurren a la formación de normas colectivas que se imponen a los Estados, a la definición de orientaciones de acción colectiva o a la fijación de reglas directamente aplicables a los actores privados. Este gobierno se apoya en procedimientos con estatutos diversos, que van de la simple consulta entre los gobiernos a la adopción de legislaciones comunes, pasando por la formación de consensos sobre los objetivos a alcanzar, el reconocimiento mutuo, o la definición de buenas prácticas. Pierre Jacquet, Jean Pisani-Ferry y Laurence Tubiana, *Gouvernance mondiale*, Conseil d'Analyse Économique-La Documentation Française, París, 2002.

este respecto, Robert Boyer[19] distingue cuatro concepciones diferentes de la globalización.

La primera concepción la atribuye a Théodore Lewitt, quien define el fenómeno en un artículo titulado "The Globalization of Markets", aparecido en la *Harvard Business Review* en junio de 1983. Para Lewitt, la globalización toca únicamente los intercambios internacionales, y más específicamente, la gestión sobre una base mundial de las empresas multinacionales y su capacidad para implantarse en cualquier parte del mundo y vender sus productos. Según esta acepción, la globalización equivaldría a una convergencia de los mercados que permitiría a las empresas multinacionales vender los mismos bienes de la misma manera en todo el mundo.

La segunda definición de la globalización es la de Kenichi Ohmae (*Triad Power*, 1990) para quien la globalización se refiere no tanto a la conquista de los mercados por las empresas como a la instrumentación de una estrategia y de una forma de gestión totalmente integradas a escala mundial. Se trata de la adquisición de una visión global que conduce la empresa de la exportación a una integración mundial de sus actividades y un control total de toda la cadena creativa: investigación y desarrollo, ingeniería, producción, marketing, financiamiento y servicios.

La tercera definición de la globalización la saca del cuadro de la gestión de las empresas multinacionales para situarla a nivel del funcionamiento del sistema internacional. En esta perspectiva más bien macroeconómica, se pone el acento en el intento, por parte de las empresas multinacionales, de redefinir las reglas del sistema internacional en su favor. Los autores que defienden este enfoque señalan que las empresas multinacionales controlan una parte creciente de la producción mundial, de tal suerte que los Estados se volverían impotentes frente a sus estrategias. En estas condiciones, la globaliza-

[19] R. Boyer, "Les mots et les réalités", *Mondialisation. Au delà des mythes*, cit., p. 15.

ción designaría el proceso a través del cual las empresas más internacionalizadas intentarían redefinir en su beneficio las reglas previamente impuestas por los Estados-nación.

Por último, en la cuarta definición de la globalización se insiste en los problemas que plantea la existencia de una economía cada vez más mundializada (dirigida en parte por las empresas multinacionales) y la gestión de los países administrados sobre una base nacional. En el pasado, la economía era internacional dado que su evolución se encontraba determinada por la interacción de procesos que operaban a escala de los Estados-nación. El periodo contemporáneo sería testigo de la emergencia de una economía globalizada en la cual las economías nacionales desaparecerían para rearticularse en el seno de un sistema que opera directamente a nivel internacional. En estas condiciones, la existencia de Estados-nación resultaría contradictoria con respecto a un sistema económico cada vez más globalizado.

Todas estas definiciones distan de ser equivalentes, ya que ponen el acento en uno u otro aspecto de la tendencia a la globalización que vivimos en la actualidad. En efecto, la globalización es un fenómeno multidimensional que, como señala Joachim Hirsch,[20] abarca varias dimensiones:

• una dimensión *técnica* relacionada con la implantación de nuevas tecnologías, particularmente el procesamiento y la transmisión de la información y de la imagen a escala planetaria, lo que ha llevado a algunos a hablar de "aldea global";

• una dimensión *política* relacionada con el fin de la guerra fría y la división del mundo en dos bloques enemigos. En este contexto, Estados Unidos se ha vuelto la potencia militar mundialmente dominante sin restricciones;

• una dimensión *ideológico-cultural* relacionada con la universalización de determinados modelos de valor y la generalización del modelo de consumo capitalista;

[20] J. Hirsch, "¿Qué es la globalización?", *Cuadernos del Sur*, cit., pp. 12-13.

• una dimensión *económica* referente a la liberalización del movimiento de mercancías, servicios, capitales y dinero.

Nos proponemos a continuación captar los rasgos centrales de la dimensión económica de la globalización.

Tendencia a la globalización de la economía

La globalización tal y como la conocemos en nuestros días resulta de un largo proceso histórico, descrito por Charles-Albert Michalet en términos de configuraciones.[21]

Una primera configuración denominada *internacional* se constata desde el siglo XV hasta mediados de los años sesenta del siglo XX. Dicha configuración tiene por dimensión dominante el *intercambio de bienes y servicios* entre las naciones. El intercambio se fundamenta en el principio de la especialización internacional en función de las diferencias de productividad sectorial entre las naciones. La existencia de diferencias nacionales de productividad explica la especialización de los países. Aunque la inversión directa en el extranjero existe, ésta sólo facilita el desarrollo de los intercambios sin pretender una relocalización sistemática de la producción. Los movimientos de capitales son determinados por el pago de las transacciones comerciales. Si bien el sujeto principal de esta configuración debía ser el comerciante, su función se opaca por el lugar casi exclusivo que desempeña el Estado-nación. Este último es tanto el actor de la política comercial como el territorio económico pertinente, ya que el conjunto de factores de producción que determina los diferenciales de productividad es constante.

Tras un periodo de desglobalización de la economía mundial que abarca de 1914 a 1945, una segunda configuración denominada *multinacional* se impone desde mediados de los sesenta hasta mediados de los ochenta. Dicha configuración

[21] Charles-Albert Michalet, *Qu'est-ce que la mondialisation?*, La Découverte-Syros, París, 2002.

se caracteriza por la *movilidad de la producción de bienes y servicios* operada por las inversiones directas en el extranjero de las firmas multinacionales. Estas últimas se vuelven los actores principales de la mundialización. Los Estados-nación subsisten, pero pierden su posición predominante. En la configuración multinacional la economía mundial ya no se reduce a la suma de los territorios nacionales.

> Las disparidades económicas, sociales, jurídicas y culturales de los territorios nacionales son negadas por las estructuras organizacionales internas a las firmas que atraviesan los espacios nacionales.[22]

Las firmas sustituyen al mercado. Una gran proporción de los flujos internacionales de bienes y servicios, tecnología y capitales se vuelven internos a las empresas multinacionales. Las firmas internalizan sus actividades para reducir los costos de transacción y de incertidumbre en el sentido de Coase. La internalización equivale a crear un mercado interno a la firma donde la mayoría de sus proveedores y clientes hacia adelante y hacia atrás, nacionales y extranjeros, se integrarán a ella con procedimientos de toma de control y de recompra, o con la creación de filiales controladas al cien por ciento. Es evidente que las ventajas aportadas por la internalización son muy fuertes en el caso de firmas que desarrollan una gran parte de sus actividades en el extranjero, por lo que los costos de transacción son una carga considerable.[23]

[22] Ibid., p. 27.

[23] Desde 1937, Coase señaló la existencia de costos de transacción vinculados al azar de la actividad económica y, particularmente, la instrumentación de los contratos: plazos en el pago de facturas o ausencia de pago, incumplimiento de la calidad esperada de los productos, plazos de entrega, variaciones inesperadas de precios, etcétera. Los costos de transacción existen porque los mercados reales son imperfectos, la información es asimétrica (algunos operadores están mejor informados que otros), los socios tienen un poder

La tercera configuración, denominada configuración *global* se impone desde mediados de los años ochenta del siglo XX. Dicha configuración se caracteriza por el predominio de la dimensión *financiera*. En ella, tiene primacía la rentabilidad financiera. Lo que cuenta es el rendimiento de los capitales invertidos. En la configuración global los movimientos de capitales tienen una lógica propia. Se vuelven en parte autónomos y se sustraen a las determinaciones de la economía real que predominaban en las configuraciones anteriores. La lógica financiera desborda la dimensión financiera y se extiende a las dimensiones "reales" de la economía, es decir, la producción y los intercambios. De una manera general,

> la gestión de las firmas se calca sobre la gestión del portafolio de los bancos de inversión y los activos industriales se asimilan a activos financieros.[24]

En la configuración global, ya no son las firmas trasnacionales las que dominan el movimiento de conjunto de la acumulación ampliada del capital en sus dos dimensiones: creación de nuevas capacidades de producción y extensión de las relaciones de producción capitalistas, entendidas como relaciones de explotación inmediatas de la fuerza de trabajo por un capital orientado hacia la producción de valor y de plusvalía. Al final de un proceso que comenzó a mediados de los ochenta,

de mercado desigual y existen comportamientos oportunistas (egoístas e incluso deshonestos). R. Coase, "The Nature of the Firm", *Economica*, vol. 4, 1937. En el caso de las transacciones internacionales, aumenta la intensidad y el número de costos de transacción debido a la distancia que origina costos de transporte y retrasos imprevisibles, diferencias de lengua y culturas que conducen a errores de comunicación, multiplicidad de monedas utilizadas y variaciones del tipo de cambio, diferencias de ciclos económicos, cambios políticos imprevisibles, etcétera. Ch.-A. Michalet, *Qu'est-ce que la mondialisation?*, cit., p. 68.

[24] Ibid., p. 28.

son las instituciones constitutivas de un capital financiero que posee fuertes características rentistas las que determinan, por intermedio de operaciones que se efectúan en los mercados financieros, tanto la distribución del ingreso como el ritmo de la inversión y el nivel o las formas del empleo asalariado.[25] Dichas instituciones son los bancos, pero sobre todo los inversionistas institucionales: compañías de seguros, fondos de pensión, fondos mutuos, etcétera. Dichos inversionistas institucionales se han vuelto, por intermedio de los mercados de valores, propietarios de los grupos: propietarios-accionistas de un grupo particular que tiene estrategias ajenas a las exigencias de la producción industrial y muy agresivas a nivel del empleo y de los salarios. Son ellos los principales beneficiarios de la configuración global que François Chesnais calificó como régimen de acumulación con dominio financiero.[26]

Actualmente, la globalización puede ser captada a través de tres indicadores: el intercambio de mercancías con el exterior, la inversión extranjera directa y los flujos internacionales de capital-dinero.

Como vimos, la forma más remota de mundialización es el *intercambio con el exterior.* En este caso, la producción localizada en el país exportador se destina a satisfacer la demanda del país importador. Tratándose de economías complementarias, las ventajas comparativas explicarían las ganancias recíprocas obtenidas del intercambio comercial. Por el contrario, tratándose de economías similares situadas en el mismo nivel

[25] "Ya nadie puede pasar por alto la fantástica concentración de poder que en nuestros días se advierte en los llamados mercados financieros, dominados por la especulación cambiaria. Con el avance de la globalización, esos mercados son ahora los más rentables. Por ello, cada vez más, la distribución del ingreso en el mundo responde a las operaciones virtuales efectuadas en el sector financiero" (Celso Furtado, *El capitalismo global,* Fondo de Cultura Económica, México, 1999, p. 7).

[26] François Chesnais, "Mondialisation: le capital rentier aux commandes", *Les Temps Modernes,* n. 607, enero-febrero de 2000.

de desarrollo, un fuerte comercio intrarrama o intraproducto resulta de ganancias recíprocas explicadas por la variedad de productos ofrecidos y los bajos costos provenientes de economías de escala o de gama.[27]

Grosso modo, los elementos más relevantes del sistema actual de intercambios son los siguientes:

• una tendencia a la formación de zonas de comercio muy densas alrededor de los tres polos de la tríada, en Europa occidental, América del Norte y el este de Asia. La división internacional vertical del trabajo entre países de desarrollo desigual, sustentada en bienes complementarios, ha dado lugar a una división horizontal del trabajo entre países del mismo nivel de desarrollo, sustentada en bienes sustituibles. Así, en el norte se realizan dos tercios del comercio mundial;[28]

• una tendencia a la polarización de los intercambios a nivel mundial, con una marginación creciente de todos los países excluidos de la "regionalización" en torno a los tres polos de la tríada. Los países de África y una gran parte de los de América Latina, especializados en la producción primaria, sufren una especialización empobrecedora, dedicándose a producir bienes de base cuya demanda mundial crece poco en un contexto de competencia creciente. Por el contrario, se observa el ascenso de algunos países de América Latina, del sureste de Asia y sobre todo de Asia del Pacífico, cuya parte en el comercio mundial crece sustancialmente en los últimos treinta años;

• una buena parte del comercio mundial se explica por la actividad de las empresas multinacionales (1/3 del total) y por el comercio interno entre las filiales y la casa matriz (1/3 del total). Los precios de los bienes, de los servicios y de los factores se fijan fuera del mercado; se trata de precios de transferencia establecidos por las mismas multinacionales;[29]

[27] Gérard Lafay, *Comprendre la mondialisation*, Economica, París, 1997, p. 38.

[28] Philippe Hugon, *Économie politique internationale et mondialisation*, Economica, París, 1997, p. 45.

[29] Ibid., p. 44.

• una tendencia creciente al aumento del comercio mundial de productos de alto valor agregado y de los servicios (sociedades financieras, aseguradoras, inmobiliarias y gran distribución);

• por último, la sustitución del paradigma de las ventajas comparativas con ganancias comerciales para todos los participantes, por el paradigma de la competencia internacional en el que la competitividad de cada uno designa los ganadores y los perdedores.[30] La búsqueda de la competitividad como principio dinámico de la configuración internacional sustituye la productividad diferenciada por países.

La segunda forma de mundialización es la *inversión directa en el extranjero.* En este caso, la empresa de un país se vuelve multinacional, creando o comprando filiales de producción en países extranjeros. Según Bourguinat,[31] la inversión extranjera directa tiene al menos cuatro especificaciones con respecto al simple intercambio de bienes y servicios:

[30] El argumento general, repetido incesantemente desde Ricardo y su teoría de las ventajas comparativas, sostiene que el comercio internacional beneficia a todos los países que participan en el intercambio, independientemente de sus dimensiones y su estructura productiva y social. Por el contrario, los detractores del libre intercambio como Chesnais piensan que se trata de un juego de suma cero en el que hay países perdedores y ganadores (François Chesnais, *La mondialisation du capital,* Syros, París, 1994, p.183). Las ganancias surgidas de la mundialización provienen de las ventajas comparativas y de la especialización internacional, de las economías de escala y de gama, de la reducción de costos de transporte y de comunicación. Sin embargo, la mundialización no presenta sólo ventajas, también engendra costos elevados debido a las consecuencias sociales y económicas de las reestructuraciones, a la inestabilidad económica y financiera, y a las desigualdades persistentes en el desarrollo (Jacques Le Cacheux, "Mondialisation économique et financière: de quelques poncifs, idées fausses et vérités", *Revue de l'OFCE,* número extraordinario, marzo de 2002).

[31] Henri Bourguinat, *Finance internationale,* PUF, París, 1992, p. 115.

• la inversión extranjera directa no tiene como el simple intercambio comercial (exportación-importación) una naturaleza autoliquidativa inmediata (pago al contado) o diferida (crédito comercial). No se trata de una operación puntual;

• la inversión directa en el extranjero hace intervenir una dimensión intertemporal en la medida en que la decisión de implantarse en un país extranjero engendra flujos de producción, de intercambio y de repatriación de beneficios que se extienden necesariamente durante varios periodos;

• la inversión extranjera directa implica transferencia de derechos patrimoniales y, luego entonces, de poder económico sin comparación con la simple exportación o importación;

• finalmente, en el caso de la inversión extranjera directa existe un componente estratégico evidente en la decisión de la empresa: no sólo su horizonte es mucho más vasto, sino que los *motivos* que la impulsan son mucho más variados.

La inversión extranjera directa puede responder a varios motivos:[32]

• imposibilidad de producir en cantidades suficientes en el país de origen, en particular en el sector primario, debido a la carencia de recursos naturales;

• imposibilidad de vender en cantidades suficientes en los países de destino debido a las barreras proteccionistas aplicadas principalmente en el sector secundario, o debido a la naturaleza de los productos, como es el caso del sector terciario;

• posibilidad de satisfacer mejor la demanda en los países de implantación, sobre todo en el caso de los países desarrollados, donde las filiales de producción permiten una mayor cercanía con los grandes mercados;

• posibilidad de aprovechar las ventajas comparativas macroeconómicas en los países de implantación, sobre todo en los países subdesarrollados, que tienen bajos costos salariales.

Situándonos en una perspectiva histórica, se puede señalar que fueron los dos primeros motivos los que, en sus inicios,

[32] G. Lafay, *Comprendre la mondialisation*, cit., pp. 39-41.

explicaron la presencia de la la inversión extranjera directa. Para las empresas multinacionales estadounidenses, ésta formaba parte de la estrategia geopolítica del gobierno de Estados Unidos, por lo que generaban una reacción nacionalista de rechazo en los países donde se instalaban, sobre todo en los subdesarrollados. Más tarde, estas grandes empresas multinacionales se dirigieron a Europa, no con el propósito de saltar las barreras proteccionistas, sino con la idea de satisfacer mejor la demanda interna (tercer motivo).

En los años setenta, el movimiento de multinacionalización de las empresas se extiende y se diversifica. Particularmente, en los países subdesarrollados la inversión extranjera directa no sólo es atraída por la disponibilidad de recursos naturales o para saltar barreras proteccionistas, sino para beneficiarse de ventajas comparativas macroeconómicas, trasladando, al mismo tiempo, sus propias ventajas microeconómicas. En el caso de las actividades intensivas en mano de obra, se operó un movimiento de inversión directa por parte de empresas estadounidenses, europeas y japonesas. Por ejemplo, en Taiwán, en Corea del Sur, en Hong Kong y en Singapur los inversionistas extranjeros se aprovecharon de la débil remuneración de la mano de obra local. Ahí se constató la instalación masiva de industrias de trabajo intensivo cuyos productos eran destinados a la exportación. Un fenómeno parecido se desarrolló en México con la implantación, a través de grandes firmas estadounidenses y japonesas, de empresas maquiladoras sobre todo en la frontera con Estados Unidos, donde se utiliza mano de obra barata en la producción industrial. El interés por parte de las firmas multinacionales en localizar ciertas operaciones de producción en la periferia tiene por objetivo la búsqueda del beneficio sobre la base de la desigualdad de las remuneraciones del trabajo manual. En estas condiciones, se asiste a una descomposición internacional de los procesos productivos en función de las condiciones diferenciales de costos, dimensiones de mercado, riesgos, reglamentación, etcétera.

La forma más reciente de multinacionalización está representada por la empresa-red.[33] Un número aún minoritario pero creciente de empresas se transforman en empresas-red. En lugar de crear filiales controladas al interior de un sistema fuertemente estructurado y jerarquizado, resulta más conveniente establecer relaciones contractuales con socios de los países de implantación, sobre todo en el caso de los países que están despegando a nivel industrial. Se elabora así un tejido complejo de contratos, de subcontratación, de franquicias, de ventas de licencia, que borra de alguna manera las fronteras exactas entre una firma y las otras empresas, y transforma a estas últimas en partes de una red, que tiene un líder que da las órdenes y una galaxia de empresas que giran en torno a él en virtud de acuerdos contractuales. El ejemplo clásico de este fenómeno lo ilustra Benetton, con un funcionamiento de empresa-red. Para mejorar su rentabilidad, las empresas buscan reducir sus costos fijos, canalizando al exterior un gran número de funciones que hasta ahora habían sido tomadas a su cargo. El principio de la externalización tiende a sustituir al de la internalización. Este movimiento tiene por efecto la creación de una red de empresas jurídicamente independientes que trabajan total o parcialmente para un polo central. En la empresa-red, la aportación del hub (centro de actividad que no corresponde a la noción de casa matriz) reposa en esencia en las capacidades de diseño, de marketing, de ingeniería financiera y de organización de la red. El centro de actividad no produce un solo bien. Se trata de una empresa sin plantas. La producción se ha externalizado y relocalizado entre las empresas de los países del resto del mundo, sobre todo en Asia, donde la mano de obra es aún barata, productiva y cada vez más calificada. La gran cantidad de empresas que fabrican algunas partes del producto final que será montado en otro lado, en otras

[33] Ch.-A. Michalet, *Qu'est-ce que la mondialisation?*, cit., pp. 137-38; Jean-Louis Mucchielli, *Multinationales et mondialisation*, Seuil, París, 1998, capítulo 3, y F. Chesnais, *La mondialisation du capital*, cit., capítulo IV.

unidades de producción, son jurídicamente independientes: no son filiales integradas a una jerarquía como en el modelo tradicional multinacional. Sin embargo, su acceso al mercado depende de su pertenencia a la red creada y administrada por el centro de actividad.

La gran empresa centralizada concebida para una producción en masa es abandonada para dar paso a una red extendida a escala mundial. Siguiendo una estrategia de globalización, las empresas tienden a multiplicar las alianzas con sus competidores a fin de compartir las actividades de investigación, producción y comercialización, contrarrestando la alianza de otras empresas. Estas alianzas competitivas constituyen una red de empresas que se apoyan entre sí, estableciendo una estrategia común.[34] En estas condiciones, una parte creciente del valor y de la riqueza se produce y reparte a través del mundo (en el marco de un sistema de redes de empresas vinculadas entre sí) en función del costo de los factores y/o de la disponibilidad de las competencias necesarias.

Pero veamos brevemente cómo ha evolucionado la inversión extranjera directa. A fines del siglo XIX, las inversiones directas inglesas eran dominantes. Después de la segunda guerra mundial y hasta mediados de los años setenta Estados Unidos ejerció la supremacía. Más tarde, la hegemonía estadounidense es cuestionada por Japón y Europa. En el continente europeo, Francia y Alemania comienzan a compartir con los Países Bajos, y sobre todo con Inglaterra, el calificativo de grandes exportadores de capitales. No obstante, el hecho más notable es el peso dominante de las inversiones cruzadas entre los países de la tríada (América del Norte, Europa y Japón) hacia finales de los años noventa. En efecto, cerca de 60 por ciento de las inversiones japonesas se dirigen hacia Estados

[34] Como ejemplo, se puede mencionar en el caso de la industria automotriz la alianza entre Renault y Nissan. Asimismo, en el caso de la microcomputación resalta la producción de procesadores Power PC de manera conjunta por las compañías Apple, IBM y Motorola.

Unidos y la Unión Europea. Los flujos europeos se orientan en alrededor de 70 por ciento hacia Estados Unidos y la Asociación Europea de Libre Cambio. Finalmente, los flujos estadounidenses se dirigen en más de 60 por ciento hacia la Unión Europea y Japón. El resultado es el mismo si tomamos en cuenta los stocks, es decir, el monto acumulado de inversión extranjera directa, ya que más de tres cuartos del stock mundial se encuentra en los países industrializados.[35] De una cierta manera, los países subdesarrollados se han visto marginados, con la excepción de un pequeño núcleo de países, sobre todo asiáticos, que recibieron un importante flujo de inversión extranjera directa en los años noventa. En esos países las empresas multinacionales encontraron una mano de obra barata relativamente calificada, infraestructuras correctas y estabilidad institucional. De ahí la relocalización masiva de las actividades de ensamble y fabricación en los textiles, la industria del calzado, la industria del juguete e incluso la electrónica y la computación.

Como vemos, gracias a los intercambios comerciales con el exterior y a la inversión extranjera directa la economía real, como dice el profesor Bourguinat, se mundializa cada vez más.[36] Pero cualesquiera que sean los progresos de la integración real, ésta ha estado siempre retrasada con respecto a la *integración financiera*.

Veamos algunas cifras que ilustran este fenómeno.[37] Entre 1980 y 1993, el PNB nominal de los países de la OCDE aumentó 2.5 veces, el valor del comercio internacional 3.4 veces, el de los activos financieros en los principales mercados 7.7 veces, en tanto que las transacciones cambiarias aumentaron 15 veces. Las transacciones en los mercados cambiarios alcanza-

[35] Yves Crozet, Lahsen Abdelmalki, Daniel Dufourt y René Sandretto, *Les grandes questions de l'économie internationale*, Nathan, París, 1997, pp. 125-26.

[36] Henri Bourguinat, *L'économie morale*, Arléa, París, 1998, p. 49.

[37] P. Hugon, *Économie politique internationale et mondalisation*, cit., pp. 53-54.

ron 1.2 billones de dólares por día, lo que representa alrededor de 50 veces más que los flujos reales de mercancías. Por otro lado, las operaciones sobre acciones y obligaciones que atravesaron las fronteras en el seno del G7 pasaron de representar 35 por ciento del PIB en 1985 a 140 en 1995. Esto ha llevado a una mundialización de los portafolios que ilustra, por ejemplo, el hecho de que los fondos de jubilación británicos mantienen 30 por ciento de sus activos bajo la forma de títulos extranjeros.

La creciente integración financiera internacional es resultado de dos hechos fundamentales: la decisión de los Estados de *desreglamentar* los mercados financieros y las *mutaciones tecnológicas* que permiten la difusión instantánea a bajo costo de la información (progresos de la ingeniería financiera y de las telecomunicaciones). Veamos estos dos puntos con más detalle.

Hasta inicios de los años ochenta, los flujos financieros estaban reglamentados sobre una base nacional. Hoy, por el contrario, los operadores extranjeros pueden intervenir en el mercado interno. Una empresa multinacional puede invertir o pedir prestado tratando de aprovechar las mejores tasas, de pasar de una moneda a otra, de un título a otro o de un mercado a otro. La circulación de los capitales está determinada por el arbitraje en los mercados financieros internacionales y en los mercados de cambios. La movilidad de capitales obedece integralmente a la existencia de diferencias de rendimiento entre las plazas financieras. La posibilidad de ganancias especulativas se fundamenta en las anticipaciones de los movimientos de las variables de los mercados financieros: tasas de interés y tipos de cambio. Los efectos de imitación inflan los movimientos especulativos, llevando a la formación de burbujas. Todo ello es resultado de la fuerte desreglamentación decidida por los Estados en el ámbito financiero.

Los progresos de la ingeniería financiera y de las telecomunicaciones interconectan los mercados, que funcionan de manera instantánea. El sistema financiero internacional, gracias a la moneda electrónica que no cambia la naturaleza de la moneda,[38] genera su propia dinámica. Aunque los progresos de la *integración real* son importantes, ésta permanece siempre retrasada con respecto a la *integración financiera.* En efecto, la velocidad del transporte de mercancías por barco o por avión aumenta cada vez más, pero está lejos de igualar la velocidad de circulación de los productos financieros, que se desplazan a nivel mundial prácticamente a la velocidad de la luz.

En esta situación, no podemos más que estar de acuerdo con Aldo Ferrer cuando señala que si bien la tecnología informática facilitó la integración de los mercados financieros,

> el elemento decisivo de su crecimiento fue la desregulación que ha sido generalizada y prácticamente total para las transacciones en cuenta corriente como, así también, para las de capital.[39]

Y en esto no hay que olvidar, como justamente sostiene Aldo Ferrer, que en los países subdesarrollados el Fondo Monetario Internacional fue el instrumento que promovió la desregulación financiera. En el mundo desarrollado, el triunfo actual del "mercado" no se habría podido realizar sin las intervenciones de los Estados capitalistas más poderosos. Gracias a las medidas cuyo punto inicial en los países desarrollados remonta a la "revolución conservadora" de Margaret Thatcher y Ronald Reagan a finales de los setenta y principios de los ochenta, el capital logró deshacerse de todos los frenos y parapetos que habían encuadrado y canalizado su actividad en los países industrializados. Sin la ayuda activa de los Estados, las firmas trasnaciona-

[38] La moneda electrónica (conjunto de técnicas computacionales, magnéticas, electrónicas y telemáticas que permiten el intercambio de fondos sin un soporte de papel) es un nuevo instrumento de circulación de la moneda escritural y no una nueva forma de moneda, como algunas veces se afirma de manera apresurada. Monique Béziade, *La monnaie,* Masson, París, 1986, p. 29.

[39] Aldo Ferrer, *Hechos y ficciones de la globalización,* Fondo de Cultura Económica, Buenos Aires, 1997, p. 19.

les y los inversionistas financieros institucionales no habrían alcanzado la posición dominante que tienen actualmente. La gran libertad de acción de que gozan a nivel interno y la movilidad internacional casi completa de que disponen no habría sido posible sin las numerosas medidas legislativas y reglamentarias para desmantelar las instituciones existentes y sustituirlas por nuevas instituciones adaptadas a la lógica neoliberal.

El fenómeno de la globalización, ni tan abrumador ni tan nuevo como se afirma

Si la palabra globalización fuera empleada para designar un simple proceso de crecimiento del comercio y de la inversión real y financiera internacional, uniendo un número creciente de países con intercambios más intensos en un sistema abierto de comercio mundial, no habría nada de excepcional o de censurable. Dicho proceso, que se opone a la autarquía, se ha verificado, interrumpido por graves crisis económicas y guerras, desde hace más de un siglo. No obstante, con mucha frecuencia, los indicadores de crecimiento reciente de los intercambios internacionales que presentamos en la sección precedente son utilizados para justificar el argumento de que la economía mundial ha visto alterada su naturaleza. La versión más radical de la tesis de la globalización afirma que las economías nacionales fueron simplemente incorporadas a los mercados mundiales y que el poder de las fuerzas del mercado anula o vuelve innecesaria cualquier posibilidad de gestión pública eficiente sea por los Estados-nación, acuerdos internacionales o instituciones supranacionales. En esas condiciones, la recomendación que se impone es la de adoptar políticas amistosas para los mercados. Es decir, políticas funcionales para los intereses de las clases dominantes, como son las políticas neoliberales del Consenso de Washington.[40] Así, indica-

[40] Como comenta a este respecto David Félix: "Había que modificar la máxima neoliberal de 'corrija los precios' por la de 'man-

dores como los presentados relativos al comercio y la inversión creciente son utilizados para justificar la aplicación de políticas neoliberales en el marco de lo que sería una economía mundial por completo transnacionalizada.

No obstante, en los últimos años ha surgido toda una bibliografía que nos permite verificar empíricamente que el proceso de globalización no es tan abrumador como se ha afirmado en múltiples ocasiones.[41] Entre los hechos que señala dicha bibliografía destacan los siguientes.

Más de 80 por ciento de la producción mundial es destinada a aprovisionar el mercado interno de los países. Las exportaciones no representan más de 20 por ciento del producto mundial.[42] Si se considera sólo a las economías industrializadas, se encuentra que 90 por ciento de la producción se destina al mercado interno.[43]

En la mayoría de los países desarrollados, la inversión doméstica realizada con capital doméstico supera tanto la inversión directa en el extranjero como la inversión extranjera en casa.[44]

La inversión extranjera directa, por más importante que sea, continúa circulando entre los tres principales bloques de la tríada. Así, entre 1981 y 1990, 75 por ciento de los flujos

tenga sus políticas aceptables para los mercados financieros'" (David Félix, "La globalización del capital financiero", *Revista de la CEPAL*, número extraordinario, 1998).

[41] Robert Wade, "Globalization and its Limits: Reports of the Death of the National Economy are Greatly Exaggerated", en Suzanne Berger y Ronald Dore (comps.), *National Diversity and Global Capitalism*, Cornell University Press, Ithaca y Londres, 1996; Paul Hirst, "Globalização: mito ou realidade?", en J. L. Fiori, M. Skinner de Lourenço y J. Carvalho de Noronha (coords.), *Globalização. O fato e o mito*, cit., y A. Ferrer, *Hechos y ficciones de la globalización*, cit.

[42] Ibid., p. 30.

[43] R. Wade, "Globalization and its Limits: Reports of the Death of the National Economy are Greatly Exaggerated", en S. Berger y R. Dore (comps.), *National Diversity and Global Capitalism*, cit., p. 86.

[44] Ibid., p. 70.

de inversión extranjera directa procedía de Estados Unidos, Canadá, la Unión Europea y Japón, que no representaban más de 14 por ciento de la población mundial en 1990.[45]

Cerca de 95 por ciento de la acumulación de capital mundial se financia con ahorro interno de los países.[46]

Las inversiones de las filiales de las corporaciones multinacionales representan hoy en día sólo 4 por ciento de la formación de capital fijo a nivel mundial.[47]

La participación de las filiales de las corporaciones multinacionales en el producto mundial es de aproximadamente 7 por ciento, porcentaje inferior al de la economía subterránea (dejando de lado las actividades delictivas como el narcotráfico). En efecto, se considera que la participación de la economía subterránea en el producto total de las economías industriales es de dos a tres veces mayor que la de las filiales de las corporaciones multinacionales. Como es evidente, en el caso de los países subdesarrollados la diferencia es aún mayor.[48]

Las corporaciones multinacionales mantienen sus decisiones estratégicas y sus actividades de investigación y desarrollo concentradas en su base doméstica.[49]

Las empresas de muchas industrias (sin considerar las que están involucradas en simples operaciones de ensamble) están lejos de haberse desarraigado con respecto a su localización original una vez que han invertido en el exterior. Dicho de otra manera, las empresas calificadas como globales permanecen de alguna forma vinculadas a su base local,

[45] P. Hirst, "Globalização: mito ou realidade?", en J. L. Fiori, M. Skinner de Lourenço y J. Carvalho de Noronha (coords.), *Globalização. O fato e o mito,* cit., p. 110.

[46] A. Ferrer, *Hechos y ficciones de la globalización*, cit., p. 30.

[47] Ibid., p. 30.

[48] Ibid., p. 31.

[49] R. Wade, "Globalization and its Limits: Reports of the Death of the National Economy are Greatly Exaggerated", en S. Berger y R. Dore (comps.), *National Diversity and Global Capitalism*, cit., p. 86.

por lo que no pueden considerarse como completamente globales.[50]

Los países de la OCDE muestran diferencias en la tasa y el patrón de las actividades tecnológicas al menos desde finales de los sesenta, lo cual sugiere que "los sistemas nacionales de tecnología y de capacidad empresarial" son robustos y tienden a determinar las actividades de la mayoría de las empresas nacionales.[51]

El mercado financiero mundial se halla lejos de estar por completo integrado debido, entre otros factores, a que pocas empresas tienen suficiente reputación mundial para colocar títulos fuera de los mercados domésticos.[52] En la realidad, los capitales no son perfectamente movibles, ni perfectamente sustituibles. La desreglamentación financiera y el progreso técnico que mejoran la transmisión de las órdenes dan mayor fluidez al capital, pero persisten importantes obstáculos a la movilidad, como son los costos de transacción, los gastos de conversión de monedas, los impuestos sobre las operaciones y las reglamentaciones, entre otros. Todo ello impide la sustituibilidad perfecta y la integración financiera total.[53]

En resumidas cuentas, la globalización coexiste con espacios nacionales en los que se efectúa la mayoría de las transacciones económicas.

[50] Ibid., pp. 78-82.

[51] Ibid., pp. 82-86.

[52] Ibid., pp. 73-76.

[53] A este respecto, Gérard Béduneau nos ofrece un ejemplo imaginario de lo que sería un mercado financiero completamente integrado. En efecto, para este funcionario del banco central de Francia "la globalización sería la emisión por parte de un micro Estado del Pacífico, de un programa de bonos del Tesoro a corto plazo, emitidos en reales del Brasil por el intermedio de un banco argelino implantado en Suecia y vendidos a inversionistas japoneses y griegos, y que daría lugar posteriormente a un mercado secundario durante toda la vida de los bonos del Tesoro" (Jacques Léonard [comp.], *Les mouvements internationaux de capitaux*, Economica, París, 1997, p. 91).

Aunado a lo anterior y al contrario de lo que suele afirmarse, la globalización no es planetaria.[54] Las economías nacionales no participan de igual manera en el proceso de globalización. La mayoría de las economías menos desarrolladas están excluidas de dicho proceso. De hecho, la globalización es selectiva y atañe sólo a los países de la tríada y a un grupo selecto de quince países emergentes de Asia (China, Corea del Sur, Taiwán, Malasia, Singapur, Hong Kong), de América Latina (México, Brasil, Argentina, Chile) y de Europa del este (Polonia, República Checa, Hungría, Eslovenia), a los que se podría agregar Turquía. Por el momento, los países menos avanzados de África, Asia y América Latina se encuentran marginados del proceso de globalización. La globalización no constituye un proceso integrador mundial que llevaría a una distribución menos desigual de la riqueza. La marginación creciente de una gran cantidad de países resulta de la fuerte selectividad inherente a las inversiones directas y a las colocaciones financieras, cuando los grupos industriales y financieros aprovechan la liberalización y la desreglamentación de los intercambios de mercancías y de los movimientos de capitales. La homogenización inherente a la globalización se limita al consumo de algunos bienes (Coca-Cola, Nike, McDonald's) y a los modos de dominio ideológico gracias a las nuevas tecnologías y los medios de comunicación. El hecho de que haya integración de unas economías y marginación de otras resulta del proceso contradictorio del capital en busca de rentabilidad, al mismo tiempo que determina los límites. Dejado a sí mismo, operando sin ningún freno, el capitalismo produce la concentración de la riqueza en un polo social y espacial, y la pobreza o la miseria más inhumana en el otro. La globalización no elimina la existencia de Estados nacionales ni las relaciones de dominación y de dependencia política entre ellos. Por el contrario, ha acentuado los factores de jerarquización. El abismo que separa a los países que pertenecen a la tríada y sus asociados de aque-

[54] Ch.-A. Michalet, *Qu'est-ce que la mondialisation?*, cit., pp. 146-52.

llos que no interesan al capital se ha agrandado en los últimos veinticinco años.[55]

A estos hechos que relativizan la importancia del proceso de globalización actual, se añaden otros que nos muestran que la globalización no es un proceso tan nuevo como se pretende. No se trata más que de la intensificación de un proceso de descubrimiento del mundo, de apertura de mercados y de difusión del conocimiento que comenzó hace quinientos años. Como bien lo expuso Aldo Ferrer, la globalización tiene una antigüedad de cinco siglos.[56] Si bien es cierto que hacia finales de la segunda guerra mundial o aún en 1960 las economías nacionales se encontraban relativamente cerradas, posteriormente se da un proceso de apertura muy importante, pero no tan significativo si se le compara con la situación que conoció el mundo entre 1870 y 1913. En esa época, las principales economías eran grandes imperios, donde privaban fuertes desigualdades. La mundialización en ese entonces se llamaba colonialismo y se acompañaba de una fuerte capacidad para "regular" militarmente las dificultades.[57]

Entre 1870 y 1913, la tasa de crecimiento del comercio internacional fue de 3.9 por ciento, superando la tasa de crecimien-

[55] F. Chesnais, "Mondialisation: le capital rentier aux comandes", *Les Temps Modernes*, cit., p. 22.

[56] "En la última década del siglo XV, los desembarcos de Cristóbal Colón en Guanahaní y los de Vasco da Gama en Calicut culminaron la expansión de ultramar de los pueblos cristianos de Europa promovida, desde comienzos de la misma centuria, por el infante portugués Enrique el Navegante. Bajo el liderazgo de las potencias atlánticas –España y Portugal, primero, y, poco después, Gran Bretaña, Francia y Holanda– se formó entonces el primer sistema internacional de alcance planetario" (Aldo Ferrer, *De Cristóbal Colón a Internet: América Latina y la globalización*, Fondo de Cultura Económica, Buenos Aires, 1999, p. 55).

[57] Charles Wyplosz, "La mondialisation: l'économie en avance sur les institutions", en P. Jacquet, J. Pisani-Ferry y L. Tubiana, *Gouvernance mondiale*, cit., p. 302.

to del producto mundial, que fue sólo de 2.5 por ciento.[58] Las exportaciones como porcentaje del PIB de los países industrializados alcanzaron 12.9 por ciento en 1913, cayendo a 6.2 en 1938, para alcanzar 14.3 en 1992.[59]

El periodo que va de 1870 a 1913 se caracteriza por una fuerte movilidad de capital. Los marcos regulatorios liberales, en el cuadro de un patrón oro que favorecía la estabilidad de las paridades, alentaron una fuerte circulación internacional del capital. El Reino Unido, la potencia hegemónica de aquella época, colocaba alrededor de la mitad de su ahorro en el extranjero. Asimismo, Francia, Alemania y Estados Unidos conocieron salidas importantes de capitales. Así, los capitales británicos colocados por el Reino Unido en el extranjero correspondían a una vez y media su PIB, los capitales franceses eran alrededor de 15 por ciento superiores al PIB francés, los capitales alemanes 40 por ciento superiores al PIB alemán y los capitales de Estados Unidos eran 10 por ciento superiores al PIB de ese país. Una buena parte de esos capitales se destinó a la construcción de ferrocarriles, lo que sin duda aceleró el crecimiento económico en esa época.[60]

En 1913, la relación entre el stock de inversiones de las empresas multinacionales y el producto mundial era de 9 por ciento, proporción no muy diferente a la que se observa hoy en día.[61]

Entre 1870 y 1913, los mercados de trabajo estaban internacionalmente más integrados que en la actualidad. Así, en esos años se constatan flujos migratorios masivos como el de los 17.5 millones de personas que salen de Europa para dirigirse a los "países nuevos" (Australia, Canadá, Nueva Zelanda

[58] A. Ferrer, *Hechos y ficciones de la globalización*, cit., p. 37.

[59] Paul Bairoch, "Globalization: Myths and Realities", en Robert Boyer y Daniel Drache (coords.), *States Against Markets*, Routledge, Londres y Nueva York, 1996, p. 179.

[60] Angus Maddison, *L'économie mondiale, 1820-1992*, OCDE, París, 1997, pp. 64-65.

[61] A. Ferrer, *Hechos y ficciones de la globalización*, cit., p. 37.

y Estados Unidos). Al mismo tiempo, un gran número de chinos y de hindúes se instalaron en Birmania, Ceilán, Malasia, Indonesia, Singapur y Tailandia.[62]

Por si lo anterior fuera poco, Aldo Ferrer nos recuerda una serie de hechos que impactaron tanto o más que los actuales el orden mundial: a finales del siglo XV el descubrimiento del Nuevo Mundo, entre los siglos XVI y XVIII la producción de azúcar y la esclavitud, en el siglo XIX el ferrocarril, la navegación a vapor y la revolución en materia de comunicaciones (teléfono, cables submarinos, radiotelegrafía), que permitió que el mundo quedara comunicado en tiempo real.[63]

Con toda la evidencia presentada en este apartado, podemos afirmar que el proceso de globalización no es tan abrumador ni tan nuevo como se afirma. Sin embargo, esto no quiere decir que la nueva fase de globalización que se abre en los años ochenta, con la generalización de las políticas neoliberales, no haya tenido consecuencias muy importantes tanto en los países del norte, como en los del sur.

Efectos de la globalización sobre el empleo y la distribución del ingreso en los países del norte

Desde hace más de treinta años, la velocidad a la cual mutan las especializaciones internacionales no deja de aumentar, cuestionando las bases de la teoría de los costos comparativos. Como dice Henri Bourguinat,[64] el famoso ejemplo del abogado y de su secretaria dado por Samuelson para convencer a los estudiantes de economía de la justeza de la teoría ricardiana de las ventajas comparativas plantea muchos problemas. ¿Qué pasaría si la secretaria con muchos esfuerzos estudiara derecho y se volviera capaz de cuestionar el monopolio de su patrón abogado? Esto es justamente lo que ha acontecido en la

[62] A. Maddison, *L'économie mondiale, 1820-1992*, cit., p. 65.
[63] A. Ferrer, *Hechos y ficciones de la globalización*, cit., pp. 33-35.
[64] H. Bourguinat, *L'économie morale*, cit., pp. 90-91.

economía mundial con la aparición de los "países de salarios bajos y fuerte capacidad tecnológica", según la expresión de Pierre-Noël Giraud.[65]

La aparición en el sureste asiático de una economía de exportación fundamentada en una mano de obra barata se remonta a los años sesenta, sobre todo en las industrias de ensamble con fuerte densidad de mano de obra. Habiéndose limitado primero a los "cuatro dragones" (Hong Kong, Singapur, Taiwán y Corea del Sur), la primera oleada de industrialización asiática se extiende en los años ochenta a otros países de Asia (Malasia, Indonesia y Tailandia). Un poco después estos países calificados como "dragoncitos" fueron alcanzados por otros países como Vietnam y Filipinas, que no estaban dispuestos a quedarse atrás en la carrera hacia la industrialización. A final de cuentas, la situación se va a generalizar en casi toda Asia, con la participación de China e India en la competencia industrial mundial.

Pero la conjunción de salarios bajos y alta capacidad tecnológica no es un fenómeno meramente asiático. Algunos países de América Latina (sobre todo Brasil y México) y los países de Europa del este conocen también esta conjunción, lo que los convierte en importantes competidores potenciales en los mercados mundiales de productos manufacturados.

La industria del tercer mundo (al igual que la de las "economías en transición") incluye hoy la mayoría de los sectores industriales: industria ligera, industria del automóvil, construcción naval, ensamble de aviones, armamento, etcétera. Aunque el tercer mundo continúa desempeñando un papel importante como productor de materias primas, la economía mundial contemporánea ya no funciona con base en una división internacional del trabajo, con la industria manufacturera por un lado, y la producción primaria por el otro, como fue el caso antes de la segunda guerra mundial.

[65] Pierre-Noël Giraud, *L'inégalité du monde*, Gallimard, París, 1996, p. 245.

En estas condiciones, se comprende el temor por parte de los países industrializados de encontrarse en la incapacidad de hacer frente a la competencia de los países de salarios bajos y capacidad tecnológica. Se piensa que dicha competencia podría provocar una baja de los salarios y/o un aumento del desempleo, agravando la pobreza y la exclusión que ya se constatan en el primer mundo. El impacto de la competencia de los países con bajos salarios y capacidad tecnológica se hace sentir de dos maneras. Antes que nada se teme que las *importaciones* provenientes de esos países generen pérdidas de empleos no calificados en los sectores afectados por la competencia. En segundo lugar, se teme el *desplazamiento de empresas* hacia países que ofrecen una mano de obra calificada barata y condiciones de inversión interesantes.

Sin embargo, no hay que perder de vista que según una fórmula macroeconómica contable ineludible (ahorro – inversión = exportaciones – importaciones) un país que importa capitales, por lo tanto que le falta ahorro, importa forzosamente más mercancías y servicios de los que exporta. Dicho de otra manera, los países subdesarrollados importadores de capitales no pueden ser al mismo tiempo competidores comerciales serios, ya que sus balanzas globales con los países industrializados son *necesariamente* negativas. Si los países industrializados no indemnizan a los trabajadores víctimas de pérdidas de empleo con las ganancias obtenidas de exportaciones crecientes, es un problema interno de ellos y no la consecuencia de una competencia desleal del tercer mundo.

La presencia en los almacenes de los países desarrollados de una cantidad creciente de productos provenientes de los países de bajos salarios y capacidad tecnológica es el aspecto más tangible de la mundialización.[66] Este hecho suscitó planteamientos hipócritas como el del "dumping social" (se descubre súbitamente el trabajo infantil cuando se comienzan a perder

[66] Anton Brender, *La France face à la mondialisation*, La Découverte, París, 1998, p. 48.

mercados)[67] y debates apasionados. En el centro de dichos debates se encuentra la constatación estadística entre el aumento del desempleo en Europa y el aumento paralelo de las exportaciones manufactureras de los países del sur (y en fechas recientes de Europa del este). Sin embargo, pronto se llega a establecer que en los países desarrollados el porcentaje de trabajadores afectados por la competencia de los países pobres es muy débil: entre 2 y 3 por ciento de la mano de obra total. En Francia, en particular, las estimaciones más pesimistas obtienen un saldo neto de 300 mil empleos perdidos.[68] Sin olvidar una serie de ineficiencias técnicas referentes al modo de cálculo, Henri Bourguinat[69] observa con justa razón que la principal limitante de dichos estudios es no considerar los efectos indirectos de la competencia de los países del sur sobre la cantidad de trabajo utilizada en los países del norte. En efecto, en los sectores más amenazados no se toma en cuenta el aliento modernizador que crea la amenaza potencial de los países de salarios bajos y capacidad tecnológica. Las empresas de los sectores más afectados (textil, calzado, electrónica) tienden a acelerar la sustitución del trabajo por capital con el

[67] Refiriéndose a la cláusula social discutida en la Organización Mundial del Comercio, Henri Bourguinat plantea varias cuestiones pertinentes: "¿No hay una cierta hipocresía en querer poner a los países que están aún en las primeras fases del desarrollo –y aún muy alejados de la democracia política y social– a la par de nuestros propios estándares sociales? Condenando los casos más graves... ¿no hay que admitir que no debemos ir demasiado lejos y hacer de la cláusula social un instrumento de salvaguarda de nuestros propios intereses o de la protección pura y simple? Los países de que se trata ¿no deben sacar partido de condiciones sociales y salarios particularmente favorables a sus productos para salir justamente de su subdesarrollo y asegurar un despegue?" (H. Bourguinat, *L'économie morale*, cit., pp. 91-92).

[68] Daniel Cohen, *Richesse du monde, pauvrétés des nations*, Flammarion, París, 1997, p. 64.

[69] H. Bourguinat, *L'économie morale*, cit., pp. 93-95.

propósito de disminuir los costos de producción y resistir a la competencia de los países de salarios bajos.

Pero para el profesor Bourguinat, el comercio con los países de salarios bajos y capacidad tecnológica no sólo afecta el empleo, sino también la desigualdad de los ingresos, en particular los ingresos salariales. En este caso también se enfrentan problemas de evaluación, entre los que destaca la dificultad para discernir entre el papel que desempeñan el comercio y el progreso técnico. No obstante, es un hecho que se constata un aumento de la desigualdad de los ingresos concomitante al crecimiento de los intercambios internacionales. Al respecto, se ha indicado que la diferencia de ingreso entre 10 por ciento de los asalariados mejor pagados y 10 por ciento de los asalariados peor pagados casi se ha duplicado en los últimos veinte años en Estados Unidos, país donde 17 por ciento de los trabajadores de tiempo completo se encuentra por debajo del umbral oficial de la pobreza.[70] A ello hay que añadir que en Estados Unidos como en el tercer mundo se verifica la existencia de individuos que tienen trabajo, cuando menos de tiempo parcial, pero no disponen de un domicilio fijo. Aunque la responsabilidad por el crecimiento de las desigualdades en Estados Unidos (como también en Inglaterra) puede deberse a otros factores como la inmigración, la reducción del salario mínimo, el débil poder de negociación de los sindicatos y, claro está, el progreso técnico, cada vez se reconoce más la influencia del comercio internacional, sobre todo refiriéndose a su papel indirecto. En efecto, se piensa que la competencia creciente entre empresas las vuelve más sensibles a los precios y, por fuerza, a los costos salariales. Dicho de otra manera, la sensibilidad creciente aumentaría la elasticidad de la demanda de trabajo por parte de los patrones, debilitando el poder de negociación de los asalariados.

Pero como hemos señalado, la economía real se mundializa no sólo a través del comercio, sino también a través de las

[70] P.-N. Giraud, *L'inégalité du monde*, cit., p. 11.

relocalizaciones. Las relocalizaciones consisten en la transferencia de una actividad industrial o servicio fuera del territorio nacional con el propósito de separar el sitio de producción o de transformación de una mercancía del sitio de consumo. Para la empresa, se trata de fabricar donde es más barato y vender donde hay mercados. A este respecto, resultan ideales los países de salarios bajos y capacidad tecnológica que están situados cerca de los mercados de los países desarrollados. Tal es el caso de México, donde se constata desde hace muchos años el desarrollo de las maquiladoras. Asimismo, las transnacionales japonesas relocalizaron una parte importante de su industria manufacturera en Tailandia y Filipinas. En Europa, Alemania extiende su base industrial hacia Europa del este, con lo que los llamados países "en transición" son incorporados a la economía mundial de mano de obra barata.

El desarrollo de la industria de exportación en los países de mano de obra barata y capacidad tecnológica ha ido acompañado del cierre de empresas en los países desarrollados. La primera oleada de cierres afectó la industria ligera, pero desde los años ochenta todos los sectores de la economía de los países desarrollados fueron afectados: reestructuración de la industria pesada y de sectores de alta tecnología, relocalización de la producción automotriz hacia Europa del este y el tercer mundo, cierre de siderúrgicas, etcétera.

Pero desde hace algunos años, la relocalización no se limita al sector industrial y opera de manera creciente en el sector servicios. En efecto, la revolución informática y de las telecomunicaciones ha facilitado la transferencia de algunos servicios hacia el tercer mundo y Europa del este, en donde no sólo se dispone de bajos salarios, sino también de una mano de obra altamente calificada. Así por ejemplo, la contabilidad de las grandes empresas puede, gracias a la red informática y al correo electrónico, ser organizada en los países subdesarrollados, donde los contadores y los informáticos calificados ganan menos de cien dólares por mes. Como ejemplo es bien conocido el caso de la Swissair, que en 1993 transfirió su sistema de contabilidad a India, eliminando con ello varios cientos de empleos bien pagados en Suiza. En Filipinas, empleados de oficina que ganan de dos a tres dólares por día realizan tareas de procesamiento de datos y de texto gracias al correo electrónico. Imagínese el impacto devastador sobre los salarios y el empleo cuando se sabe que 70 por ciento de los trabajadores de los países industrializados se encuentra en el sector servicios.[71]

Así, la relocalización en los sectores industriales y de servicios resultó en numerosos despidos con empleos perdidos y transferidos a los países de salarios bajos. La cuestión es saber si los empleos perdidos por la relocalización no son compensados con los empleos creados por las exportaciones hacia los países de salarios bajos y capacidad tecnológica, que eventualmente pueden surgir como consecuencia de la mejoría de la situación en estos países tras la llegada de nuevas empresas. Por ejemplo, en el caso de China o Corea del Sur los empleos creados en Francia exportando hacia esos países productos como el TGV o los aviones Airbus podrían compensar las pérdidas debido a la relocalización de las industrias electrónicas u otras. Es evidente que en ese caso los empleos perdidos serían mayoritariamente de baja calificación, y los ganados de alta (ingenieros, técnicos superiores, etcétera), lo que desestructuraría el empleo. Como ha observado Henri Bourguinat,

> si los bienes exportados son cada vez más de alta tecnicidad y los relocalizados (o competidos por las importaciones) son intensivos en trabajo (o en recursos naturales), no se puede decir que la mundialización tendrá un efecto positivo neto sobre el empleo. Nada garantiza además que entre los sacrificados por el comercio internacional no haya cada vez más personas de nivel técnico y cultural bajo, que

[71] Michel Chossudovsky, *La mondialisation de la pauvreté*, Ecosocié-té, Montreal, 1998, p. 84.

tendrán posteriormente dificultades para reintegrarse a la economía productiva.[72]

En este contexto, la globalización de los procesos productivos y de los intercambios se vuelve una máquina que promueve la exclusión en los países desarrollados.

Efectos de la globalización sobre el empleo y la distribución del ingreso en los países del sur

En los últimos veinte años, la mayoría de los países del sur se ha visto sometida a los Programas de Ajuste Estructural concebidos por el FMI y el Banco Mundial.[73] Dichos programas, impuestos en gran medida utilizando la presión de la deuda, consideran como un objetivo fundamental la apertura de las fronteras a los flujos de mercancías y servicios. Se pretende que las economías del sur pasen de un crecimiento introvertido a un crecimiento extrovertido basado en el desarrollo de las exportaciones, sobre todo manufactureras. Más allá de los efectos sociales desastrosos provocados por las políticas de ajuste (incluso acompañadas de redes protectoras), éstas no son capaces de definir un modo coherente de desarrollo.[74] En efecto, las posibilidades de exportaciones por parte del tercer mundo son limitadas, aunque se considere la posibilidad absurda de sustituir totalmente a los países del norte en el comercio internacional. Si los mercados potenciales no son suficientes para reactivar las economías del sur (y las del este de Europa, que adoptaron desde los noventa el mismo modelo) la prioridad universal dada a las exportaciones conduce a una

[72] Henri Bourguinat, *La tyrannie des marchés*, Economica, París, 1995, p. 104.

[73] Héctor Guillén Romo, *El sexenio de crecimiento cero. México, 1982-1988*, Era, México, 1990.

[74] Michel Husson, *Misère du capital. Une critique du néoliberalisme*, Syros, París, 1996, pp. 104-12.

competencia generalizada entre los países del sur y de Europa del este. La consecuencia es una presión constante a la baja de los salarios, a fin de no perder la ventaja competitiva en un contexto en que la pobreza se ha vuelto un insumo de las industrias de exportación (mientras mayor sea la pobreza, menores serán los costos de la mano de obra).[75] Así, el objetivo de la competitividad entra en contradicción con un crecimiento significativo del mercado interno.

Pero éste no es el único problema vinculado a la globalización. En efecto, cuando se preparaba en 1992 la firma del Tratado de Libre Comercio entre México y Estados Unidos, el candidato estadounidense Ross Perot advertía el peligro de que el mercado estadounidense fuera absorbido por la producción mexicana. Desde su perspectiva, predecía la pérdida de competitividad de los productos estadounidenses frente a los elaborados en el sur, lo que colocaría a los empresarios del país del norte ante la triste alternativa de cerrar sus empresas o alinearse a las condiciones mexicanas de producción. Como todos sabemos, Perot se equivocó y fue exactamente lo contrario lo que aconteció. La apertura comercial iniciada a mediados de los ochenta y reforzada por el Tratado de Libre Comercio condujo a un crecimiento de las importaciones muy superior al de las exportaciones, ocasionando un déficit exterior colosal que desembocó en la crisis financiera de 1994 y en un desplome espectacular del peso mexicano. Como es bien conocido, antes de la crisis el peso mexicano estaba sobrevaluado. A pesar de los temores alarmistas respecto a los bajos salarios de los trabajadores mexicanos, el peso "fuerte" permitió a los estadounidenses invadir el territorio mexicano. Fue necesaria la crisis financiera para que el peso volviera a un nivel "débil", permitiendo a México la obtención de excedentes comerciales destinados a rembolsar la deuda.[76] De una mane-

[75] M. Chossudovsky, *La mondialisation de la pauvreté*, cit., p. 21.

[76] Héctor Guillén Romo, *La contrarrevolución neoliberal en México*, Era, México, 1997, capítulo V.

ra general, se constatan fenómenos de aniquilamiento de empresas cuando se ponen en contacto directo zonas económicas con niveles de desarrollo diferentes. Las condiciones que privan en el mundo desarrollado están muy alejadas de los países pobres donde el desempleo (abierto o disfrazado) es más elevado, la protección social (educación, salud, jubilación) es más débil y las normas de protección del medio ambiente menos estrictas. En este contexto, la apertura comercial, componente esencial de la globalización, provoca la desaparición de empleos en las actividades no competitivas. La competencia directa entre territorios del tercer mundo (incluyendo los llamados países en transición, que adoptan cada vez más los rasgos del tercer mundo) y territorios del primer mundo no conduce a una convergencia de niveles de desarrollo. Muy por el contrario, una gran cantidad de industrias surgidas al amparo del modelo de industrialización por sustitución de importaciones fue borrada del mapa. En tales condiciones, en países donde la desigualdad del ingreso es muy fuerte y muy antigua, el crecimiento extrovertido intrínseco a la mundialización profundiza las desigualdades al favorecer a los sectores competitivos que logran insertarse de forma positiva en el mercado mundial y perjudicar a los no competitivos, que no resisten el proceso de apertura.

Por si lo anterior fuera poco, aquellas industrias de exportación intensivas en mano de obra que logran subsistir en el tercer mundo en muchas ocasiones contribuyen escasamente al desarrollo económico de los países productores.[77] Ello se explica por el hecho de que los países ricos se apropian de una buena parte de los ingresos de los productores directos del tercer mundo, cuyos bienes producidos son importados a precios excesivamente bajos, por lo que el valor registrado de las importaciones de los países de la OCDE provenientes del tercer mundo es muy bajo. Sin embargo, una vez que las mercancías importadas entran al circuito de la distribución y del comercio

[77] M. Chossudovsky, *La mondialisation de la pauvreté*, cit., pp. 78-80.

al menudeo en los países ricos, su precio aumenta de manera exorbitante. El precio al menudeo de los bienes producidos en el tercer mundo es en muchas ocasiones más de diez veces superior al precio pagado al productor. Un valor agregado correspondiente se crea así de manera artificial en el seno de la economía de servicios de los países ricos, sin que alguna producción material tenga lugar. Este valor se agrega al PIB de los países ricos. En estas condiciones, si bien la producción material se lleva a cabo en algún país del tercer mundo, el más fuerte aumento del PIB se registra en los países importadores. Todo esto significa que la mayor parte del ingreso de los productores de los países pobres en las industrias de exportación intensivas en mano de obra va a parar a manos de los comerciantes intermediarios y distribuidores de los países ricos, profundizando las diferencias entre el norte y el sur.

La globalización como estrategia del capital

Pero dejemos de lado los efectos nocivos de la globalización en el sector real de la economía y veamos lo que aconteció en la esfera financiera en los últimos cuarenta años. En los años sesenta, los movimientos de capitales de un país a otro estaban muy controlados por los Estados-nación y, en consecuencia, eran limitados. Esto significaba que, salvo algunas excepciones, el ahorro que se generaba en un país sólo podía ser invertido en el mismo país. En aquel entonces, los Estados-nación disponían de una gran autonomía en su política monetaria, manteniendo al mismo tiempo un sistema de paridad fija pero ajustable entre sus monedas. En el marco del sistema monetario internacional de Bretton Woods, los Estados nacionales eran libres de seguir una política monetaria expansionista que podía desembocar en una inflación superior a la de los otros países, sin que esto los obligara en ese momento a devaluar su moneda. Sólo después de un cierto tiempo, las diferencias de política monetaria entre los países se manifestaban en una modificación del tipo de cambio. Así, en aquel entonces la inflación constituía un instrumento de política económica. En los años setenta y de manera mucho más enfática a partir de los ochenta, los Estados nacionales, en el norte como en el sur, fueron eliminando los obstáculos a la circulación de capital entre países y el ahorro comenzó a circular a nivel mundial. Las consecuencias no se hicieron esperar, sobre todo en materia de tipo de cambio. A partir del momento en que los inversionistas institucionales del mundo entero son capaces de desplazar grandes masas de ahorro a nivel mundial, los tipos de cambio son fijados cada día por el mercado y no pueden mantenerse estables. El único medio que tienen entonces los gobiernos de mantener las fluctuaciones de sus monedas dentro de ciertos límites es no tomar medidas de política monetaria que sean radicalmente diferentes de las que toman otros gobiernos en el mismo momento. Esto representa una pérdida de libertad muy importante con respecto a la situación anterior. De ahora en adelante, los gobiernos –sobre todo los de los países subdesarrollados– verán disminuidos sus márgenes de maniobra frente al capital financiero internacional. Los poderes nacionales se encuentran sometidos al riesgo de ataques especulativos de parte de agentes (especuladores institucionales) dotados de fondos masivos que pueden provocar una fuerte devaluación, o incluso una crisis financiera grave. El ejemplo de países como Inglaterra, Italia y España –por un tiempo asfixiados por los retiros de capitales durante la crisis del sistema monetario europeo en 1992– es un buen testimonio del poder financiero. Lo mismo puede decirse de las crisis financieras mexicana (1994) y asiática (1997). Estas crisis anuncian que los mecanismos del capital liberalizado comienzan a trabarse. Surgen cuando los inversionistas financieros toman repentinamente conciencia de que sus apuestas sobre la actividad productiva, provenientes de sus colocaciones o de sus préstamos, podrían no materializarse. Intentan entonces retirarse del mercado y retomar sus apuestas soportando un mínimo de pérdidas. Al hacerlo destruyen la "liquidez" del mercado en su conjunto, provocando el desplome de toda la cadena de créditos y deudas, cuyo pivote es la capitalización en bolsa.[78] En estas condiciones, los mercados financieros, globalizados y desreglamentados, se han erigido en auténticos jueces de las políticas económicas de los gobiernos. Estos últimos, como dice Aldo Ferrer, deben "satisfacer las expectativas de los mercados con políticas alineadas con los criterios neoliberales".[79] En ese sentido, se habla de credibilidad de las políticas económicas, lo que significa que los gobiernos están obligados a someterse a los mercados financieros, o cuando menos a asegurarlos si no quieren sufrir una fuga de capitales o experimentar un alza exorbitante de la tasa de interés. Así, los mercados financieros ejercerían una auténtica dictadura (la famosa "tiranía de los mercados" según la expresión de Henri Bourguinat), que reduciría la autonomía de la política económica con todos los riesgos que ello implica para la democracia.

No obstante, sin poner en duda la fuerza de los especuladores institucionales para alterar los cursos de las acciones, evaporar las reservas de divisas de los bancos centrales y terminar por desestabilizar las economías nacionales, no hay que olvidar que la decisión de abrir las economías en el terreno comercial y financiero fue tomada por los Estados nacionales bajo la presión de los organismos internacionales. Siempre hay que tener presente que la ley del mercado no se establece por el juego espontáneo de la economía, que la globalización se apoya en estructuras de intervención autoritaria que actúan a escala mundial, como son el FMI y el Banco Mundial, que responden a poderosos intereses económicos y financieros. La globalización no es un hecho natural resultado de un progreso técnico y económico irresistible. Es el fruto de una política económica neoliberal que persigue objetivos precisos. Tanto en el mundo desarrollado como en el subdesarrollado fueron los gobiernos apoyados en sus parlamentos los que deci-

[78] André Orléan, *Le pouvoir de la finance*, Odile Jacob, París, 1999.
[79] A. Ferrer, *Hechos y ficciones de la globalización*, cit., p. 45.

dieron eliminar las barreras que obstaculizaban el movimiento internacional de mercancías y de capital, gestando nuevas dinámicas económicas. Firmando tratados, modificando leyes, los gobiernos de los países desarrollados y subdesarrollados, orquestados por los organismos internacionales, fueron construyendo poco a poco una situación que en algunas circunstancias se les sale de las manos, con graves consecuencias sobre el nivel de vida de las mayorías. La globalización en su configuración actual constituye una estrategia del capital para superar la crisis de lo que se ha denominado "el modo de acumulación fordista".[80] Esta estrategia fue impuesta esencialmente por el capital internacional en coordinación con los organismos internacionales y con los gobiernos neoliberales que, como consecuencia de la propia crisis, llegaron al poder. Las políticas económicas neoliberales tenían como meta crear las condiciones políticas institucionales adecuadas para una profunda transformación de la correlación de clases en favor del capital, tanto a nivel nacional como internacional.

[80] Henry Ford defendió la idea de que los salarios elevados en la industria compensados por una fuerte productividad proveerían los mercados para una producción masiva. Él mismo instituyó en 1914 la participación de sus empleados en los beneficios de la empresa y el crédito a largo plazo, lo que permitiría que cada uno de sus obreros poseyera un automóvil. Generalizando, el "fordismo" designa el periodo del capitalismo industrial en que el auge de la producción esta vinculado al alza de los ingresos asalariados y el beneficio proviene de la importancia de las cantidades vendidas en el mercado interno, incluso si el margen de beneficio unitario es reducido.

2. De la integración cepalina a la integración neoliberal en América Latina: de la ALALC al TLCAN

El término integración –señaló hace muchos años François Perroux–[1] ocupa un buen lugar en la jerarquía de términos oscuros y sin belleza utilizados en las discusiones económicas. Dicho término cuenta con numerosos sinónimos: recomponer, acoplar, combinar, adherir o sumar. De ahí que sea necesaria una definición de lo que se recompone, acopla, combina, adhiere o suma por medio de la integración. A este respecto, la integración puede ser diversa: de espacios geográficos, cultural, social, económica, etcétera.[2] Como es evidente, le existencia del término integración económica supone la de su antónimo: la desintegración económica, entendida como ruptura de cohesión. Es en este sentido que el economista alemán W. Röpke utiliza por primera vez el término desintegración en un artículo publicado en 1939 y ampliado para su publicación como libro tres años más tarde.[3] Es en la posguerra que el concepto de integración económica irrumpe profusamente en la literatura especializada. Una de las primeras definiciones de la integración es dada por J. Tinbergen. Para él,

> la integración es la creación de la estructura más deseable de la economía internacional mediante la remoción de los obstáculos artificiales a su operación óptima y la introduc-

[1] François Perroux, "Les forces d'intégration et le type d'intégration", *L'Europe sans rivages* [1954], PUG, Ginebra, 1990, p. 429.

[2] Una presentación exhaustiva del uso del término integración en economía se encuentra en Fritz Machlup, *A History of Thought on Economic Integration*, Columbia University Press, Nueva York, 1977.

[3] Wilhem Röpke, *International Economic Desintegration*, Hodge, Edimburgo, 1942.

> ción deliberada de todos los elementos deseables de coordinación y de unificación.[4]

Así, para el economista holandés, premio Nobel de economía, la eliminación de las prácticas e instituciones restrictivas y la instauración de la libertad en las transacciones económicas entre los diferentes países es el signo distintivo de su integración.

Las definiciones tradicionales de la integración

Para G. Haberler, la integración se define por

> relaciones económicas más estrechas entre las áreas a las que concierne la libre circulación de los factores de producción y la coordinación de las políticas económicas con el propósito de favorecer la igualación de los precios de los productos y los servicios.[5]

Así, Haberler insiste en la referencia al intercambio libre y la política de coordinación sólo la define por la igualación de los precios (tomando en cuenta los costos de transporte) que se logra en condiciones estáticas, aunque puede plantearla en un modelo de crecimiento equilibrado y óptimo. Según B. Balassa, la integración económica es, al mismo tiempo, un fenómeno dinámico y estático que debe ser considerado como un proceso y un estado de cosas. La integración económica es un proceso que lleva a la eliminación progresiva de las diferentes prácticas discriminatorias y un estado de cosas que se caracteriza por la ausencia de dichas prácticas.[6]

La teoría tradicional analiza las condiciones favorables a

[4] Jan Tinbergen, *International Economic Integration*, Elsevier, Amsterdam, 1954.

[5] G. Haberler, "Integration and Growth of the World Economy", *The American Economic Review*, marzo de 1965.

[6] Bela Balassa, *The Theory of Economic Integration*, George Allen and Unwin, Londres, 1962.

una integración económica eficaz. Entre éstas se enumeran las siguientes:

- la complementariedad de las economías;
- la proximidad geográfica;
- la compatibilidad de los valores socioculturales y político-económicos;
- la existencia de grupos organizados favorables a la integración;
- la satisfacción del interés de la economía mundial y de las economías de los países miembros.

Una vez analizadas las condiciones favorables a una integración eficaz, la visión tradicional procede a una descripción de las formas de integración. A este respecto, B. Balassa establece una tipología ampliamente aceptada que distingue cinco niveles en la escala de integración internacional: 1] zona de libre cambio; 2] unión aduanal; 3] mercado común; 4] mercado único; 5] unión económica y monetaria.

En la *zona de libre cambio*, los derechos aduanales y las restricciones cuantitativas sobre los bienes y servicios son suprimidos entre los países asociados. Por el contrario, cada país miembro mantiene su propio sistema aduanal con respecto al resto del mundo. En la práctica, la eliminación de los derechos aduanales y de los contingentes es progresiva. Además, ciertos bienes y servicios pueden ser excluidos del libre cambio. En algunos casos se excluyen los productos agrícolas y en otros, los servicios financieros. En el caso de estos últimos, hay que recordar que la zona de libre cambio excluye la libre circulación de factores de producción. En la medida en que los movimientos de capitales no son liberalizados, los servicios financieros vinculados a éstos tampoco lo son.

Cuando un grupo de países decide crear una *unión aduanal* no sólo armonizan las disposiciones que rigen las relaciones comerciales establecidas entre ellos, como en el caso de la zona de libre cambio, sino que definen una política comercial común respecto al resto del mundo. El principal elemento de esta política comercial es el establecimiento de una tarifa exterior común.

En las zonas de libre cambio y en las uniones aduanales, la integración sólo concierne a los intercambios de bienes y eventualmente a ciertos servicios. Ni los movimientos de trabajadores ni los movimientos de capitales (con sus servicios financieros asociados) son liberalizados. El establecimiento de un *mercado común* consiste precisamente en liberalizar el mercado de trabajo y el de capitales de los países miembros.

En el caso del *mercado único* todos los mercados (incluso los públicos) y la competencia en el interior de las economías son unificados. Se trata de redefinir sobre una base común el conjunto de reglas del juego económico, de tal manera que las condiciones de acceso a los mercados de los países miembros sean las mismas para todas las empresas o consumidores, cualquiera que sea el país de origen.

Una vez alcanzada la unión económica, los países miembros pueden buscar la *unión monetaria*, la que, sin embargo, sería imposible sin la convergencia de las políticas macroeconómicas. La unión monetaria lleva a la instauración de una política monetaria común aplicada por una banca central y a la adopción de una moneda común. Deben cumplirse tres condiciones para que haya una unión monetaria: la convertibilidad entre las monedas de los países miembros, la libertad total para los movimientos de capital y la irrevocabilidad de los tipos de cambio. Para que estas tres condiciones sean cumplidas, se necesita una política monetaria común (política de tipo de cambio con respecto a terceros países), una política común de liquidez bancaria, de crédito y de tasas de interés, y si es posible una banca central común. No obstante, la moneda común no es una condición necesaria de la unión monetaria.

Los efectos de la integración económica pueden ser estáticos y dinámicos. Los efectos estáticos fueron analizados por Viner para el caso de la unión aduanal.[7] Viner propone distinguir los efectos de creación de comercio *(trade creation)* de los

[7] Jacob Viner, *The Customs Union Issue*, Stevens and Sons, Nueva York, 1950.

efectos de desviación de comercio (*trade diversion*). Se habla de *creación de comercio* cuando se remplazan los antiguos productores con nuevas fuentes de aprovisionamiento cuyos costos de producción son más bajos. Hay entonces una mejor asignación de recursos y desde ese punto de vista la unión aduanal es ventajosa. Se considera que existe *desviación de comercio* cuando, por el contrario, se sustituye a los proveedores iniciales por otros menos competitivos. Se produce entonces una mala asignación de recursos y la unión es desventajosa. En esas condiciones, se trata de comparar los efectos positivos de la creación de comercio en términos de bienestar para los productores, los consumidores y el gobierno con los efectos negativos de la desviación sobre esas mismas categorías. En caso de que los primeros superen a los segundos, sería recomendable alentar la unión aduanal.

Más allá de los efectos estáticos directamente vinculados a la asignación internacional de recursos productivos, la defensa de los acuerdos regionales de integración económica se apoya en la existencia de efectos dinámicos favorables que superarían los efectos dinámicos desfavorables. Entre los efectos dinámicos positivos habría que señalar *una mejora en la diversidad de los productos y de las técnicas*. El aumento de la gama de productos ofrecidos tiene un impacto sobre la satisfacción del consumidor final, ya que le ofrece un artículo más próximo al que considera subjetivamente como ideal. Además, el fenómeno se reproduce en el caso de los bienes intermedios y de capital, ya que la mayor diversidad permite una mejor adaptación a las condiciones de producción. Las *economías de escala* y la consecuente baja de precios para los consumidores son un hecho citado a menudo como factor dinámico positivo de la integración. En efecto, gracias a la ampliación del mercado, las empresas pueden alcanzar su talla óptima y aumentar la producción bajando los costos. No menos importante como factor dinámico positivo es la *competencia creciente*, ya que la llegada de nuevos productores obliga a las empresas a un esfuerzo creciente de adaptación y de modernización.

Todos estos *factores dinámicos* positivos conducirán a un crecimiento del PIB y del empleo, pero deberán ser comparados con los *efectos perversos* de la integración económica. Con frecuencia se señala que los productores menos eficientes y los empleos que procuran desaparecerán. Además, se produce una transferencia de actividades de un país a otro, pero sobre todo a los países de bajos salarios. Ello conlleva un riesgo de ajuste hacia la baja de la protección social. Al final, se produce una pérdida de soberanía nacional (política y económica). En esa situación, la integración económica será favorable, desde el punto de vista de los factores dinámicos, si el efecto sobre el crecimiento y el empleo supera los efectos perversos.

La evaluación de los efectos de la integración plantea varios problemas. En el caso de los efectos estáticos –como lo han hecho notar Krugman y Obstfeld– el resultado depende de una hipótesis fuerte: "El valor marginal de la ganancia o de la pérdida de un dólar tiene el mismo valor social para cada grupo".[8] Es decir, un dólar será un dólar trátese de un rico propietario o de un consumidor pobre. En caso de que el dólar caiga en manos del gobierno se introduce una ambigüedad suplementaria: ¿se va a utilizar para financiar servicios públicos necesarios o para comprar armas?

En lo tocante a la evaluación de los efectos dinámicos de la integración, varios problemas se plantean pero uno tiene importancia particular: ¿cómo aislar el efecto de la integración regional sobre el crecimiento y el empleo para distinguirlo de otros factores estructurales (por ejemplo, la evolución de la población activa) o coyunturales (efecto de la política económica)?[9]

Más allá de los problemas de las hipótesis adoptadas y de la evaluación de los efectos de la integración, el enfoque tradi-

[8] P. R. Krugman y M. Obstfeld, *Économie internationale*, cit., p. 236.

[9] Jean-Marc Siroën, *La régionalisation de l'économie mondiale*, La Découverte, París, 2000, pp. 41-42.

cional adolece de serias dificultades, como lo hizo notar hace tiempo François Perroux.[10]

Las definiciones tradicionales de la integración muestran –según Perroux–, la dificultad de la teoría tradicional para interpretar hechos que no están a su alcance. En esta teoría, la integración se reduce a la eliminación de los obstáculos al intercambio. Los hechos del mercado y del intercambio son subrayados en detrimento de los de la producción. Se hace alusión, o incluso se explicita, la maximización (optimización) en el sentido tradicional de equilibrio walraso-paretiano.[11]

De la concepción de Perroux a un enfoque estructuralista

El punto de partida de Perroux es considerar que la actividad económica debe estar al servicio de los hombres, por lo que no hay que olvidar que la integración relaciona un aparato productivo con una población. De ahí que las economías de dos territorios están bien integradas sólo si la combinación de sus aparatos productivos está al servicio de la población de los dos territorios. En el caso de la integración de dos territorios y dos economías desiguales, la población del país más rico y poderoso debe aceptar que gracias a una política de distribución y de compensaciones se favorezca el desarrollo del socio más débil. Para Perroux, el objetivo de la integración es lograr estructuras tales que el desarrollo de los aparatos productivos y el de las poblaciones se apoyen mutuamente, de tal manera que pueda generarse un aparato de producción amplio, complejo y moderno que esté al servicio de un conjunto de poblaciones capaces de servirse de él y dominarlo. Dicho de otra

[10] F. Perroux, "Una interpretación crítica del proceso europeo de integración y desarrollo", *L'Europe sans rivages*, cit., p. 766.

[11] Como a menudo lo afirmó Perroux, el equilibrio walraso-paretiano deja de lado las nociones de poder y de conflicto fundamentales para la comprensión de las relaciones económicas internacionales.

manera, la combinación de los aparatos productivos debe servir al conjunto de la población formado por los dos conjuntos desiguales.

Una vez definido el objetivo de la integración no hay que pasar por alto el contexto en que ésta se realiza. La teoría neoclásica tradicional pone el énfasis en el proceso de integración por el mercado. Para ella, el mercado integra poblaciones, es decir establece entre ellas vínculos de intereses gracias al funcionamiento de la competencia por medio de los precios, la calidad y la innovación. Pero si la competencia la ejercen monopolios, oligopolios diferenciados y grupos económicos y financieros, nadie puede decir que nos acercamos a una optimización cercana a la de la competencia perfecta. Para afirmarlo sería necesario distinguir entre los efectos de monopolio (los beneficios de monopolio) y los efectos de productividad (baja de precios y de costos gracias a las mejoras en la organización y en la innovación) que engendra una combinación de monopolios y oligopolios, medir ambos efectos y demostrar que los segundos superan a los primeros. Para Perroux, esto está fuera de las posibilidades del análisis.

La simple eliminación de los obstáculos al intercambio en espacios heterogéneos dominados por monopolios y oligopolios, dotados de superestructuras concebidas por las naciones y/o por las grandes unidades de producción y sus aliados, no tiene ninguna posibilidad de poner el aparato productivo al servicio de las poblaciones. Para Perroux, si no se actúa gracias a una política de integración que comporte acciones positivas de promoción de "unidades motrices" (firmas o industrias) y, sobre todo, que introduzca poderes compensadores, se realizará una integración en beneficio de las grandes empresas y grupos financieros.

Más allá de las limitaciones de la teoría tradicional de la integración a las que hace referencia Perroux, es necesario señalar que dicha teoría ha envejecido por varias razones, entre las que destaca el hecho de ignorar las nuevas formas de integración que reposan principalmente sobre los flujos de inversión directa y de capitales, y sobre las redes internalizadas de las firmas.[12]

El enfoque de Perroux es, de cierta manera, muy parecido al enfoque desarrollado por la CEPAL en América Latina a fines de los años cuarenta. En efecto, el análisis del subdesarrollo de Perroux[13] se construye alrededor de conceptos de dominio, desarticulación y ausencia de la cobertura de los costos del hombre muy próximos a los conceptos de dependencia, heterogeneidad estructural y exclusión que están en el origen de los acuerdos regionales de integración de primera generación en América Latina. Se trataba de un regionalismo cerrado, es decir, de construcciones regionales voluntaristas que buscaban la desconexión del mercado mundial.[14]

Los acuerdos regionales de primera generación en América Latina: el caso de la ALALC

No se puede hablar de los acuerdos de primera generación en América Latina sin referirse a la CEPAL. En efecto, para Prebisch desde 1949 en el informe de la CEPAL:

> Se sienta la teoría de la necesidad de la integración para vencer el obstáculo de los mercados relativamente estrechos, como elemento fundamental para acelerar la tasa de crecimiento.[15]

[12] Charles-Albert Michalet, *La séduction des nations ou comment attirer les investissements*, Economica, París, 1999, pp. 113-24.

[13] F. Perroux, "Trois outils d'analyse pour l'étude du sous-développement", *L'économie du XXe siècle*, cit., 1991.

[14] Philippe Hugon, "Les économies en développement au regard des théories de la régionalisation", *Revue Tiers Monde*, n. 169, enero-marzo de 2002.

[15] Mateo Magariños, *Diálogos con Raúl Prebisch*, Banco Nacional de Comercio Exterior-Fondo de Cultura Económica, México, 1991, pp. 147-48.

Pero es en un trabajo de Prebisch publicado por la CEPAL a mediados de los cincuenta donde se aborda con más consistencia la problemática de la integración.[16] En dicho trabajo se señala que la industrialización se está desarrollando en "compartimentos estancos", con muy escaso intercambio de productos industriales entre los países latinoamericanos. Estos compartimentos estancos se acompañan de una producción a costos elevados debido a la estrechez del mercado nacional.

En tanto el proceso de sustitución abarcaba sólo artículos cuyo mercado nacional permitía el establecimiento de empresas de dimensión adecuada, el aislamiento industrial no representaba un problema. Pero cuando el proceso avanza y se requiere la producción de artículos que rebasan los límites del mercado nacional, se impone la necesidad de un comercio recíproco entre los países latinoamericanos.

La liberalización del intercambio en Latinoamérica facilitaría la especialización con sus consabidas ventajas. Sin embargo, no bastaría con liberalizar el intercambio para que surgiera una corriente satisfactoria de intercambio recíproco. Se necesitaría,

> además, una serie de medidas concertadas entre los países interesados a fin de que en todos ellos se establecieran industrias con vistas a la especialización y que ello se combinara con el intercambio ya existente y su posible estímulo.

Para Prebisch, la liberalización propuesta no adoptaría la forma de una unión aduanal. Se trataría sólo de

> arreglos de reciprocidad que [...] aspiren [...] a estimular el intercambio recíproco de artículos que hoy no se producen o que se producen en pequeña escala, o que sólo se producen en cuantía importante en unos países y no en otros.[17]

[16] Raúl Prebisch, *La cooperación internacional en la política de desarrollo latinoamericano* [1954], CEPAL, Santiago de Chile, 1973.

[17] Ibid., pp. 77-79.

Por último, la política de liberalización propuesta tendría un carácter multilateral, tratando de abarcar el mayor número de países, aunque se podría comenzar con acuerdos bilaterales que se ampliarían gracias a la incorporación de otros países.

Por otro lado, como lo hizo notar Aníbal Pinto,[18] en la década de los cincuenta se vuelve cada vez más evidente la gran contradicción del desarrollo hacia adentro: las transformaciones de la industrialización sustitutiva no afectan al sector exportador. Éste se mantiene fuertemente concentrado y especializado en la producción de un pequeño número de productos primarios destinados casi exclusivamente al exterior. A diferencia de lo que ocurrió en los países centrales, las mutaciones del desarrollo "hacia adentro" y la industrialización tienen lugar en las actividades orientadas hacia el mercado interno, en el ámbito nacional, en los "compartimentos estancos" a que se refería Prebisch.[19]

El mayor dinamismo de la industrialización sustitutiva, que redunda en una demanda creciente de importaciones, se enfrentó con una lenta expansión del sector exportador tradicional. El desarrollo "hacia adentro" se veía frenado no sólo por las limitaciones de la capacidad para importar, sino porque se tornaba más difícil a medida que se superaban las etapas de sustitución "fácil" y se planteaban metas de otra dimensión o complejidad en materia de tamaño de mercado, magnitud de recursos financieros o exigencias tecnológicas.

En estas condiciones, se imponía extender el cambio estructural al sector exportador, diversificándolo con el propósito de ganar ingresos en divisas y reducir la vulnerabilidad externa. Además, era urgente ampliar el tamaño de los mercados nacio-

[18] Aníbal Pinto, "El pensamiento de la CEPAL y su evolución", *América Latina: una visión estructuralista*, Facultad de Economía-Universidad Nacional Autónoma de México, México, 1991, pp. 293-96.

[19] Raúl Prebisch, "Reflexiones sobre la integración económica latinoamericana", *Comercio Exterior*, noviembre de 1961.

nales con el propósito de satisfacer los requerimientos básicos que permitirían avanzar hacia etapas superiores de la industrialización. Respecto al primer punto, la tarea consistía en volver más dinámico el comercio exterior gracias al aumento de las exportaciones tradicionales y a la colocación de productos industriales en el mercado mundial. Con respecto a la segunda cuestión, el desafío consistía en incorporar al mercado interno las poblaciones o áreas marginadas.

Para Aníbal Pinto, estas acciones aunque necesarias resultaban insuficientes, por lo que se requería de la integración regional como el instrumento indispensable e irremplazable para una transformación cualitativa de la realidad.

Así, en 1959 la CEPAL plantea la estrategia de la integración regional como una de las posibilidades para resolver el estrangulamiento externo.[20] Se considera que la expansión del comercio entre los países de América Latina va a ampliar los mercados, reducir los costos y permitir afrontar la competencia con el resto del mundo.[21] Se trataría de aprovechar las ventajas que representa el importante mercado latinoamericano sin sacrificar las posibilidades de desarrollo de los países de más bajo nivel de ingreso.

La creación de un mercado común tendría la ventaja de ir más lejos en el proceso de sustitución de lo que sería posible en el ámbito del mercado nacional de cada país, sin perjudicar las posibilidades de especialización. América Latina reduciría su demanda de importaciones provenientes de fuera del área a un nivel compatible con la disponibilidad de divisas. De forma paralela, cada país miembro del mercado común man-

[20] CEPAL, *Mercado Común Latinoamericano*, México, 1959.

[21] Hay autores que consideran que la Asociación Latinoamericana de Libre Comercio (ALALC) constituyó una respuesta colectiva al choque externo que representaba la creación de la comunidad europea. Según este punto de vista, algunos países del cono sur temieron que el efecto de desviación de comercio afectara negativamente sus exportaciones hacia Europa. Walter Mattli, *The Logic of Regional Integration*, Cambridge University Press, 1999, p. 140.

tendría un coeficiente alto de importaciones, pero éstas provendrían en buena medida de otros países de dicho mercado.

Como señalamos en la primera parte de este capítulo, para la economía neoclásica estándar la integración representa una alternativa más eficiente para asignar los factores productivos que varios mercados aislados, en virtud de las economías de escala y otras ventajas de especialización. Sin embargo, para los teóricos de la CEPAL no se trata sólo de tomar en cuenta estáticamente los efectos de la integración sobre el empleo de los recursos, sino sus efectos sobre la dinámica del desarrollo periférico. Así, como lo hizo notar Octavio Rodríguez, para la CEPAL

> la integración, más que un medio para optimizar la asignación de recursos, se considera un instrumento idóneo para aminorar las tensiones y los desequilibrios propios del desarrollo hacia adentro.[22]

De esta manera, la integración regional representa para la CEPAL

> una conclusión de política económica coherentemente ligada al conjunto de aportes teóricos que constituyen la interpretación de la industrialización periférica.[23]

Para los teóricos de la CEPAL, el mercado común se planteaba como un objetivo de largo plazo. En una primera etapa experimental de diez años, se trataría simplemente de crear en América Latina una zona preferencial en favor de su producción primaria e industrial, con el propósito de alentar el intercambio recíproco. Al final de esta primera etapa, se habrían eliminado las restricciones y reducido en forma considerable el nivel promedio de los derechos arancelarios. La reducción no

[22] Octavio Rodríguez, *La teoría del subdesarrollo de la CEPAL*, Siglo XXI, México, 1980, p. 170.
[23] Ibid.

sería uniforme, sino que se establecería por grupos de países y por categorías de productos. Esta distinción tendría por objeto tomar en cuenta los diferentes niveles de desarrollo de los países latinoamericanos y las dificultades prácticas para aplicar las reducciones. Se trataría de adoptar un tratamiento diferencial por países, intentando igualar sus oportunidades frente a la integración. Se introduciría una gran flexibilidad en los procedimientos, estableciendo cláusulas de escape o de salvaguardia durante la fase experimental a fin de resguardar la producción existente (primaria o industrial) de una competencia que pudiera acarrear grandes trastornos.

Ante la preocupación de los países de verse obligados a eliminar de forma súbita la protección, se planteó que la formación de la zona de libre cambio y el futuro mercado común concernieran, sobre todo, a las actividades que tendrían que desarrollarse en el futuro. En ese sentido, la reducción o la eliminación de derechos aduanales se aplicaría a industrias que no existían o que estaban en una fase incipiente de desarrollo. Por el contrario, en las industrias existentes se procedería con mucha cautela para evitar perturbaciones.

Al término de los diez años, una vez lograda la eliminación de las restricciones no arancelarias y una reducción sustancial en el nivel medio de los derechos, se plantearía pasar a la creación del mercado común. Esta segunda etapa sería precedida de una nueva negociación entre los gobiernos latinoamericanos para determinar los medios necesarios para seguir reduciendo la protección aduanal.

Un año después de la elaboración del estudio de la CEPAL sobre la integración regional, se firma el Tratado de Montevideo, que crea una zona de libre cambio e instituye la Asociación Latinoamericana de Libre Comercio (ALALC). Los primeros países en suscribir dicho Tratado a inicios de 1960 fueron Argentina, Brasil, Chile, México, Paraguay, Perú y Uruguay. A estos países pioneros se sumaron Colombia y Ecuador que se adhieren a finales de ese mismo año, en tanto que Venezuela y Bolivia lo hacen en 1966 y 1967, respectivamente.

No cabe la menor duda de la presencia muy activa de la CEPAL en el surgimiento de la integración latinoamericana, en la cual participó con el mismo rigor doctrinal con que ya evaluaba a fines de los cincuenta y principios de los sesenta el auge y la declinación del proceso de sustitución de importaciones. No cabe duda tampoco del poco entusiasmo con que Estados Unidos y el FMI recibieron la iniciativa integradora latinoamericana.[24] Estados Unidos ponía severas condiciones para apoyar la iniciativa, y sobre todo señaló que se opondría cualquier acuerdo regional que no contemplara el financiamiento del comercio con monedas convertibles. Por su parte, el FMI manifestó su rechazo a lo que calificaron de "intentos autárquicos de América Latina" y a la posibilidad de creación de una Unión Latinoamericana de Pagos, a cuyo estudio se estaba abocando la CEPAL con el apoyo del Centro de Estudios Monetarios Latinoamericanos (CEMLA).[25]

En el Tratado de Montevideo, que entró en vigor en junio de 1960, se preveía la eliminación de barreras tarifarias y no tarifarias en un plazo de doce años. Cada país se comprometía a presentar anualmente una "lista nacional" de mercancías que serían objeto de una reducción o de una eliminación de tarifas. Sin embargo, el Tratado aceptaba que los productos considerados como sensibles podían ser dejados fuera de las listas nacionales. Asimismo, se establecieron "cláusulas de salvaguardia", que fijaban las circunstancias en que algún país podía excepcionalmente imponer las restricciones a la importación de productos procedentes de la zona para proteger algún sector amenazado de desaparición o para corregir algún desequilibrio en la balanza de pagos. La incorporación de medidas

[24] Raúl Grien, *La integración económica como alternativa inédita para América Latina*, Fondo de Cultura Económica, México, 1994, pp. 185-228.

[25] Recordemos que desde 1949, la CEPAL mencionó la posibilidad de contar con algún mecanismo compensador de pagos entre los países latinoamericanos.

en favor de los países de menor desarrollo económico relativo entre los países de la zona es otro elemento importante del Tratado de Montevideo. Los países de menor desarrollo económico relativo (Bolivia, Ecuador, Paraguay) serían apoyados para estimular la instalación o la expansión de determinadas actividades productivas; reducir sus tarifas en condiciones más favorables; corregir eventuales desequilibrios en su balanza de pagos; proteger la producción nacional de productos incorporados al programa de liberalización que sean de importancia básica para su desarrollo; favorecer el financiamiento de las actividades productivas ya existentes o fomentar nuevas actividades, sobre todo industriales, y dar incentivos al crecimiento de la productividad en tales países con programas de asistencia técnica. El Tratado contemplaba también la posibilidad para los países de favorecer una gradual y creciente coordinación de sus políticas de industrialización, gracias a acuerdos de complementación por sectores industriales.[26]

Los logros de la Asociación Latinoamericana de Libre Comercio fueron mínimos. Durante todo el programa de liberalización de la zona, sólo 10 por ciento de los 9 200 artículos que componían el arancel total de la zona fue objeto de negociación. El porcentaje de los intercambios intrarregionales respecto de las transacciones totales de los once países de la Asociación no respondió a la esperanza que suscitó en sus inicios el esfuerzo integrador. En efecto, ni por el lado de las exportaciones ni por el de las importaciones los resultados fueron satisfactorios. Las exportaciones intrazonales como porcentaje del total de exportaciones de los países de la Asociación pasa de 6.7 en 1961, a 10.1 en 1970, y 14.0 en 1980. Por lo que toca a las importaciones intrazonales, los porcentajes correspondientes fueron de 7.3 en 1961, 11.2 en 1970 y 12.5 en 1980.[27]

[26] Para más detalles acerca del Tratado de Montevideo, véase R. Grien, *La integración económica como alternativa inédita para América Latina*, cit., pp. 247-52.

[27] Ibid., pp. 253-59.

Las razones del fracaso de este primer esfuerzo integrador en América Latina han sido ampliamente reseñadas en la literatura especializada.[28] Más allá de los sistemas políticos autoritarios y a menudo inestables, y de las profundas desigualdades sociales y étnicas que alimentaron nacionalismos y clientelismos, la principal falla radica en que la integración se concebía como un simple instrumento para redinamizar el proceso de industrialización por sustitución de importaciones. Dicho de otra manera, la integración no pretendía la construcción de un orden económico regional, sino favorecer una industrialización que enfrentaba cada vez más obstáculos.[29] Ahora bien, como señala Oman[30] las firmas multinacionales eran las protagonistas de dicho proceso de industrialización. Gracias a ellas, en los años cincuenta y sesenta se desarrollaron métodos fordistas de organización del trabajo y la producción en los países latinoamericanos. En estos países, los salarios pagados en el sector manufacturero fordista o en el sector moderno en ge-

[28] Ibid., pp. 361-96. Véase también Christian Deblock y Dorval Brunelle, "Les États-Unis et le régionalisme économique dans les Amériques", *Études Internationales*, n. 2, junio de 1998; Jaime de Melo, Claudio Montenegro y Arvind Panagariya, "L'intégration régionale hier et aujourd'hui", *Revue d'Économie du Développement*, n. 2, 1993, y Maria da Conceição Tavares y Gerson Gomes, "La CEPAL y la integración económica de América Latina", *Revista de la CEPAL*, número extraordinario, 1998.

[29] Como lo hacen notar Devlin y Ffrench-Davis: "Las iniciativas de integración económica que siguieron inmediatamente después de la segunda guerra mundial se insertaron en la estrategia de sustitución de importaciones predominante en la época. En efecto, los movimientos integradores de ese periodo se formularon, en parte, para mejorar la eficacia del modelo sustitutivo mediante la expansión de mercados nacionales muy protegidos" (Roberto Devlin y Ricardo Ffrench-Davis, "Hacia una evaluación de la integración regional en América Latina", *Comercio Exterior*, noviembre de 1999, p. 957).

[30] Charles Oman, *Globalisation et régionalisation: quels enjeux pour les pays en développement?*, OCDE, París, 1994, pp. 47-54.

neral no eran suficientes para generar una demanda interna que permitiera las economías de escala necesarias para producir a bajos costos. En ausencia de una reforma agraria, en la mayoría de estos países el crecimiento se acompañó por lo general de una distribución de la riqueza y del ingreso nacional muy desigual. Con un bajo nivel de ingreso promedio y una distribución dispar, los productos del sector manufacturero moderno sólo eran accesibles a las capas más favorecidas de la población. Si consideramos la importancia de las economías de escala en el marco de la producción fordista y el umbral mínimo de eficiencia de la producción que superaba el tamaño de la demanda interna, la producción en el sector moderno resultaba ineficaz comparada con los estándares imperantes en los países desarrollados. En esas condiciones, las industrias de sustitución de importaciones eran sostenidas con políticas económicas (obstáculos a la importación, tipo de cambio sobrevaluado, etcétera) que afectaban negativamente las exportaciones de productos manufacturados y, en algunos casos, las producciones agrícolas comestibles destinadas al mercado nacional. Por su parte, las firmas multinacionales, participantes fundamentales del proceso de industrialización, favorecían los comportamientos oligopólicos: "acuerdos de distribución" y comportamientos de búsqueda de renta que desembocaban en una gran cantidad de reglamentos privados y públicos, que frenaban la competencia. La imposición de precios de oligopolio permitía compensar graves ineficiencias y rigideces en el sector moderno fordista. A ello se sumaban varios obstáculos a la importación que favorecían a los pequeños artesanos y comerciantes de un sector informal en gestación.

En este contexto, a diferencia de lo que ocurrió en los países centrales durante "los gloriosos treinta", la producción moderna en serie no se combinó con un consumo interno masivo que condujera a un crecimiento autónomo. Los gobiernos de los países latinoamericanos, en lugar de alentar las exportaciones manufactureras para favorecer el crecimiento como lo hicieron algunos gobiernos asiáticos (Taiwán, Corea del Sur y Singapur), continuaron con la estrategia de sustitución, tratando de superar el obstáculo de la insuficiente talla del mercado mediante la constitución de mercados regionales. De ahí la proliferación en los años cincuenta y sesenta (así como a inicios de los setenta) de planes de integración regional destinados a sostener la industrialización sustitutiva para remediar la insuficiencia de la demanda.[31] Por desgracia, estos planes se enfrentaron a una fuerte resistencia por parte de las empresas nacionales, que pocas veces disponían de la talla y de la capacidad para operar fuera de las fronteras nacionales. Asimismo, los planes enfrentaron el rechazo de las firmas multinacionales, que preferían limitarse a actividades de búsqueda de renta en el seno de mercados nacionales muy protegidos, en lugar de mejorar la eficiencia técnica de sus actividades, racionalizándolas en el ámbito regional. A final de cuentas, para ellas era preferible continuar operando en "compartimentos estancos".[32] La compartimentalización del mercado operada por las firmas multinacionales constituía un freno poderoso a los intercambios regionales. Así, por ejemplo, se prefería conservar dos fábricas que producían los mismos bienes si los precios de cesión interna y el nivel elevado de los precios al

[31] Además de la ALALC, se pueden mencionar el Mercado Común Centroamericano, el Caricom y el Grupo Andino. R. Grien, *La integración económica como alternativa inédita para América Latina*, cit., tercera y cuarta partes.

[32] Se constata, por ejemplo, que las firmas multinacionales recurrían cada vez más a contratos de licencia (tanto con sus filiales como con empresas afiliadas cuyo capital era de origen local), con cláusulas que prohibían las exportaciones. Dichos contratos tampoco incitaban a innovar o a racionalizar la producción en el lugar de implantación. Además, una gran parte de las importaciones de piezas de recambio, bienes intermedios y tecnologías realizadas por las firmas multinacionales se hacía bajo la forma de intercambios en el interior de la empresa o entre las afiliadas, lo que permitía establecer precios de cesión interna. Ch. Oman, *Globalisation et régionalisation...*, cit., p. 118.

menudeo compensaban la ineficiencia de la producción en el ámbito nacional.[33]

En economías tradicionalmente aisladas del mundo, marcadas por la corrupción y la intervención estatal, los proyectos integradores no pudieron prosperar. Los sectores en desventaja por la liberalización de los intercambios lograron siempre, organizándose en grupos de interés, adoptar reglamentos derogatorios o hacer fracasar los acuerdos de liberalización, preservando así, en detrimento de la colectividad, sus rentas económicas.[34]

Fuera de estas condiciones vinculadas a las características del proceso de industrialización en América Latina, el débil nivel de complementariedad económica entre los países de la

[33] A este respecto resulta interesante la opinión del director general de una gran filial automotriz extranjera en México a finales de los sesenta: "La lógica económica quisiera que fusionáramos nuestras operaciones en la región, introduciendo una cierta especialización en el interior de la empresa para los productos terminados, las piezas de recambio y los accesorios, en lugar de trabajar para una docena de mercados diferentes [...]. Pero tal racionalización necesitaría una completa reorganización de nuestras instalaciones de fabricación y de montaje en el seno de la zona y de gastos del orden de varios cientos de millones de dólares [...]. No tenemos ninguna razón para lanzarnos en operaciones financieras y tecnológicas gigantescas mientras los beneficios que obtenemos de las inversiones actuales sean relativamente satisfactorios con algunos fondos suplementarios y ajustes tecnológicos, tomando en cuenta el débil crecimiento de los mercados nacionales..." (citado en ibid., p. 119). Para más detalles con respecto a la responsabilidad de las firmas multinacionales en el fracaso de la ALALC, véase Constantino Ianni, "La crisis de la ALALC y las corporaciones transnacionales", *Comercio Exterior*, diciembre de 1972.

[34] No hay que olvidar que tomando en cuenta las características de los mecanismos de liberalización del comercio o de desgravación aduanal de la ALALC, la aprobación de los empresarios nacionales y/o extranjeros era esencial para el cumplimiento del Tratado. Ibid.

región y la ausencia de *leadership*[35] terminarán por frenar la marcha hacia la integración.

Los países de la ALALC revisan el Tratado de Montevideo una primera vez en Caracas a finales de 1969. De ahí surge el Protocolo de Caracas que no sólo amplía el plazo del perfeccionamiento del programa de liberalización, sino que reduce el alcance de las desgravaciones arancelarias anuales. Por las mismas razones que mencionamos antes, el Plan de Acción 1970-1980 aprobado por la asamblea de representantes nacionales no será aplicado. En 1978, en una reunión en Acapulco se declara explícitamente el agotamiento del viejo tratado y de la ALALC. Se decide elaborar un nuevo Tratado de Montevideo, que dará origen a la Asociación Latinoamericana de Integración (ALADI). El nuevo Tratado de Montevideo de 1980, suscrito por los once países de la ALALC, persigue el mismo objetivo que el precedente –formar un mercado común a largo plazo–, pero su ambición a corto plazo es más modesta. Se tratará sólo de crear una zona de preferencias tarifarias acompañada de disposiciones para el establecimiento de acuerdos sectoriales, bilaterales y subregionales. Estas disposiciones son importantes en la medida en que marcan un cambio de enfoque: se procurará favorecer el acercamiento de los países sobre una base bilateral o subregional con el objetivo de, si los países lo desean, ampliar los acuerdos firmados al conjunto de la región. En estas condiciones, "se impone la idea de una integración fragmentada y gradual".[36] Más concretamente, este acuerdo es el inicio de un marco de negociación que tendrá por regla el pragmatismo.

Los resultados de la ALADI no fueron mucho mejores que los de la ALALC. Las exportaciones intrazonales como porcen-

[35] La ausencia de *leadership* aumenta los costos de "regateo" en materia de compensaciones y complica la coordinación de los arreglos institucionales. W. Mattli, *The Logic of Regional Integration*, cit., p. 147.

[36] C. Deblock y D. Brunelle, "Les États-Unis et le régionalisme économique dans les Amériques", *Études Internationales*, cit., p. 295.

taje del total de las exportaciones de la zona pasan de 13.1 por ciento en 1981 a 13.3 en 1991. Por su parte, las importaciones como porcentaje del total de importaciones de la zona pasan de 13.3 a 15.5 en el mismo periodo.[37]

El débil comercio entre los países latinoamericanos no debe sorprender. De hecho, cuando estalla la crisis de la deuda a inicios de los ochenta (crisis que, como sabemos, precipita a los países de América Latina en la década perdida) el modelo de integración perseguido desde mucho tiempo atrás pierde sentido al abandonar la sustitución de importaciones como estrategia de desarrollo, orientándose hacia los mercados externos a la zona.[38] En estas circunstancias, si la integración regional debiera aún prevalecer en el futuro, debiera serlo de manera compatible e incluso complementaria con la nueva estrategia de desarrollo "hacia el exterior". Las construcciones regionales voluntaristas que buscaban la desconexión del mercado mundial (regionalismo cerrado) son abandonadas y se privilegia una concepción liberal de integración por el mercado.

Los acuerdos regionales de segunda generación en América Latina: el caso del TLCAN

La estrategia de desarrollo en América Latina cambia durante los años ochenta. De una estrategia orientada hacia el interior o introvertida se pasa a una estrategia orientada hacia el exterior o extrovertida. La mutación de la estrategia de desarrollo modificó de manera drástica la integración regional, que comenzó a contemplarse como una vía más hacia una mayor apertura de la economía mundial. Al lado de la liberalización unilateral y multilateral, la integración regional pasa a ser un

[37] R. Grien, *La integración económica como alternativa inédita para América Latina*, cit., pp. 272-73.

[38] Al respecto, véase Héctor Guillén Romo, *Los orígenes de la crisis en México, 1940-1982*, Era, México, 1983; *El sexenio de crecimiento cero. México, 1982-1988*, cit., y *La contrarrevolución neoliberal en México*, cit.

instrumento adicional para abrir las economías a la competencia mundial. En ese sentido, la CEPAL considera que el nuevo regionalismo de los años noventa en América Latina es un "regionalismo abierto". Por "regionalismo abierto" se entiende

> un proceso de creciente interdependencia económica a nivel regional, impulsado tanto por acuerdos preferenciales de integración como por otras políticas de apertura y desreglamentación, con el objeto de aumentar la competitividad de los países de la región y de constituir en lo posible, un cimiento para una economía internacional más abierta y transparente.[39]

Para evaluar los acuerdos regionales de segunda generación en América Latina conviene reconocer que las condiciones de los años noventa son diferentes a las de los años sesenta. No sólo el comercio mundial es mucho más abierto, sino que las concepciones de desarrollo dominantes en América Latina son muy distintas. En los sesenta se trataba de favorecer una industrialización por sustitución de importaciones, cerrando los mercados a las exportaciones de los países desarrollados. En los noventa, la mayoría de los países latinoamericanos se habían embarcado de manera independiente en un vasto proceso de liberalización comercial unilateral, además de haberse adherido al GATT. Este cambio de concepción ha repercutido en los acuerdos de integración regional. Ahora es posible establecer acuerdos norte-sur como el Tratado de Libre Comercio de América del Norte (TLCAN), que no existían en América Latina.

Los acuerdos de integración regional de la década de los noventa, y más particularmente el TLCAN, suscriben lo que Aldo Ferrer[40] denomina "la visión fundamentalista de la globalización". Según ésta, "el dilema del desarrollo en un mundo glo-

[39] CEPAL, *El regionalismo abierto en América Latina y el Caribe,* Naciones Unidas, Santiago de Chile, 1994, p. 8.

[40] A. Ferrer, *Hechos y ficciones de la globalización,* cit., pp. 24-27.

bal ha desaparecido",[41] ya que "en la actualidad, las decisiones principales no las adoptan las sociedades y sus estados sino los agentes transnacionales".[42] Así, en un mundo global, la identidad y la dimensión endógena de los espacios nacionales y regionales se disolverían en el océano del mercado mundial global. En estas circunstancias, se impondría adoptar políticas amistosas con los mercados, es decir políticas funcionales para los intereses dominantes como son las políticas neoliberales del Consenso de Washington. Cualquier resistencia de las sociedades y de los sistemas políticos para ratificar las decisiones de los mercados se interpreta como una ingobernabilidad de la democracia.

El problema con esta visión fundamentalista, instaurada como hegemónica a partir de la crisis de la deuda externa, es que resulta incompatible con un proceso profundo de integración regional como el europeo, reduciéndola a una simple liberalización del intercambio de mercancías e inversiones como en el caso del Tratado.

El Tratado de Libre Comercio es una versión ampliada del Acuerdo de Libre Cambio firmado en 1989 entre Estados Unidos y Canadá.[43] Dicho Tratado, que entró en vigor el 1° de enero de 1994, compromete a México a instrumentar una liberalización del comercio y de la inversión parecida a la del Acuerdo de Libre Cambio entre Estados Unidos y Canadá. No obstante, el Tratado va más lejos al incorporar cuestiones no contempladas en el acuerdo bilateral. Entre éstas, destacan la protección de los derechos de propiedad intelectual, las reglas contra las restricciones a la inversión extranjera (las obligaciones referentes al contenido local y a los resultados de exportación) y la aplicación a los servicios de transporte. De hecho, el Tratado establece una zona de libre cambio más integradora que otras que se limitan al simple intercambio de mercancías. En

[41] Ibid., p. 24.
[42] Ibid.
[43] Ch. Oman, *Globalisation et régionalisation...*, cit. p. 131.

efecto, a la movilidad de mercancías y servicios se suma la movilidad de los flujos de inversión directa y de capitales. En ese sentido, el uso de la terminología tradicional –zona o acuerdo de libre cambio– se volvió inadecuado, ya que cubre una realidad muy diferente de la de los años sesenta. Así, aunque no se pretende transformar la zona en una unión aduanal o en un mercado común, el Tratado representa más que una zona de libre cambio clásica.

Las causas de los agrupamientos regionales, y en particular del TLCAN, han sido ampliamente tratadas en la literatura especializada. A este respecto, H. Burguinat[44] distingue las razones oficiales y otras que explican la regionalización.

En los años noventa no se trata de agruparse para cerrarse y redinamizar la sustitución de importaciones, sino de procurar los medios para sacar partido del crecimiento hacia afuera y poder participar plenamente en las negociaciones comerciales internacionales. A nivel oficial, se evocaron tres razones:

• para los países económicamente pequeños como México, signatario del Tratado, el agrupamiento regional constituye el medio de estar presente en el mercado internacional con una talla mínima;

• para estos países, el agrupamiento regional constituye una garantía para acceder a los mercados privilegiados de un gran vecino que forma parte de la agrupación. En el caso de México, le permitiría consolidar la integración de *facto* o silenciosa al gran vecino del norte: Estados Unidos;[45]

[44] H. Burguinat, *La tyrannie des marchés*, cit., pp. 109-11.

[45] Al respecto, no hay que olvidar que la relación bilateral entre Estados Unidos y Canadá por un lado, y Estados Unidos y México por el otro, eran respectivamente la primera y la tercera relación bilaterales en el comercio mundial en 1994. La importancia de la relación bilateral entre Estados Unidos y sus vecinos se explica por la cercanía geográfica. Gérard Lafay, Colette Herzog, Michael Freudenberg y Deniz Ünal-Kesenci, *Nations et mondialisation*, Economica, París, 1999, p. 294.

• para los grandes países como Estados Unidos, el repliegue hacia lo regional constituye la respuesta a una cierta decepción por los resultados obtenidos en las negociaciones comerciales multilaterales.

Al lado de estos motivos oficiales se han evocado otros menos explícitos. A este respecto, se señala que los grandes países como Estados Unidos buscan reservarse los mercados que consideran suyos. Aunado a lo anterior, la idea de constituir una zona de influencia para resistir mejor a la competencia internacional y a los avances de la integración europea es uno de los objetivos no declarados del coloso del norte en el seno del Tratado. La creación del Tratado de Libre Comercio correspondería a la doctrina Monroe para el siglo XXI.[46] Ésta constituiría una nueva etapa en la tradición expansionista de Estados Unidos desde el siglo XIX. El Tratado sería una etapa en el camino hacia la Iniciativa para las Américas,[47] destinada a cubrir todo el continente con una zona de libre cambio. La desaparición del bloque soviético da lugar a una competencia exacerbada entre los tres polos de la tríada: Estados Unidos, Europa y Japón. Es en esta perspectiva que Washington crea los mecanismos que le permitirán establecer su influencia en el continente y neutralizar los otros polos. En este contexto, la idea de combinar la tecnología estadounidense, la mano de obra mexicana y los recursos naturales canadienses resulta muy atractiva.

Asimismo, se ha considerado el surgimiento de los agrupamientos regionales como un justo medio entre la nación y el mundo en su totalidad.[48] La nación representaría un marco eco-

[46] La doctrina Monroe enunció en 1823 el principio de no intervención de terceros Estados en los asuntos del continente.

[47] C. Deblock y D. Brunelle, "Les États-Unis et le régionalisme économique dans les Amériques", *Études Internationales*, cit., pp. 301-308.

[48] Bernard Gerbier, "L'impérialisme géoéconomique", en Gérard Duménil y Dominique Levy (coords.), *Le triangle infernal. Crise, mondialisation, financiarisation*, Actuel Marx Confrontation, Presses Universitaires de France, París, 1999.

nómico y político demasiado estrecho para favorecer el desarrollo, en tanto que el mundo en su totalidad sería demasiado grande para reconciliar la operatividad de las fuerzas productivas y de las relaciones sociales. Para las empresas, las estrategias productivas regionales tienen muchas ventajas:

• el nivel regional representa hoy el punto de equilibrio entre los rendimientos crecientes que provienen de los efectos de la talla y de las deseconomías de escala, que resultan de las dificultades para controlar la gestión y comunicar;

• el nivel regional permite reaccionar mejor al mercado tanto desde el punto de vista de la evolución de los gustos, de la incorporación de las innovaciones, como de los plazos de entrega y del servicio después de la venta;

• el nivel regional es un buen nivel de adaptación organizativa: permite explotar todas las potencialidades de la empresa y de su medio ambiente. En particular, permite reaccionar a la creación y a la evolución de bloques y acuerdos regionales.[49]

En el caso particular de México, se ha insistido mucho en explicar la adhesión al TLCAN como una necesidad de "poner un candado" a las reformas neoliberales de la década de los ochenta y principios de los noventa.[50] En efecto, para el gobierno de México se trataría de impedir que gobiernos futuros anularan el proceso de reformas neoliberales. Los esfuerzos de una mayor integración de *jure* con Estados Unidos fueron vistos como la voluntad de proteger las reformas frente a los grupos de presión (cámaras empresariales, sindicatos, partidos políticos) que podrían intentar actuar tanto en el ámbito político como por medio del mercado. Al mismo tiempo, se interpreta la adhesión como un mensaje enviado a los inversionistas nacionales y extranjeros en el sentido de que las reformas neoliberales serían irreversibles, lo que ocasionaría un suplemento de credibilidad.

[49] Ibid., pp. 142-43.

[50] Paul R. Krugman, *La mondialisation n'est pas coupable,* La Découverte, París, 1998, p. 162.

Con el propósito de apreciar su importancia, consideremos algunos indicadores que muestran las ventajas comparativas de los socios del TLCAN en 1994, año en que el Tratado entró en vigor.

El Tratado, firmado por Estados Unidos, Canadá y México, debería lógicamente reforzar la complementariedad en América del Norte. Tanto Canadá como México, considerados de manera consolidada ("vecinos de Estados Unidos"), efectúan la mayor parte de los intercambios con el coloso del norte. A nivel de ramas, la complementariedad es clara desde hace muchos años. Por el lado de la energía se constata una desventaja para Estados Unidos y una ventaja para sus vecinos. La situación se invierte en el caso de la mecánica, la química y los servicios. El fenómeno es más reciente en el caso de los vehículos, ya que la ventaja comparativa de Canadá y México resultante de la instalación de firmas multinacionales extranjeras sólo apareció durante los años ochenta.[51]

El cruzamiento de los datos a nivel de rama con los estadios de elaboración[52] permite conocer los puntos fuertes y débiles de Canadá y México ("vecinos de Estados Unidos") en 1994. Entre los puntos fuertes se pueden citar la rama energética y la agroalimenticia. Entre los puntos débiles cabe señalar la mecánica, la electrónica y la química. Por otra parte, la rama de vehículos ilustra la especialización de Canadá y México como importadores de piezas y exportadores de productos terminados (automóviles y camiones) a partir de actividades de montaje implantadas en su territorio.[53]

El examen de la evolución de la especialización de Canadá y México ("vecinos de Estados Unidos") entre 1967 y 1994 arroja algunos resultados interesantes. Antes que nada cabe

[51] G. Lafay, C. Herzog, M. Freudenberg y D. Ünal-Kesenci, *Nations et mondialisation*, cit., pp. 243-44.

[52] Primario, manufactura de base, intermedios, equipo, mixtos, consumo y terciario.

[53] Ibid., pp. 244-47.

destacar el ascenso espectacular del final de la cadena de la rama de vehículos desde 1967. No obstante, hay que hacer notar que la dependencia de ambos países tiende a reducirse "hacia atrás" de esta rama (piezas de vehículos), lo que es un indicador de una tasa muy elevada de incorporación de valor agregado nacional. Las otras mejoras en la especialización afectan sobre todo a los productos primarios (petróleo bruto y productos agrícolas no comestibles). Por el lado de las evoluciones negativas en materia de especialización, destaca el rubro "viajes".[54]

La descomposición de las ventajas comparativas por rama y por país muestra que en la mayoría de las ramas el papel más importante lo tiene Canadá, cuya especialización influye la del conjunto de la zona ("vecinos de Estados Unidos") en la mayoría de los casos. La ventaja de Canadá es más marcada en la rama agroalimenticia y en la de madera y papel. Su desventaja es más acentuada en la electrónica y los servicios. La especialización de México es bastante diferente y se opone a la de Canadá en varias ramas: desventajas en la agroalimenticia y en la de madera y papel, y ventajas en los servicios (turismo), así como en el material eléctrico y la electrónica gracias a las maquiladoras.[55]

Si bien Canadá y México intercambian con Estados Unidos, la intensidad de su comercio mutuo es muy débil. Los vecinos de Estados Unidos tienen un intercambio intenso con un número limitado de países. En el caso de México, el socio comercial más importante es Estados Unidos, seguido de muy lejos por algunos países latinoamericanos. En el caso de Canadá la situación es aún más radical, ya que su único socio comercial de importancia es Estados Unidos.[56]

Para ubicar la especificidad del Tratado de Libre Comercio con respecto a la Asociación Latinoamericana de Libre Comer-

[54] Ibid., p. 247.
[55] Ibid.
[56] Ibid., pp. 307-308.

cio y a otras experiencias de integración en el mundo es preciso tomar en consideración varios hechos.

El Tratado parece más conforme al espíritu liberal de apertura del artículo XXIV del GATT[57] que lo que fue el regionalismo de primera generación como el de la Asociación.

Hay que negarse a discutir la integración de manera "abstracta y ahistórica".[58] No se puede hacer abstracción del patrón de acumulación dominante ni de la política económica dominante en el momento de la integración. En tanto que la Asociación Latinoamericana fue un mecanismo auxiliar de la industrialización sustitutiva, el Tratado de Libre Comercio es un auxiliar de la industrialización impulsada por las exportaciones. Mientras que la Asociación se justificaba sobre todo con argumentos intervencionistas, el Tratado se fundamentaba principalmente con el paradigma neoliberal.

La zona de libre cambio de América del Norte, que constituye una forma muy liberal de integración, no es considerada como una etapa hacia una unión aduanal o un mercado común, que son formas intervencionistas de integración.

En el caso del Mercado Común Europeo, la liberalización comercial fue progresiva y seguida mucho después por la liberalización financiera. En el caso del TLCAN la liberalización comercial precedió brevemente a la liberalización financiera.[59]

La apertura drástica de las fronteras sin ningún tipo de medidas complementarias por parte del Estado o algún ente supranacional que ayude a reestructurar las empresas no competitivas como aconteció en Europa, pone en marcha un proceso

[57] En el artículo XXIV del GATT se establece que un acuerdo preferencial puede ser aceptable en la medida en que elimine las barreras aplicables a la mayor parte del comercio entre los signatarios, y siempre que no aumente la protección a terceros.

[58] Pierre Salama, "América Latina: ¿integración sin desintegración?", *Riqueza y pobreza en América Latina*, Fondo de Cultura Económica, México, 1999, p. 78.

[59] Ibid., pp. 101-102.

de destrucción-creadora donde, como dice Salama, "es más lo destructivo que lo creativo".[60]

Como hemos señalado, México tenía un fuerte intercambio comercial con Estados Unidos, resultado en buena medida de una liberalización comercial unilateral, aún antes de la entrada en vigor del Tratado de Libre Comercio. En estas condiciones, el interés por firmar un tratado se situaba más en el terreno de las inversiones directas y de las estrategias de implantación de las firmas multinacionales. Se trataba de reforzar el atractivo de una economía del sur (la mexicana) para los agentes de la más poderosa economía del norte. Así, lo que estaba en juego con la integración económica norte-sur no se situaba sólo a nivel de los intercambios comerciales según la concepción de la formación de una zona de libre comercio (Viner, Lipsey). Junto a estos intercambios, hay que considerar los flujos de inversión y los movimientos de capital financiero, ignorados por los enfoques tradicionales de la posguerra.[61]

El enfoque de Viner, satisfactorio para explicar los acuerdos regionales como el de la ALALC en los años cincuenta y sesenta, resulta inadecuado para explicar el TLCAN. En efecto, como ya señalamos, las nuevas formas de integración regional como la del Tratado reposan ante todo sobre los flujos de inversión directa y de capitales, y sobre redes internalizadas desarrolladas por las multinacionales. Además, la integración se opera entre socios con un nivel de desarrollo muy diferente, lo que aleja de la condición de similitud de nivel de desarrollo fijada por Viner para asegurar el éxito de la integración.[62]

A diferencia de la Asociación Latinoamericana, que fue un proceso fracasado de integración de *jure*, en el caso del Tratado de Libre Comercio estamos ante una integración de

[60] Ibid., p. 80.

[61] Ch.-A. Michalet, *La séduction des nations ou comment attirer les investissements*, cit., pp. 113-24.

[62] Ibid.

jure o negociada que consolida una integración de *facto* o silenciosa.[63]

Haciendo a un lado las notables diferencias entre ambos acuerdos internacionales, la cuestión que se plantea es la relación entre el regionalismo de segunda generación surgido a finales del siglo pasado y la mundialización.

La relación entre regionalismo y mundialización

Un orden internacional con tres niveles está en vías de construcción. El nivel *nacional* con un Estado-nación, el nivel *regional* con dos o más Estados nacionales y el nivel *mundial* con todos o casi todos los Estados-nación del mundo. Cada uno de estos niveles está asociado a una forma de liberalización.

Al nivel nacional corresponde la *liberalización unilateral* o unilateralismo. En este caso, los países toman medidas unilaterales para abrir sus economías convencidos de que es el mejor medio de elevar el bienestar de la nación. En el caso del nivel regional, la *integración regional* es utilizada como un instrumento para abrir las economías a la competencia, promoviendo el bienestar de la región. En el caso del mundo se recurre al *multilateralismo* no para promover el bienestar de un país o una zona, sino el del conjunto del mundo.[64]

[63] René Villarreal, *Liberalismo social y reforma del Estado: México en la era del capitalismo posmoderno*, Nacional Financiera-Fondo de Cultura Económica, México, 1993, p. 249.

[64] Para los neoliberales de orientación hayekiana, los acuerdos que crean una zona de libre cambio o un mercado común constituyen técnicas de liberalización eficaces, al igual que las negociaciones multilaterales mundiales como las del GATT o la OMC. Sin embargo, se trata de dos enfoques diferentes de la liberalización comercial. En tanto que en el caso de la Unión Europea estaríamos frente a un enfoque organizador y armonizador, en el caso del GATT y de la OMC nos encontraríamos frente a un enfoque más competitivo. Estos dos enfoques corresponderían a dos concepciones diferentes de la integración: integración de los mercados e integración de los produc-

Con el ascenso de los bloques regionales, la cuestión que se plantea es la de su compatibilidad con el proceso de globalización o mundialización. No deja de intrigar la evolución paralela de dos procesos en apariencia contradictorios: la globalización y la regionalización. Dado que la globalización requiere del multilateralismo y que la regionalización podría implicar la

> exclusión o discriminación de terceras partes, surge la interrogante de hasta qué grado y en qué condiciones son compatibles la integración regional y el sistema multilateral abierto de comercio e inversión.[65]

A este respecto, recordemos que las relaciones comerciales internacionales se fundamentan en el principio de la cláusula de la nación más favorecida. A todo país exportador que se beneficia de este principio se le aplica la tarifa aduanal más favorable. Esta regla, incluida desde mediados del siglo XIX en numerosos acuerdos bilaterales en Europa, fue retomada en 1947 en el GATT y en 1995 en la OMC. Sin embargo, la OMC, como en el pasado lo hizo el GATT, tolera numerosas excepciones o derogaciones que permiten la instrumentación de acuerdos preferenciales discriminatorios.

Más aún, los acuerdos regionales preferenciales son contrarios a los principios del multilateralismo no sólo porque constituyen una derogación al tratamiento de la nación más favorecida, sino porque las negociaciones se realizan en una zona sin supervisión multilateral y el respeto de los acuerdos

tores. En el primer caso simplemente se liberalizan los intercambios como lo hace la OMC. Esto conduciría a un aumento de la competencia. En el segundo caso, el de la Unión Europea, se organiza la competencia con lo que, a fin de cuentas, se la destruiría, tratando de suprimir las diferencias entre los productores. Pascal Salin, *Libéralisme,* Odile Jacob, París, 2000, capítulo 19.

[65] Wolfgang Michalski, "¿Son compatibles el multilateralismo y el regionalismo?", *México, transición económica y comercio exterior,* Bancomext-Fondo de Cultura Económica, México, 1999, p. 415.

es vigilado, y, eventualmente, sancionado en el ámbito zonal y no multilateral.

De cualquier modo, es posible pensar que los acuerdos preferenciales representan un relevo al multilateralismo. En efecto, un cierto número de foros regionales como el de la Cooperación Económica Asia-Pacífico (APEC) tienen por objetivo favorecer el establecimiento de reglas multilaterales. Algunos acuerdos regionales preferenciales reproducen las estructuras, o incluso, las reglas multilaterales. Así, por ejemplo, el TLCAN aparece como "una integración minimalista bastante cercana en su espíritu a los acuerdos bilaterales del siglo XIX".[66] En ese sentido, se considera que la concepción estadounidense de los acuerdos regionales no tiene relación con la visión de integración, incluso para algunos federalista, de Europa.

Se trata más de reproducir en el ámbito regional algunas de las modalidades de funcionamiento de la OMC o de anticipar la evolución de esta organización. Las estructuras del TLCAN, sus textos, sus procedimientos, reproducen los de la OMC. El conjunto está regulado por un procedimiento de solución de diferencias internas en la zona que funciona *grosso modo* como el de la OMC, que se mantiene como una vía de recurso alternativa.[67]

Más aún, los acuerdos regionales pueden desempeñar un papel experimental, sirviendo de laboratorio para soluciones multilaterales. Así, el Tratado de Libre Comercio de América del Norte, que ha sido considerado como "la forma institucional más acabada de la liberalización y la desreglamentación ilimitadas" de la inversión extranjera, constituyó un banco de prueba del Acuerdo Multilateral sobre la Inversión (AMI).[68]

[66] J.-M. Siroën, *La régionalisation de l'économie mondiale*, cit., p. 20.
[67] Ibid., p. 22.
[68] El AMI es un acuerdo negociado secretamente, a partir de 1995, en el marco de la OCDE. Dicho acuerdo pretendía instaurar una li-

Por "su claridad y profundidad", los principios y disciplinas que garantizan en el capítulo XI del Tratado la protección de la inversión extranjera sirvieron de modelo al AMI, que se negoció y rechazó en la OCDE.[69]

La creación de zonas regionales preserva la competencia del multilateralismo en el tratamiento de las relaciones interzonas. Además, en un sistema multilateral regido por la regla del consenso la creación de un número limitado de zonas integradas facilita la cooperación, lo que puede simplificar las relaciones comerciales. Es muy difícil negociar en recintos mundiales que comportan de 140 a 180 miembros. La participación de todos los países en tales condiciones es ilusoria. El agrupamiento de las economías en conjuntos regionales libremente constituidos puede entonces volver los recintos internacionales más eficaces (reduciendo la complejidad de la negociación

bertad total de inversiones en el mundo, reduciendo los Estados al papel de meras correas de trasmisión de los intereses privados. Como se sabe, la movilización de movimientos ciudadanos en el mundo entero hizo fracasar la maniobra en 1998. Esto constituyó la primera victoria de lo que posteriormente se calificaría de movimientos antimundialización o globafóbicos y que ahora se denominan correctamente como altermundistas. Sin embargo, para Michalet se trató de una victoria muy relativa, ya que la mayoría de los principios planteados por el AMI se encuentran en los tratados bilaterales y en casi todas las nuevas legislaciones sobre inversión extranjera. Ch.-A. Michalet, *Qu'est-ce que la mondialisation?*, cit., p. 111; Observatoire de la Mondialisation, *Lumière sur l'AMI*, L'Esprit Frappeur, París, 1998, p. 12.

[69] Jesús Silva Herzog, "El debate de la apertura comercial en las economías en desarrollo y desarrolladas de cara al siglo XXI", *México, transición económica y comercio exterior*, cit., p. 209. Algunos autores consideran que México pagó cara su incorporación al TLCAN aceptando la inversión extranjera en áreas que tradicionalmente eran inaccesibles y permitiendo que en caso de disputas se pueda recurrir a foros internacionales, rompiendo así con la Doctrina Calvo, que siempre había prevalecido en América Latina. W. Mattli, *The Logic of Regional Integration*, cit., pp. 182-83.

global y compartiendo los costos de una representación difícil de asumir por los Estados pequeños) y más legítimos (garantizando un mecanismo de representación transparente de los intereses de todos los países, incluso los más modestos).

Por otra parte, el multilateralismo puede ser observado como un paso previo al regionalismo. A este respecto recordemos que la adhesión de México al GATT precedió la creación de la zona de libre comercio de América del Norte. Nuestro país, tradicionalmente proteccionista, liberalizó de manera espectacular su comercio exterior tras su adhesión al GATT, lo que facilitó la firma del Tratado de Libre Comercio. Por el contrario, en el pasado la Asociación Latinoamericana de Libre Comercio, concebida como una alternativa a la liberalización multilateral, fracasó en América Latina. Se trataba de preservar una estrategia de desarrollo fundada en la sustitución de una producción nacional o regional a las importaciones. Como señalamos, esta estrategia se enfrentó, entre otros, a problemas de talla industrial crítica y de mercados internos insuficientes.

Finalmente, los acuerdos preferenciales regionales pueden ser considerados como una respuesta a ciertas deficiencias del multilateralismo.[70]

Las reglas de la OMC no han sido capaces de hacer frente al neoproteccionismo. En efecto, algunos países, sobre todo industrializados, recurren a numerosas prácticas para limitar las importaciones. A este respecto cabe señalar las barreras administrativas, los abusos de los derechos antidumping, los acuerdos de autolimitación de las importaciones, las normas de calidad o de presentación, los riesgos sanitarios o de polución, etcétera. No hay duda de que el ascenso del neoproteccionismo en Estados Unidos, que ni el GATT ni la OMC habían podido frenar, fue un factor que contribuyó a que Canadá y México firmaran un acuerdo de libre cambio con su vecino, rompiendo con su tradicional actitud de rechazo a este tipo de acuerdo.

El multilateralismo carece de una doctrina de la lealtad. Los

[70] J.-M. Siroën, *La régionalisation de l'économie mondiale*, cit., pp. 72-76.

Estados y sus opiniones públicas temen que el frágil balance entre ventajas e inconvenientes de la apertura comercial se desequilibre en virtud de prácticas que tienen por efecto más o menos directo mejorar la ventaja competitiva de algunos sectores: políticas de compresión salarial, normas de trabajo y ambientales laxas, etcétera. Ante una ausencia de doctrina "multilateral" de la lealtad, se considera que los acuerdos de integración regional refuerzan y precisan las reglas de la lealtad. Así, por ejemplo, la ratificación del Tratado de Libre Comercio sólo fue posible gracias a la introducción de anexos referentes a las normas de trabajo y al medio ambiente.

La experiencia ha demostrado que la cláusula de la nación más favorecida, instrumento poderoso para abrir las economías, puede paradójicamente conducir a reducir el grado de apertura deseable de la economía mundial. En este caso, los acuerdos regionales permiten escapar a las obligaciones de la cláusula de la nación más favorecida, parapeto necesario pero en algunos casos contraproducente, sobre todo cuando el número de países beneficiarios aumenta.

Por último, cualquier monopolio, incluso una organización internacional, puede tender a ser menos eficaz por falta de emulación. La competencia de organizaciones regionales puede así desempeñar un papel positivo. (Tal argumento se ha usado en el terreno monetario para justificar la creación de fondos monetarios regionales a los cuales se opuso con vigor el FMI.)[71] El regionalismo comercial, por su parte, estimuló las negociaciones en el GATT.

[71] Durante la crisis financiera asiática, Japón ofreció contribuir con cien mil millones de dólares para la creación de un fondo monetario asiático que financiara las medidas de estímulo requeridas. Sin embargo, el Tesoro de Estados Unidos hizo todo lo necesario para combatir la idea. El FMI se sumó a este combate por una razón clara: "Aunque es un partidario ferviente de la competencia en los mercados, rechaza la idea de tener como competidor a un Fondo monetario asiático" (Joseph E. Stiglitz, *La grande désillusion*, Fayard, París, 2002, p. 153).

En estas condiciones, se puede afirmar que el debate entre partidarios del multilateralismo y defensores del regionalismo es un falso debate. El multilateralismo y el regionalismo constituyen dos formas complementarias para abrir las economías a diferentes niveles: mundial y regional. La multiplicación de los acuerdos regionales nos recuerda que la apertura multilateral a los intercambios no es un fin en sí y que, según las circunstancias, otras vías pueden ser más eficaces para concurrir al fin último: la consolidación de la mundialización neoliberal. No obstante, desde hace algunos años se observa una poderosa reacción de la sociedad civil a esta mundialización, que René Passet calificó de depredadora.[72]

El ascenso de la oposición a la mundialización neoliberal a partir de la movilización contra el AMI en 1998 es uno de los aspectos más relevantes de la actualidad internacional. La estructuración internacional de los movimientos sociales surge como una consecuencia de la mundialización. La desreglamentación y la privatización desplazaron la frontera del poder entre lo público y lo privado. El crecimiento de las interdependencias lo trasladó del Estado-nación hacia las instituciones multilaterales. A este deslizamiento del poder responde una cierta forma de movilización social transnacional. La oposición toma por blanco las organizaciones multilaterales tanto porque son percibidas como lugares de elaboración de normas (libre cambio en el caso de la OMC y políticas del Consenso de Washington en el caso de las instituciones de Bretton Woods) como porque ahí se toman decisiones que afectan directamente las economías y las sociedades nacionales.[73] Los

[72] René Passet, *Éloge du mondialisme par un "anti" présumé*, Fayard, París, 2001.

[73] La OMC representa una mayor amenaza que el GATT. En tanto que el GATT se ocupaba solamente del intercambio de mercancías, la OMC se ocupa también de los servicios, de la agricultura, de los derechos de propiedad, de la inversión y de muchas otras cosas que afectan el bienestar cotidiano de millones de individuos en el mundo. Además, el GATT constituía un foro de negociaciones entre Estados

gobiernos y las instituciones internacionales se preocupan en exceso por el comercio sin tomar en cuenta suficientemente otras dimensiones de la mundialización como la protección del medio ambiente, la diversidad cultural, la seguridad alimenticia, el lavado de dinero, etcétera. En razón de un déficit de lo político a nivel mundial y en virtud de delegar poderes, las decisiones fundamentales son tomadas por instituciones tecnocráticas. Una especie de liberal-estalinismo hace que los expertos –en razón de supuesta competencia técnica– decidan en lugar de los ciudadanos. En lugar de los cuadros que según Stalin debían decidir todo, ahora son los expertos de los organismos internacionales los que toman las decisiones.[74] Las instituciones multilaterales adquieren una vida propia y se vuelven hostiles a cualquier forma de soberanía popular que se exprese. Sobre todo, es en el campo de las finanzas donde la acción de los expertos internacionales que provocan crisis y desastres es más perceptible.

soberanos que conservaban todas las prerrogativas de los Estados-nación. Por el contrario, la OMC se dotó de un auténtico poder de arbitraje: su Órgano de Resolución de Diferendos (ORD) dicta el derecho y legaliza el uso de sanciones comerciales, en tanto que el ORD del GATT veía sus conclusiones sometidas a la validación política por consenso de los Estados miembros. Así, el ORD del OMC acumula funciones ejecutivas, legislativas y judiciales, pudiendo imponer sanciones, haciendo jurisprudencia y declarando ilegal tal o cual disposición de las legislaciones nacionales. En estas condiciones, estamos frente al surgimiento de un auténtico poder supranacional que pone en peligro la educación, la cultura, la salud, los servicios públicos, la propiedad intelectual y la seguridad alimenticia. ATTAC, *Remettre l'OMC à sa place*, Mille et Une Nuits, París, 2001.

[74] "Detrás del discurso de la economía estándar, más o menos actualizado, encontramos el imaginario político típico del estalinismo" (Jacques Sapir, *Les économistes contre la démocratie. Pouvoir, mondialisation et démocratie*, Albin Michel, París, 2002, p. 78).

3. Globalización financiera y riesgo sistémico

En los años sesenta, el crecimiento del mercado de los eurodólares y las eurodivisas anunciaba la globalización financiera. Esta evolución indujo la liberalización de los movimientos de capitales, que se volvieron incontrolables. A partir de 1974, Estados Unidos desmanteló las barreras que había impuesto en los años sesenta a la exportación de capitales. Este proceso prosiguió con un gran vigor en Inglaterra hacia mediados de los ochenta. De manera progresiva, los países más reticentes como Francia o Japón levantaron los obstáculos reglamentarios que habían impuesto al libre movimiento de capitales monetarios y financieros. Con ello, el ahorro nacional podía exportarse, de suerte que en los años ochenta Japón pudo financiar el déficit presupuestal de Estados Unidos, suavizando para este país la restricción externa y presupuestal. En los años noventa los llamados países emergentes de Asia y América Latina –seguidos por algunos países de Europa del este– se suman al movimiento de liberalización financiera.

Tendencia hacia la globalización financiera

En la esfera productiva como en la esfera financiera, la globalización implica tres condiciones:[1]

1] el producto debe ser global. Esto significa que debe tratarse de un producto universal, susceptible de ser identificado y demandado a escala mundial por el consumidor, como es el caso, por ejemplo, de la hamburguesa McDonald's o la Coca-Cola. Pero puede también tener otra significación. Así, por ejemplo, se puede decir que una compañía de transporte ma-

[1] H. Bourguinat, *Finance internationale*, cit., pp. 89-91.

rítimo está globalizada si hace escala en los cinco continentes. De igual forma, se puede calificar a un banco de global si opera como banco universal en todas las grandes plazas financieras del mundo;

2] para que la actividad de un grupo sea global se necesita que la posición del competidor en el mercado nacional sea fundamentalmente afectada por la posición global. Su capacidad de penetración dependerá de los resultados globales en la medida en que a nivel local son las ventajas obtenidas a escala del mundo entero (en materia tecnológica, de reputación del producto, etcétera) lo que cuenta. Por ejemplo, en materia bancaria esto tiene particular relevancia para los bancos universales, cuya credibilidad en materia de solvencia, en un país particular, depende de su balance consolidado;

3] la tercera condición es la ausencia de preferencia operacional por el país o zona de implantación original. Sólo las condiciones de costos y de rendimientos comparados deben determinar la afectación de medios financieros y humanos. El grupo global es aquél en que interviene una circulación intensa de personal de dirección, incluso si en la práctica los dirigentes del país de origen son aún mayoritarios.

Así, para Henri Bourguinat, la idea de globalización se impone con más fuerza en las finanzas que en la industria. El producto es por naturaleza más móvil y más ubicuo. Se desplaza con costos de transferencia extremadamente bajos. En numerosos casos está estandarizado y es bien identificado por los inversionistas en casi todo el mundo. Además, si el paso de un producto financiero a otro implica riesgos específicos como el riesgo cambiario o el referente a las reglamentaciones nacionales, en años recientes éstos se atenuaron en gran medida o se volvieron susceptibles de ser asegurados mediante diversos procedimientos. La globalización en el dominio financiero, más que en el industrial, implica que la situación en tal o cual país de una banca universal, de una compañía de seguros o de una casa de bolsa depende, como es evidente, de su balance y de su solvencia considerados de manera consolidada.

Para Bourguinat,[2] el proceso de globalización financiera se explica por la regla de las tres D: descompartimentación, desreglamentación y desintermediación.

1] Descompartimentación de los mercados. La descompartimentación de los mercados se refiere a la abolición de fronteras entre los mercados que antes habían estado separados.[3] En primer lugar, se trata de la apertura hacia el exterior de los mercados nacionales. Pero también se trata de abrir los mercados internos. Las barreras existentes en el interior desaparecen. Los mercados monetario (dinero a corto plazo), financiero (capital a más largo plazo), de cambios (intercambio de monedas) y a futuro, entre otros, se unifican. De ahora en adelante, el que invierte busca el mejor rendimiento pasando de un título a otro, o de una moneda a otra, o de una obligación en dólares a una obligación en pesos. Por último, estos mercados particulares (financiero, de cambios, de opciones, de futuros...) son subconjuntos de un mercado financiero global de carácter mundial. Hoy, el sistema financiero internacional es un megamercado único de dinero que se caracteriza por una unidad de lugar y de tiempo. En efecto, las plazas financieras están cada vez más interconectadas gracias a las redes modernas de comunicación y funcionan de manera continua, veinticuatro horas sobre veinticuatro sucesivamente sobre las plazas del Extremo Oriente, Europa y América del Norte.

2] Desreglamentación. Las autoridades monetarias de los principales países industrializados abolieron la reglamentación de cambios a fin de facilitar la circulación internacional del capital. A este respecto, cabe señalar la apertura del sistema financiero japonés en la primera mitad de los ochenta, en gran medida impuesta por las autoridades estadounidenses. Asimismo, destaca el desmantelamiento de los sistemas nacionales de control de cambios por parte de los países europeos en el mar-

[2] Ibid., pp. 91-100.

[3] Dominique Plihon, "Les enjeux de la globalisation financière", *Mondialisation. Au delà des mythes*, cit., pp. 69-79.

co de la creación del mercado único de capitales en 1990. Este proceso forma parte de la ola de liberalización de los movimientos de capitales iniciada en Estados Unidos a fines de los setenta y que se expandió posteriormente al resto del mundo.

De todo ello resulta una aceleración de la movilidad geográfica de los capitales, pero también movilidad en el sentido de una mayor sustituibilidad entre los instrumentos financieros. En efecto, en Estados Unidos se introdujeron una serie de innovaciones financieras[4] que acompañaron la nueva política monetaria estadounidense de control de la base monetaria y liberalización de las tasas de interés. Con tasas de interés mucho más móviles y cursos cambiarios fuertemente volátiles, el sistema va a producir toda una serie de instrumentos financieros nuevos para administrar esta doble inestabilidad. Se trata de una serie de productos financieros nuevos que tiene un triple objetivo: administrar la inestabilidad de las tasas de interés y cambiarias pasando de un compartimento del mercado interno a otro (tasa variable / tasa fija; mercado al contado / mercado a plazos) y de una divisa a otra. La desreglamentación y las innovaciones convergieron para asegurar a los operadores contra la incertidumbre, permitiéndoles fabricar la divisa de su elección teniendo de entrada una óptica multidivisas que implica justo la globalización del mercado.[5]

[4] Se trataba de eliminar la distinción entre las cuentas a plazos y las cuentas a la vista. Así, por ejemplo, las cuentas Now permitieron a los titulares de cuentas a plazos retirar fondos a condición de dejar un saldo mínimo. Más adelante, las cuentas Super Now autorizaron, bajo ciertas condiciones, expedir cheques a partir de las cuentas a plazos. Por su parte, los Automatic Transfer Services permitieron una transferencia automática de las cuentas a la vista a las cuentas a plazos. Todo esto mostraba la voluntad, por parte de las autoridades monetarias estadounidenses, de desreglamentar. H. Bourguinat, *Finance internationale*, cit., p. 92.

[5] Un ejemplo de estas poderosas correas de transmisión entre mercados internos y externos lo constituye el swap. A este respecto, pueden distinguirse: *swaps de interés*, que permiten sacar partido de las

3] Desintermediación. Desde la década de los ochenta algunos depósitos huyeron del pasivo de los bancos, atraídos por la rentabilidad y la liquidez de las Sociedades de Inversión de Capital Variable. Éstas se volvieron protagonistas en los mercados financieros, sobre todo el mercado monetario.[6] Del lado activo bancario, las oportunidades ofrecidas a las grandes empresas por el mercado monetario y el nuevo dinamismo de la bolsa limitaron la demanda de crédito. En ese sentido, se ha hablado mucho de desintermediación del financiamiento, entendiéndola como una disminución de la parte del financiamiento que transita por los intermediarios financieros en beneficio de las finanzas directas. Éste es el caso, por ejemplo, de Aeroméxico cuando decide emitir obligaciones internacionales en lugar de financiarse con crédito bancario.

Así, la integración financiera marcada por las tres D (descompartimentación, desreglamentación y desintermediación) se caracteriza por el respeto de la regla de la unidad de tiempo (funciona las veinticuatro horas del día) y de lugar (las plazas están cada vez más interconectadas), conduciendo a un autén-

condiciones de interés diferentes en los mercados reglamentados, cambiando una deuda a tasa fija contra una deuda a tasa variable (y viceversa); *swaps de divisas,* que permiten trocar una deuda en una divisa contra una deuda en otra divisa, y los *swaps cruzados,* que combinan deudas y préstamos en monedas diferentes a tasas diferentes. Ibid., pp. 93-97.

[6] Se trata de un mercado de títulos de corto plazo abierto a los agentes financieros (bancos, sociedades de inversión, etcétera) o no financieros (familias, empresas, Estado, etcétera). Los títulos del mercado monetario tienen nombres diferentes según la personalidad del emisor (certificados de depósito si el emisor es un banco, billetes de tesorería si es una empresa, bonos del Tesoro si es el Estado, etcétera), pero sus características son idénticas: monto unitario elevado, duración de diez días a siete años, etcétera. El mercado monetario se sitúa entre los mercados financieros tradicionales (las obligaciones cuya duración es superior a siete años) y las finanzas indirectas. Permite diversificar las posibilidades de los prestamistas y los prestatarios, en particular el Estado, reforzando el arsenal de las finanzas directas.

tico megamercado financiero mundial. Los mercados específicos (bolsa, cambios, opciones, futuros, etcétera) se vuelven compartimentos del mercado global, capilares e interdependientes gracias a los arbitrajes que permiten los swaps y otras formas de paso de un mercado a otro. Este mercado mundial de fondos prestables tiene otra propiedad inédita: gracias a la electrónica y a la computación, funciona prácticamente en tiempo real, de suerte que cualquier información pública es difundida de inmediato de un extremo al otro. En estas condiciones, una gran cantidad de inversionistas puede monitorear el mercado global y al mismo tiempo calcular la manera en que esta información impactará en el riesgo y rendimiento de sus carteras. La mejora en el poder de cómputo permite conocer de manera instantánea la información del mercado en tiempo real, favoreciendo la identificación de las oportunidades de arbitraje. Cuando estas oportunidades se reconocen, los sistemas de telecomunicaciones permiten una rápida ejecución de las órdenes para su captura. Estas transformaciones se acompañan de una mutación por lo que toca a los actores de los mercados financieros. Los mercados financieros mundiales, antes controlados por inversionistas individuales, son manejados ahora por instituciones financieras: fondos de pensión, compañías de seguros, fondos mutuos, bancos comerciales y asociaciones de ahorro y préstamo. A diferencia de los inversionistas individuales, los inversionistas institucionales están más dispuestos a transferir fondos a través de las fronteras nacionales, para así mejorar la diversificación de las carteras o sacar partido de los precios erróneos de los activos financieros en los países extranjeros.

Pero más que un hecho acabado, la globalización financiera constituye una *tendencia*.[7] En efecto, una globalización financiera perfecta implicaría que todos los productos financieros fueran libremente accesibles, cualquiera que fuera el lugar de emisión. Luego entonces, deberían tener el mismo precio, lo

[7] J.-M. Siroën, *La régionalisation de l'économie mondiale*, cit., pp. 58-59.

que según Jean-Marc Siroën implicaría que se cumpliera con dos condiciones. En primer lugar, las tasas de interés real deberían ser idénticas en todos los países. En segundo lugar, para cada país el ahorro nacional dejaría de estar vinculado a la inversión nacional. En caso de déficit (inversión > ahorro), el país podría importar capitales a la tasa de interés mundial, y a la inversa, exportarlos en caso de excedente. En la realidad, estas condiciones no son satisfechas: las tasas de interés real difieren entre los países y la disociación del ahorro y la inversión no ha podido ser demostrada por estadísticas.

En la realidad, los capitales no son ni perfectamente movibles ni perfectamente sustituibles. La desreglamentación financiera y el progreso técnico que mejoran el modo de transmisión de las órdenes permiten una mayor fluidez del capital. Sin embargo, persisten importantes obstáculos a la movilidad como son los costos de transacción, los gastos de conversión de monedas, los impuestos sobre las operaciones, las reglamentaciones, etcétera.[8] Todo esto impide una sustituibilidad perfecta y el logro de la integración financiera total. Para que dos activos financieros sean perfectamente sustituibles en la cartera de un inversionista se necesita que para una tasa de interés real idéntica, el inversionista no tenga ninguna razón para preferir un título emitido por otro. Así, por ejemplo, un bono del Tesoro mexicano puede sustituir un bono del Tesoro francés, japonés o estadounidense.

Como señalamos en el capítulo 1, existe una fuerte diferenciación de las trayectorias nacionales que sugiere que la globalización financiera sigue siendo muy desigual entre países y no ha logrado conquistar todos los territorios.[9]

[8] Con respecto a la función de los gobiernos en los mercados financieros, véase Frank J. Fabozzi, Franco Modigliani y Michael G. Ferri, *Mercados e instituciones financieras*, Prentice Hall, México, 1996, capítulo III.

[9] Robert Boyer, "Dos desafíos para el siglo XXI: disciplinar las finanzas y organizar la internacionalización", *Revista de la CEPAL*, n. 69, diciembre de 1999, pp. 34-38.

¿Pero cuál ha sido el papel de esta globalización financiera incompleta en términos de estabilidad económica?

Efectos de la tendencia a la globalización financiera

No se puede negar que la globalización desempeñó un papel positivo en el plano interno de dos maneras: al bajar los costos de intermediación gracias al financiamiento directo y al permitir el acceso a nuevas fuentes de ahorro gracias a la emisión de títulos. Sin embargo, estos efectos positivos pronto representaron una ventaja irrisoria frente a las dificultades que generaba la globalización financiera. A este respecto, señalemos tres problemas:

- la desconexión de las finanzas con respeto a la economía real;
- la financierización del tipo de cambio;
- el surgimiento de nuevos riesgos individuales.

Por lo que toca al primer punto, recordemos que Keynes señalaba en el capítulo XII de la *Teoría general* que los mercados financieros tienen una relación ambivalente con la esfera productiva.[10] Por un lado, son indispensables para el financiamiento de las empresas, en la medida en que resuelven el problema de la irreversibilidad de los compromisos financieros; pero por el otro, el desarrollo de los mercados financieros origina inestabilidad e incertidumbre, lo que perjudica el crecimiento de las empresas. Keynes establece la distinción entre la actividad empresarial que busca la obtención de beneficios gracias a la inversión productiva, y la actividad especulativa que busca ganancias operando en la bolsa. A este respeto, las predicciones de Keynes resultaron válidas: al favorecer el crecimiento de la esfera financiera, las autoridades públicas alentaron las finanzas especulativas.[11] Este fenómeno es amplia-

[10] J. M. Keynes, *Théorie générale de l'emploi, de l'intérêt et de la monnaie*, Payot, París, 1969.

[11] La especulación puede ser definida como una operación que no tiene otra finalidad que el beneficio que engendra. Se trata, co-

mente ilustrado en varios países con el desarrollo inusitado de la esfera financiera en los años ochenta, sin ninguna relación con el crecimiento mucho más débil de la esfera productiva (la desconexión).[12] En este sentido se habla también de la hipertrofia de los mercados financieros (la famosa "burbuja financiera")[13] con respecto al valor real de la producción. En tales circunstancias, para muchas empresas el coeficiente *q* de Tobin, es decir el valor en bolsa sobre el valor contable de una empresa, es superior a 1.

En cuanto al segundo punto, referente a la financierización del tipo de cambio, es necesario apreciar la relación existente entre la explosión de los movimientos financieros internacionales y el movimiento de mundialización de las actividades productivas. La marcada divergencia entre la tasa de crecimiento de las actividades financieras y la de las actividades productivas permite, según François Chesnais, en cierto sentido, evaluar el grado de autonomía de los mercados financieros. En tanto

mo señalaba Kaldor, de operaciones no vinculadas a ventajas relacionadas con el uso del bien, con una transformación o con una transferencia de un mercado a otro. Simple y sencillamente, se trata de sacar partido de la modificación del precio de un activo. Así, un especulador es simplemente alguien que acepta tomar "un riesgo de precio" con la esperanza de obtener una ganancia. Nicholas Kaldor, "Speculation and Economic Activity", *Review of Economic Studies*, n. 1, vol. 7, 1939.

[12] Christian de Boissieu, "Le destin de la bulle financière", *Futuribles*, n. 192, noviembre de 1994.

[13] La burbuja corresponde a una desviación que se amplifica con el paso del tiempo entre el precio corriente de un activo (una divisa, una acción, una obligación, etcétera) y su precio fundamental (se llama "fundamentales" no al precio fundamental, sino a los factores que lo determinan). Así, la idea de burbuja evoca un despegue creciente del precio de un activo financiero que se vuelve completamente ajeno a los elementos de fondo que determinarían su precio fundamental. Sin embargo, la gran dificultad consiste en la definición de ese precio fundamental.

que los flujos comerciales en el mundo se multiplicaron por 2 y la inversión extranjera directa por 3.5 entre 1980 y 1988, las transacciones en el mercado cambiario se multiplicaron por 8.5 en el mismo periodo. El mercado cambiario constituyó el compartimento del mercado financiero global que registró más fuerte crecimiento, ya que en la década de los ochenta el volumen de transacciones se multiplicó por 10. La función principal del mercado de cambios se supone que es la de facilitar el pago de los intercambios comerciales. Ahora bien, se ha estimado que el monto de transacciones vinculadas a los intercambios de mercancías representa apenas 3 por ciento del monto de las transacciones cotidianas en los mercados cambiarios, las cuales superaban en 1992 los mil millones de dólares por día.[14] El planteamiento de Chesnais es confirmado por David Félix, quien constata que el movimiento diario de divisas se elevó de 18 mil millones de dólares en 1977, a 1 230 millones de dólares en 1995 (1 300 millones si se agrega el valor de mercado de los instrumentos derivados). Por otra parte, la relación entre el movimiento mundial de divisas y el valor del comercio mundial, que fue de 3.5 en 1977, se elevó a 64.1 en 1995.[15] Así, los mercados cambiarios se desconectan cada vez más de la producción, formando el epicentro de lo que el profesor Bourguinat denominó como una "economía internacional de especulación".[16] En estas condiciones, el tipo de

[14] F. Chesnais, *La mondialisation du capital*, cit., pp. 209-10.

[15] D. Félix, "La globalización del capital financiero", *Revista de la CEPAL*, cit.

[16] H. Bourguinat, *La tyrannie des marchés*, cit., p. 11. Cabe señalar que la especulación provoca desajustes en los tipos de cambio que no son necesariamente desfavorables para el comercio internacional, ya que crean ocasiones de exportar en los países cuya moneda está subvaluada, revelando para otros posibilidades de importar. Sin embargo, en tales condiciones el libre cambio no permite fijar de manera durable las especializaciones, con lo cual los efectos benéficos del comercio se desvanecen.

cambio se financieriza y se aleja de lo que sería su valor de equilibrio provisto por la paridad del poder de compra (una canasta de bienes y servicios debería tener, según la ley del precio único, el mismo precio en los dos países considerados).

En relación al tercer punto de los riesgos individuales, cabe señalar que las instituciones financieras comprometidas en el proceso de globalización corren dos tipos de riesgos: de volatilidad y de contrapartida.

Los riesgos de volatilidad conciernen a las tasas de interés, los tipos de cambio y los precios de los activos financieros en la bolsa. Se trata de la amplitud de las fluctuaciones de estas variables con el paso del tiempo. Este tipo de riesgos ha aumentado como resultado de la flotación de las monedas, del papel privilegiado que juegan las tasas de interés como instrumento de política monetaria y del papel creciente de la especulación en los mercados bursátiles.

Por su parte, los riesgos de contrapartida son los riesgos vinculados a la falta de pago y a la insolvencia de los prestatarios. Para cubrirse contra los riesgos individuales de volatilidad se creó una serie de productos e instituciones específicos. Entre los productos destacan los swaps, las opciones y los Future Rate Agreement (FRA).[17] Entre los mercados organizados cabe mencionar los "financial futures". Se trata de mercados a plazos de instrumentos financieros que aparecieron en 1975 en Chicago, donde ya existían grandes mercados a plazos para las mercancías. Dichos mercados conocieron un desarrollo muy rápido en Estados Unidos y posteriormente en Europa. Así, en 1982 Gran Bretaña creó el London International Financial Futures Exchange (LIFFE), en tanto que Francia creó en 1986 el Mercado a Plazos Internacional de Francia

[17] La opción es un derecho reconocido por contrato de comprar o vender una cantidad determinada de un activo (moneda o título) a un precio fijo en un plazo o a una fecha prevista. Los FRA constituyen acuerdos sobre las tasas de interés futuras para protegerse de las variaciones imprevistas en un periodo dado.

(MATIF) y en 1987 el Mercado de Opciones Negociables de París (MONEP).

Para afrontar los riesgos de contrapartida se crearon agencias calificadoras, que practican la calificación de las instituciones financieras o bancarias. Estas agencias independientes clasifican y atribuyen una calificación que mide el grado de solidez financiera, tras un examen de cuentas y balances, e indican así al conjunto de operadores financieros los riesgos que pueden eventualmente correr prestando o firmando contratos con la institución calificada. Sin embargo, dichas agencias –que disponen de medios considerables de información y de peritaje– pueden jugar un papel fundamental en la propagación de las crisis de desconfianza. En ciertas ocasiones, como la crisis mexicana de 1995, las agencias calificadoras, al reaccionar tardíamente y bajar la calificación atribuida a los países, pueden contribuir a las dinámicas miméticas y a la inestabilidad financiera, ya que propagan masivamente la desconfianza entre los agentes económicos.[18]

Más allá de estos riesgos individuales que han generado una serie de instrumentos y de mercados para cubrirse de ellos, existe un riesgo sistémico global vinculado al sistema mismo y que, por tanto, no puede ser diversificado.

El riesgo sistémico

Los riesgos microeconómicos antes descritos pueden transformarse en riesgos macroeconómicos o riesgos sistémicos si la falla de uno o varios deudores importantes pone en peligro el sistema bancario, o si un crac de la bolsa repercute en el conjunto de la economía. Más específicamente, el riesgo sistémico se define como

> la eventualidad de que aparezcan estados económicos en los cuales las respuestas racionales de los agentes indivi-

[18] A. Orléan, *Le pouvoir de la finance*, cit., pp. 166-71.

duales a los riesgos que perciben, lejos de conducir a una mejor distribución de los riesgos por diversificación, llevan a elevar la inseguridad general.[19]

Así, el "riesgo de sistema" o "riesgo sistémico" se define como el riesgo de que un "accidente" en un punto particular del sistema financiero provoque a través de un encadenamiento de círculos viciosos una disfunción en el conjunto del sistema monetario y financiero. En estas condiciones, se asiste a fenómenos de contagio o de propagación generalizada que conducen al conjunto del sistema económico hacia una catástrofe o una recesión, como aconteció en los años treinta tras el accidente que representó el crac de Wall Street en octubre de 1929.[20]

A este respecto, Henri Bourguinat distingue dos tipos de contagio: el horizontal y el vertical.[21] El contagio horizontal se explica por la interconexión de las plazas financieras. En efecto, la solidaridad de las plazas, asegurada por los procedimientos de cotización automática del tipo National Association of Dealers Automatic Share Quotation (NADASQ), permite cotizar automáticamente varios miles de acciones en Londres y Nueva York. A este hecho, que facilita el contagio, se suman los múltiples modos electrónicos de transmisión de la información a escala mundial. Así, durante el crac de octubre de 1987 se calcularon coeficientes de contagio entre plazas financieras que hicieron parecer que entre Tokio, Londres y Nueva York el valor de los coeficientes aumenta a medida que la volatilidad de las cotizaciones se incrementa. Esto significa que en caso de un movimiento brutal a la alza o a la baja en una plaza importante, la onda de choque corre el riesgo de transmi-

[19] M. Aglietta y P. Moutot, "Le risque de système et sa prévention", *Cahiers Économiques et Monétaires de la Banque de France*, n. 41, 1993, p. 22.

[20] Pierre-Noël Giraud, *Le commerce des promesses. Petit traité sur la finance moderne*, Seuil, París, 2001, pp. 199-200.

[21] H. Bourguinat, *Finance internationale*, cit., pp. 107-10.

tirse más rápido. El simple hecho de que cada bolsa sea influida no sólo por las informaciones que le son propias sino también por las que son comunes a todos los mercados, aunado a la coincidencia parcial de las horas de apertura de las grandes bolsas (Londres, París y Nueva York) o a su proximidad (Tokio y Nueva York), reviste importancia. Los agentes de una plaza como la de Londres podrán considerar que la información revelada por el precio de apertura o de cierre de otra plaza, como Nueva York o Tokio, es más relevante que sus propias cotizaciones de equilibrio y acentuarán, o modificarán, su propia orientación.

El contagio vertical se explica por la interconexión de los mercados. En efecto, la integración vertical de los mercados está cada vez más avanzada. A la interdependencia de los mercados monetarios y los mercados financieros mediante la tasa de interés, se añade la interdependencia entre las cotizaciones de las acciones y las obligaciones. Fuera de estos canales clásicos de transmisión, hay que tomar en cuenta de ahora en adelante los vínculos entre los mercados financieros y los mercados de cambios, entre los mercados financieros y los mercados de instrumentos a plazos, entre los mercados de cambios y los mercados de opciones, etcétera. Esta integración vertical de los mercados favorece los procesos de propagación entre compartimentos del mercado global, aumentando el riesgo sistémico.

La dinámica del riesgo sistémico encuentra su origen en la incertidumbre en cuanto al ajuste de ciertos precios –tipo de cambio, tasa de interés, precios de los activos– y origina tipos particulares de comportamiento que no siempre son conformes al principio de racionalidad postulado por los economistas.[22] Esta incertidumbre genera comportamientos psicológicos

[22] Una distinción clásica debida a Knight (1921) y retomada por Keynes unos años después (1937) opone el riesgo a la incertidumbre. La noción de riesgo se refiere a situaciones caracterizadas por la repetición de un mismo suceso aleatorio (un suceso aleatorio es-

que van a ser vectores de inestabilidad creciente, pudiendo degenerar en crisis financiera generalizada. Entre dichos comportamientos destacan el comportamiento imitativo, la ceguera ante el desastre y la desconfianza generalizada.[23]

Se ha intentado aprehender el comportamiento imitativo con el término de especularidad (*specularité* en francés). Por especularidad se entiende,

> la interacción de los comportamientos de los agentes competitivos que hacen anticipaciones sobre las ya formuladas por otros. Se puede demostrar por recurrencia que agentes igualmente racionales serán conducidos a formular anticipaciones cruzadas hasta el infinito. Es este juego de reflexión de las anticipaciones, cuyo precio de mercado es el límite lo que constituye la especularidad.[24]

Dicho de otra manera, la especularidad designa un "efecto de espejo" subyacente a la cotización en un mercado financiero. Los operadores intentan prever no el valor fundamental de un título,[25] sino la opinión promedio de los participantes. Se

tacionario con distribución invariante). La noción de incertidumbre corresponde a una situación en la que ninguna probabilidad cifrada puede ser afectada por la realización de un suceso, es decir, se ocupa de fenómenos que no pueden ser aproximados recurriendo a observaciones pasadas. F. Knight, *Risk, Uncertainty and Profit*, London School of Economics, 1921, y J. M. Keynes, "The General Theory: Fundamental Concepts and Ideas", *Quaterly Journal of Economics*, febrero de 1937.

[23] Michel Aglietta, Anton Brender y Virginie Coudert, *Globalisation financière: l'aventure obligée*, Economica-CEPII, París, 1990, capítulo V.

[24] Ibid., p. 230.

[25] La teoría financiera fundamenta su análisis de las cotizaciones en la bolsa con el concepto de mercado financiero "eficiente". Al respecto, se dice que un mercado financiero es eficiente si evalúa correctamente los activos que ahí se cotizan. Esta evaluación correcta que los economistas llaman valor fundamental mide la capacidad

trata entonces de apreciar las conjeturas de los otros participantes, los que a su vez intentan anticipar las ideas de los primeros. Estos comportamientos llegan a validarse unos a otros, lo que pone en evidencia una propensión a la autorreferencia que hace que los precios de los activos se vuelvan independientes de las condiciones reales de la vida económica. La forma autorreferencial del mercado hace que el especulador actúe no conforme a lo que cree, sino en función de lo que prevé que los otros harán. En estas condiciones, para hacer beneficios no se trata de tener una opinión justa, sino de lograr prever los movimientos del mercado.

La especularidad domina la lógica financiera. Se trata de una realidad general: ante una nueva información los inversionistas no se interrogan sobre el contenido real, como lo señala el modelo fundamentalista, sino sobre la manera en la que el mercado va a interpretarla. No se reacciona a la nueva información, sino a lo que se cree que será la reacción de los otros cuando todos actúan de la misma manera. Esto permite comprender episodios frecuentes y sorprendentes, tanto en los mercados cambiarios como en las bolsas, donde los operadores continúan vendiendo aunque los precios estén muy por debajo de los valores fundamentales. A menudo se atribuye dicho comportamiento a una racionalidad pasajera provocada por el pánico. André Orléan propone una hipótesis más verosímil.[26] Los individuos comparten los juicios de los analistas exteriores. Leen los mismos periódicos y saben perfectamente que los precios cayeron muy por debajo de lo que señalan los datos fundamentales. Esto es evidente cuando se

económica real de la empresa para lograr beneficios. Para estimarla, los analistas financieros toman en cuenta numerosos datos tales como el potencial tecnológico de la empresa, sus perspectivas de desarrollo, su situación financiera, etcétera. Según esta perspectiva, las variaciones del precio de un título deben ser únicamente reflejo de las modificaciones de la estimación del valor fundamental de la empresa cotizada en bolsa.

[26] A. Orléan, *Le pouvoir de la finance*, cit., p. 73.

observa una depreciación de 40 por ciento en unas cuantas semanas, como fue en el caso del peso mexicano o de algunas monedas durante la crisis asiática. Sin embargo, los operadores constatan que el mercado baja y va a continuar bajando. En tales condiciones, para ellos es perfectamente racional continuar vendiendo. Conforme al análisis de Orléan, hay que distinguir si las anticipaciones individuales se orientan hacia el estado de la economía o hacia el comportamiento del mercado. Son estas últimas anticipaciones las que determinan la acción de los inversionistas, y en esto no hay ninguna irracionalidad a *nivel individual.*

En este contexto, los comportamientos miméticos son fundamentales. La imitación de los demás constituye una manera de protegerse contra el riesgo. Por un lado, permite acercarse a la opinión promedio de los participantes que determinan las cotizaciones del mercado. Por el otro, da la impresión, en ausencia de un punto de referencia, de seguir a los que se considera como mejor informados. Al respecto, se ha evocado en muchas ocasiones la metáfora de Keynes sobre el concurso de belleza:

> La técnica de inversión financiera puede compararse con los concursos de belleza organizados por los periódicos en los que los jueces del concurso tienen que escoger los seis rostros más hermosos entre cien fotografías, siendo atribuido el premio a aquel cuyas preferencias se aproximan más a la selección promedio operada por los jueces.[27]

Así, los jueces del concurso no escogen en función de una norma de belleza, sino en función de la opinión supuesta de los otros jueces. En los mercados financieros este tipo de comportamiento lleva a una polarización de las opiniones que conduce a la formación de burbujas especulativas, las cuales

[27] J. M. Keynes, *Théorie générale de l'emploi, de l'intérêt et de la monnaie*, cit., p. 171.

terminan por estallar, convirtiéndose en cracs bursátiles o en crisis monetarias. Para captar la singularidad y la complejidad del concurso de belleza keynesiano habría que compararlo con un concurso en el que un jurado secreto de expertos determina cuál es la fotografía más bella. Ya no se trata de una situación autorreferencial, sino de una situación heterorreferencial que corresponde al modelo fundamentalista de la ortodoxia financiera.

Según el modelo de la especulación autorreferencial,[28] si todo el mundo cree que los otros jueces prefieren una cierta fotografía A, todos racionalmente van a tratar de imitar esta elección, de tal suerte que la fotografía será preferida por todos los participantes. La creencia inicial se encuentra validada sin importar las cualidades estéticas de la fotografía. Basta con que una creencia aparezca como mayoritaria para que sea escogida por todos y se vuelva efectivamente mayoritaria. En estas condiciones emerge una convención, es decir, una visión mayoritaria reconocida por todos como legítima. La convención aparece de forma transitoria como una referencia objetiva que estabiliza las evaluaciones. Es ella la que provee a los actores económicos la representación del futuro que les permite tomar las decisiones de inversión y ahorro. En su capacidad de producir e imponer tales convenciones, los mercados financieros aparecen como potencias autónomas de evaluación y no como el reflejo de magnitudes preexistentes.

Pero el comportamiento imitativo que hace emerger convenciones no constituye la única actitud psicológica pertinente para el estudio de los riesgos sistémicos. La tesis de la ceguera ante el desastre ha atraído también la atención de los economistas.[29] Esta tesis expresa el comportamiento de prestamistas

[28] André Orléan, "A quoi servent les marchés financiers?", *Université de tous les savoirs. L'économie, le travail, l'entreprise,* vol. 3, Odile Jacob, París, 2002.

[29] H. P. Minsky, *Stabilizing an Unstable Economy,* Yale University Press, 1986.

competidores, que lleva a que el crédito evolucione hacia posiciones de sobreendeudamiento. Este fenómeno puede reforzar la especulación desestabilizadora en los mercados. También puede ser un factor autónomo de riesgo sistémico en economías fuertemente intermediadas, en las que los mercados financieros desempeñan un papel secundario. En particular, la tesis de la ceguera ante el desastre señala que en un largo periodo de crecimiento cada vez es más fácil otorgar el crédito y la información que se exige a los deudores es cada vez menos pertinente. El seguimiento de los préstamos cada día es más laxo y se acumulan posiciones de creciente fragilidad sin que los participantes se den cuenta. Así, la vulnerabilidad de las crisis financieras es el resultado endógeno de comportamientos que han olvidado las lecciones de las crisis del pasado. Mientras que la exposición del sistema financiero a los choques de crédito[30] es una función creciente del tiempo que ha pasado desde la última crisis de crédito, la capacidad de hacerle frente es una función decreciente de la misma variable.

Al lado del comportamiento imitativo y de la ceguera ante el desastre, la desconfianza generalizada constituye una tercera forma de actitud psicológica susceptible de conducir a un riesgo sistémico. Las dudas frente a la capacidad de los bancos para convertir los depósitos pueden contagiarse y generalizarse, exacerbando la preferencia por la liquidez ("el Talón de Aquiles de las economías monetarias").[31] La sospecha se extiende y se traduce por un movimiento contagioso de defección a la Hirschman.[32] Se trata de una actitud de rechazo a partici-

[30] El choque de crédito puede ser provocado por un cambio de situación en los mercados financieros, ser importado del extranjero o ser provocado por la política económica.

[31] M. Aglietta, A. Brender y V. Coudert, *Globalisation financière: l'aventure obligée*, cit., p. 238.

[32] Albert O. Hirschman distingue las organizaciones según la manera en que los actores pueden expresar su descontento y pesar sobre su evolución. Por un lado, están aquéllas en que los actores que participan sólo pueden hacer oír su voz: votar, manifestar, firmar

par en el juego económico, de un retiro del sistema financiero sin indicar sus intenciones futuras. Esta defección se manifiesta como un rechazo de todas las monedas bancarias, como una huida hacia la liquidez. La generalización de este fenómeno es un sistema monetario donde la oferta es rígida a corto plazo, es autodestructiva y está en el origen de los pánicos bancarios. Al saber que los bancos honran la convertibilidad de los depósitos de manera secuencial, los depositantes tienen interés en precipitarse para retirarlos cuando su valor agregado excede el de la cartera de activos liquidables por los bancos. Pero el valor de la cartera se desploma porque los bancos se precipitan a su vez para vender sus activos y, a menudo, los agentes que lograron ejercer su preferencia por la liquidez disminuyen sus gastos, desencadenando una contracción de la economía.

Los comportamientos antes mencionados (imitación, ceguera ante el desastre y desconfianza generalizada) son irracionales desde el punto de vista de la teoría financiera convencional.[33] Pero la hipótesis keynesiana de incertidumbre radical no probabilizable invierte el análisis de la racionalidad. Los comportamientos racionales de agentes bien informados, dotados de toda la información necesaria que calculan separados unos de otros, se vuelven inadecuados en situación de incertidumbre. Y a la inversa, como lo ha demostrado André Orléan, el infierno de los comportamientos irracionales podría volverse desde el punto de vista de cada operador la mejor adaptación a una situación de incertidumbre. En ese sen-

peticiones, etcétera. Por otro lado, están aquéllas en las que la elección consiste sólo en quedarse o salirse (votar con sus pies). Albert O. Hirschman, *Exit, Voice and Loyalty: Response to Decline in Firms, Organizations and States*, Harvard University Press, Cambridge, 1970.

[33] Para un enfoque crítico de la teoría financiera convencional, véase Dominique Plihon, "Evolution et rôle de la finance internationale. La théorie moderne répond-elle à nos interrogations?", en Jacques Léonard (comp.), *Les mouvements internationaux de capitaux*, Economica, París, 1997.

tido, va a proponer una concepción ampliada de la racionalidad que permite un enfoque positivo de las dinámicas de grupo. Fenómenos de masa, efectos de moda o propagación de rumores constituirán comportamientos colectivos susceptibles de integrarse al razonamiento económico.[34] En estas condiciones, se dispondrá de mayores elementos para comprender los orígenes del riesgo sistémico.

Orígenes del riesgo sistémico

El riesgo sistémico puede tener tres orígenes. Puede deberse a un desajuste del mercado que provoca fluctuaciones importantes del precio de los activos sin relación con su valor fundamental. Puede deberse también a una inestabilidad del crédito bancario que conduce a situaciones de sobreendeudamiento y de estrangulamiento del crédito. Finalmente, puede originarse en el mismo mecanismo de pagos cuando la búsqueda exacerbada de la liquidez conduce a retiros masivos de los depósitos y a pánicos bancarios.[35]

1] *Riesgo sistémico vinculado a la especulación y a la inestabilidad de los precios en los mercados financieros.* Los historiadores de la economía se refieren a las fiebres periódicas para describir las situaciones de entusiasmo desmesurado seguidas de desplomes que acontecen periódicamente en algunos mercados (acciones, bienes inmuebles, oro, divisas, materias primas, etcétera). Estos fenómenos, que fueron tomados en serio desde hace mucho tiempo por economistas heterodoxos como Kaldor y Keynes, no suscitaron gran reflexión entre los economistas de la corriente dominante. Así, por ejemplo, Friedman declaró de manera perentoria que los operadores racionales, en su búsqueda del máximo beneficio, provocan una especu-

[34] André Orléan, "Les désordres boursiers", *La Recherche*, n. 232, vol. 22, mayo de 1991.

[35] M. Aglietta, A. Brender y V. Coudert, *Globalisation financière: l'aventure obligée*, cit., capítulo V.

lación que estabiliza el mercado.[36] Ahora bien, reconocer el riesgo sistémico es, ante todo, refutar esta afirmación. Es reconocer que los individuos racionales interactúan de tal manera que la evolución del precio en el mercado es desestabilizante. Por fortuna, desde principios de los ochenta este hecho comenzó a ser reconocido en la literatura económica dominante, como lo atestigua el estudio de las burbujas especulativas, el llamado problema del peso y las profecías de autorrealización.

La teoría de las burbujas especulativas[37] fue propuesta para el mercado cambiario pero se aplica a todos los activos especulativos. Dicha teoría –como ya señalamos– se fundamenta en la proposición siguiente: el precio de un activo obedece, sin duda alguna, a determinantes fundamentales, pero fenómenos especulativos pueden provocar la aparición de desviaciones entre la cotización de equilibrio determinada por las variables fundamentales y el precio efectivo. En este caso, la burbuja especulativa aparece y los especuladores realizan anticipaciones "racionales" sobre esta desviación. A su vez, estas anticipaciones intervienen en la determinación de la cotización efectiva. En estas condiciones, la burbuja especulativa puede desarrollarse. Los agentes, aunque se dan cuenta que ésta no tiene otro fundamento que la especulación, apuestan a su desarrollo. La sobrevaluación suscita la apreciación como la subvaluación suscita la depreciación. Por último, el crac permite una autocorrección brutal que lleva el precio efectivo a su nivel de equilibrio.

El denominado problema del peso aparece cuando en virtud de un cambio importante de política económica (a menudo monetario o financiero) previsto para un futuro más o menos próximo, el tipo de cambio sufre un alza acumulativa que lo desvía de los fundamentales en tanto no se produzca

[36] Milton Friedman, "The Case for Flexible Exchange Rates", *Essays in Positive Economics*, Chicago University Press, 1953.

[37] O. Blanchard y M. Watson, "Bulles, anticipations rationnelles et marchés financiers", *Annales de l'INSEE*, n. 54, abril-junio de 1984.

la modificación de la política económica. Los agentes anticipan la modificación y mientras ésta no se produzca se tiene la impresión de un error de previsión, que persistirá en la medida en que la opinión crea que las autoridades van a actuar. La expresión "problema del peso" fue creada para referirse a una situación que se dio en México en la segunda mitad de los setenta.[38] Durante ese periodo, todo mundo pensaba que el gobierno mexicano iba a devaluar el peso. Su cotización en el mercado paralelo iba entonces a desplomarse, al mismo tiempo que aumentaban las tasas de interés. Se tiene la impresión de que los agentes habían elaborado anticipaciones erróneas en la medida en que la devaluación prevista no se dio. Fue sólo en 1982, cuando la devaluación ocurre, que las anticipaciones parecían correctas.

Junto a las burbujas especulativas y el problema del peso, las profecías autorrealizadoras también atrajeron la atención de la teoría económica. Según este último enfoque[39] la creencia de que el precio de un título va a aumentar conduce a comprarlo, lo que provoca un alza del precio que valida la previsión.

Al lado de estos enfoques tradicionales, como mencionamos anteriormente, otros economistas prefirieron analizar las dinámicas colectivas y los fenómenos de contagio que desencadenan las burbujas especulativas. Tal es el caso de André Orléan, quien se refiere a una racionalidad mimética del mercado según la cual los agentes forman sus anticipaciones, esforzándose más por pronosticar el futuro imitando a sus homólogos que a partir de una previsión propia basada en los conceptos fundamentales. En esta situación, las formas de "especularidad" y los comportamientos miméticos llevan a una polarización en torno de un valor que, aunque desconectado de los fundamentales, no deja de ser un equilibrio. La concentración de

[38] W. Krasker, "The Peso Problem in Testing the Efficiency of Forward Exchanged Markets", *Journal of Monetary Economics*, n. 6, 1980.

[39] C. Azariadis y R. Guesnerie, "Prophéties créatrices et persistance des théories", *Revue Économique*, n. 5, 1982.

opiniones sobre una misma creencia colectiva es un poderoso factor de propagación. Se convierte en una especie de referencia, en una convención dotada de cierta estabilidad temporal.[40]

2] *El riesgo sistémico vinculado al crédito.* Irving Fisher[41] tuvo la intuición del sobreendeudamiento y de los encadenamientos depresivos que conducen a una crisis global de la economía. Para él, el dinero fácil es la causa principal del sobreendeudamiento. Sin embargo, el riesgo de crisis no se sitúa a este nivel sino ulteriormente, cuando las empresas quieren rembolsar y sanear la estructura de su balance. Los rembolsos masivos crean una presión deflacionista que origina la caída de precios y contribuye a inflar un volumen real de deuda que ya se considera excesivo. Es el esfuerzo de los individuos por disminuir una carga de deuda que aumenta lo que lleva a un desorden financiero creciente, que conduce al pánico y a las quiebras.

La teoría del sobreendeudamiento de Fisher y los aportes de la *Teoría general* de Keynes le permitieron a Minsky establecer una tipología de las formas de endeudamiento que caracterizan la fragilidad de los sistemas financieros.[42] Para Minsky,

[40] Los ejemplos de convenciones financieras son numerosos. Se pueden citar cuando menos dos cuyo papel fue central durante la década de los noventa en la formación de la opinión financiera: la referente al importante potencial de desarrollo de las economías emergentes y la vinculada a la nueva economía. A. Orléan, "A quoi servent les marchés financiers?", *Université de tous les savoirs,* cit., p. 246.

[41] Irving Fisher, "Théorie des grandes dépressions par la dette et la déflation" [1933], traducido en la *Revue Française d'Économie,* vol. 3. 1988. En México fue publicado por la revista *Problemas del Desarrollo,* n. 119, octubre-diciembre de 1999.

[42] H. P. Minsky, "The Financial Instability Hypothesis: Capitalist Processes and the Behavior of the Economy", en C. P. Kindleberger y J. P. Laffargue (comps.), *Financial Crises, Theory, History and Policy,* Cambridge University Press-Éditions de la Maison des Sciences de l'Homme, París, 1982.

el ciclo tiene su origen en factores reales impulsados por las anticipaciones de producción de los empresarios. Dichas anticipaciones son versátiles, sometidas al humor cambiante de los empresarios que aprecian las perspectivas de ganancia o de mercados. Esta visión psicológica del origen del ciclo conduce a asociar las fases de expansión a la euforia, o incluso a la ceguera de los actores, y los virajes y la crisis a las dudas, o incluso al pánico que puede apoderarse colectivamente de ellos. Estas presiones hacia la inestabilidad, características de los "espíritus animales" de los empresarios, son amplificadas por desajustes surgidos en la esfera financiera que van a actuar como poderosos factores de propagación.

Las anticipaciones favorables de los empresarios abren para la economía una fase de expansión, constituyendo el punto de partida de un ciclo. Las empresas se endeudan con los bancos y las familias de tres maneras diferentes: con un endeudamiento prudente, con un endeudamiento especulativo o con un endeudamiento de tipo "Ponzi". El endeudamiento prudente (*hedge finance*) se da cuando durante toda la vida del proyecto financiado, las cargas del rembolso son inferiores a los beneficios descontados. El endeudamiento especulativo (*speculative finance*) existe cuando durante una parte del plan de amortización de la deuda, la carga del rembolso supera a los beneficios descontados. Por último, el endeudamiento de tipo "Ponzi"[43] opera cuando el rembolso de los intereses no puede hacerse en ciertos momentos sin recurrir a un nuevo préstamo.

Sólo el primer tipo de endeudamiento es capaz de garantizar la estabilidad financiera, ya que los beneficios descontados superan continuamente a los rembolsos. Pero como resulta paradójico, según Minsky la economía no es capaz de adaptarse a la prudencia. En efecto, la estabilidad financiera alienta el optimismo, atenuando la sensibilidad al riesgo tanto del lado de las empresas como de los bancos que las financian. Así, se lle-

[43] Ponzi es el nombre de un célebre especulador estadounidense de los años veinte del siglo pasado.

ga a concebir montajes financieros cada vez más audaces, lo que conduce a esquemas de endeudamiento más arriesgados y más frágiles.

3] *El riesgo sistémico vinculado a los mecanismos de pago.* Los medios de pago (depósitos de particulares y compensación interbancaria) pueden constituir la base de un riesgo sistémico, ya sea porque los particulares convierten sus depósitos en billetes o porque los pagos interbancarios no pueden efectuarse. Las dos formas de riesgo están vinculadas: si los medios de pago ya no son convertibles entre bancos, *ergo* tampoco lo son para el público. Esto conduce a quiebras bancarias que pueden propagarse al conjunto del sistema bancario, e incluso a toda la economía.

Las causas de los pánicos están vinculadas a la función fundamental de un banco, que es la de equilibrar activos financieros no líquidos con recursos líquidos en el pasivo (depósitos). La no liquidez de los activos enfrentada a la inestabilidad del contrato de depósito representa una amenaza de inestabilidad para el sistema bancario.

La teoría financiera relaciona la precipitación sobre los depósitos con la toma de conciencia de la mala calidad de los activos bancarios. A partir de un cierto umbral, los depositantes perciben la fuerte exposición al riesgo del crédito por parte de los bancos y reaccionan retirando sus depósitos. Los agentes privados toman bruscamente conciencia de la fragilidad del sistema bancario y manifiestan su inquietud organizando una auténtica estampida hacia la liquidez. Así, frente a la incertidumbre, la actitud racional de los depositantes es la de retirarse provisionalmente del juego, gracias a una forma de defección. Para poder enfrentar los retiros de depósitos, los bancos se ven obligados a liquidar sus activos. La baja de los precios y las ventas con pérdida amplifican las situaciones de insolvencia. La falla afecta entonces a los pagos interbancarios, lo que desorganiza el sistema de pagos y nutre la carrera hacia la liquidez.

De cualquier manera, la situación final va a depender de la afectación de los depósitos retirados: si éstos permanecen en el interior del sistema bancario, habrá una simple redistribución del ahorro. Por el contrario, si se conservan en forma líquida la avalancha se propagará de banco en banco, generalizándose y llegando a afectar tanto a los bancos solventes como a los insolventes.

Pero como hemos señalado, el riesgo sistémico no sólo está vinculado a la carrera hacia la liquidez, sino también al riesgo de pago inherente a los sistemas de transacciones interbancarias. En efecto, las transacciones interbancarias reposan sobre sistemas complejos de compensación y de pago. Estos sistemas se apoyan en el crédito, es decir en la confianza, ya que no hay simultaneidad perfecta entre un pago y su contrapartida. Tomando en cuenta las sumas en juego, los montos de exposición son muy importantes. El riesgo concierne entonces en la falta de fondos durante una jornada. Si un banco quiebra estando en posición de deudor con respecto a otros, el problema de liquidez puede convertirse en un riesgo sistémico.

En cuanto a las causas del mal funcionamiento del sistema de pagos, se puede decir que son variadas: redes sobrecargadas, aumento del número de participantes –lo cual los vuelve más heterogéneos–, aumento del número de sistemas de compensación con posibilidad de pasar de uno a otro, sistemas electrónicos de compensación más sofisticados que acrecientan los riesgos técnicos vinculados con la computación, etcétera. En tales circunstancias, cuando una avería se produce puede afectar a todo el sistema de pagos, pudiendo provocar un efecto de dominó similar a los que en el pasado estuvieron en el corazón de la propagación de crisis financieras.

Un modelo económico de las crisis financieras

Según Henri Bourguinat,[44] desde principios de los setenta el sistema monetario financiero mundial ha pasado por tres etapas calificadas como modos sucesivos de regulación. La pri-

[44] H. Bourguinat, *La tyrannie des marchés,* cit., pp. 10-11.

mera etapa, que va de 1973 a inicios de los ochenta, es la de una economía internacional de endeudamiento. En dicha economía, gracias al reciclaje de los capitales petroleros que otorga a la oferta de fondos prestables una elasticidad casi infinita, todos los aumentos de demanda de capitales pudieron satisfacerse sin que los aumentos inducidos de tasas de interés hubieran racionado la demanda. Más adelante, con la crisis de endeudamiento de los países latinoamericanos y sobre la base de innovaciones financieras que permitieron obtener una nueva distribución de riesgos, hacia mediados de los años ochenta se pasó de manera progresiva a una economía de los mercados financieros. Las finanzas directas comienzan a superar a la intermediación clásica y los bancos acceden a una nueva forma de intermediación, colocando efectos de corto plazo no renovables entre los prestatarios finales y organizando numerosas operaciones internacionales de fusión. De modo que, desde inicios de los años noventa se asiste a la implantación de un nuevo tipo de regulación denominado economía internacional de especulación.

Cada una de estas fases ha conocido una crisis financiera. A la primera fase de economía internacional de endeudamiento corresponde la crisis de la deuda de los países del sur. A la segunda se asocia el crac bursátil de 1987. Por último, a la tercera se puede vincular la crisis mexicana del invierno de 1994-1995 y la crisis financiera asiática de 1997.

Más allá de las características particulares de estas crisis, según el modelo Minsky-Kindleberger[45] podemos considerar que todas se desarrollan siguiendo un proceso similar.

En una primera fase hay un efecto de desplazamiento, es decir una sacudida real o financiera que abre nuevas oportunidades de inversión, poniendo fin a las viejas. Entre las sacudidas reales se pueden considerar el comienzo o el final de una

[45] Charles Kindleberger, *Histoire mondiale de la spéculation financière*, PAU, París, 1994, capítulo 2, y *El orden económico internacional*, Crítica, Barcelona, 1992, capítulos 2 y 4.

guerra, las buenas o malas cosechas, el descubrimiento de nuevos yacimientos minerales, los súbitos e inusitados aumentos del precio del petróleo, las innovaciones tecnológicas, etcétera. Como ejemplo de sacudida financiera se puede considerar un inesperado éxito en la emisión de valores con un significativo efecto estimulante, una decisión errónea en la emisión o en la política monetaria, una conversión de la deuda pública que se acompaña de una baja precipitada de las tasas de interés, etcétera. Este desplazamiento crea nuevas oportunidades de inversión y acaba con otras. En consecuencia, las familias y las empresas buscan invertir su ahorro o su crédito en las primeras, y abandonan las segundas. Basta con que las nuevas oportunidades sean superiores a las antiguas para que la inversión y la producción crezcan fuertemente. En estas condiciones el boom se pone en marcha.

Todo mundo se pone a invertir, algunos de inmediato por sinergia en relación a otros proyectos, otros para obtener una renta o ganancias de corto plazo, otros más llegan al mercado tardíamente al tomar conciencia de que registra una expansión. Cuando algunos comienzan a obtener ganancias, "otros se contagian con lo que podríamos cortésmente denominar un apetito de ingreso y riqueza, y más lisa y llanamente de codicia y avaricia".[46] Los patrimonios de los individuos comienzan a aumentar de valor. La euforia limitada se transforma en boom. El boom en un determinado sector de inversión se generaliza a otros sectores y desde uno o más países se extiende a otros. Se vive entonces bajo una cierta "paradoja de la tranquilidad", que algunos denominan "ceguera ante el desastre". Los negocios marchan bien y la opinión general es que esto tiene que durar.

Las cotizaciones en uno o más de los mercados se elevan a alturas insostenibles. La política monetaria resulta impotente para contrarrestar el exceso de demanda, dada la capacidad de los mercados y de los banqueros para innovar monetizando

[46] Ibid., p. 33.

el crédito por nuevas vías.[47] Se llega a una situación de euforia caracterizada por una especulación intensa que acompaña la elevación del precio de los activos y de los beneficios. El financiamiento de las inversiones se realiza en forma cada vez más aventurada gracias a créditos o montajes financieros. Una especie de locura especulativa guía el comportamiento de los agentes. La especulación tiende a transformar los precios en burbuja especulativa, y es en esta fase cuando a menudo aparecen los fraudes y las estafas.

El exceso de demanda o estado de fiebre especulativa descontrolada continúa apoyándose en expectativas de un constante crecimiento de las cotizaciones. El boom especulativo prosigue, las tasas de interés, la velocidad de circulación de la moneda y los precios continúan aumentando. Pero en cierto momento, los inversionistas con información privilegiada deciden realizar sus ganancias vendiendo. En lo más alto del mercado, el movimiento especulativo parece vacilar, ya que los nuevos especuladores sólo remplazan a los inversionistas que abandonaron el juego. Los precios comienzan a estabilizarse. Se asiste entonces a un cambio de situación y se entra en un periodo de malestar y "angustia financiera". En el mundo de las finanzas de empresa, se dice que está en situación de angustia financiera cuando existe la posibilidad (aunque sea leve o lejana) de que no pueda hacer frente a sus compromisos. Para una economía tomada en su conjunto, esto equivale a la toma de conciencia por parte de la mayoría de los especuladores de que una carrera hacia la liquidez (vendiendo los activos para recuperar la inversión) va a comenzar, con consecuencias desastrosas sobre los precios de los bienes y de

[47] "En los tiempos en que la moneda consistía, casi enteramente, en especies metálicas, ello se efectuaba a través del desarrollo de la circulación de letras de cambio [...] posteriormente se registra la adición de los billetes de banco y depósitos bancarios y, en tiempos más recientes, la de los certificados de depósito, tarjetas de crédito, cuentas Now y Super Now, etcétera" (ibid.).

los títulos, dejando a algunos en la incapacidad de rembolsar sus préstamos. Si la angustia persiste, los especuladores se dan cuenta de que el mercado no puede subir más, de que es tiempo de retirarse. La carrera hacia la liquidez puede muy pronto degenerar en una desbandada.

La característica común de las crisis bancarias y financieras es la carrera hacia la liquidez. Los agentes que han sufrido pérdidas en los mercados financieros intentan encontrar liquidez para rembolsar sus deudas o reconstituir su tesorería. Asimismo, la desconfianza con respecto a los bancos puede conducir a los depositantes a precipitarse para obtener el rembolso de los depósitos. La carrera hacia la liquidez, si no es bloqueada, conduce así a una seria depresión. El papel de las autoridades monetarias es entonces crucial. Pueden actuar de manera preventiva *ex ante* para bloquear el boom del crédito e impedir las burbujas especulativas. También pueden intervenir de manera *ex post* para detener la carrera hacia la liquidez.

¿Qué hacer frente al riesgo sistémico?

Entre las soluciones preventivas para hacer frente a las crisis de la globalización financiera destaca el establecimiento de coeficientes prudenciales. Esta iniciativa nació de la inquietud suscitada por el desarrollo de los eurobancos en los años setenta. La ausencia de reglamentación permitió que el mercado se desarrollara, pero la carencia de prestamistas en última instancia hacía temer que las dificultades de un banco se extendieran por contagio al conjunto del sistema. La importancia de los créditos interbancarios limitaba este riesgo, pero situaciones como la quiebra del banco alemán Herstatt en 1974 y la de la filial del banco Ambrosiano en Luxemburgo en 1982 originaron grandes pérdidas. Desde 1975 con el Acuerdo del Concordato, y más tarde con el de Basilea, los países de acogida son considerados como responsables de la liquidez de las filiales de los bancos extranjeros, mientras que la casa matriz lo es de su solvencia.[48] En 1993, se dio un paso adicional con el establecimiento de la Relación de Cooke, que impone a los bancos que sus compromisos sean cubiertos en 8 por ciento con fondos propios. Otros coeficientes existen en Francia y la Comunidad Económica Europea.[49] La idea de base de estos coeficientes prudenciales es la de obligar a los bancos a limitar los créditos que otorgan. Así, en periodo de boom, la autolimitación funciona cuando se acercan al porcentaje requerido. En efecto, resulta muy costoso para los bancos aumentar los fondos propios, por lo que tienen que frenar el aumento de los créditos. Por el contrario, en periodo de recesión, la disminución de los créditos se aleja del coeficiente y permite su reactivación.

Se ha pensado también en reforzar los coeficientes prudenciales haciéndolos extensivos a los fondos de cobertura de riesgos, o en elevar el monto de los seguros sobre los depósitos.[50] Sin embargo, la experiencia de años recientes ha demostrado que tales medidas son ineficaces. En efecto, la naturaleza del

[48] La falta de liquidez y la insolvencia son dos situaciones de "crisis" bancaria muy diferentes. La falta de liquidez se define como una insuficiencia temporal y reversible de las reservas, ocasionada porque los bancos piden prestado generalmente a menor plazo del que fijan a sus préstamos. La insolvencia de un banco es provocada por un volumen de préstamos no rembolsados que exceden las reservas acumuladas. La falta de liquidez exige simplemente un préstamo temporal de dinero. La insolvencia sólo puede resolverse de tres maneras. Primero, con una liquidación que va a expoliar necesariamente a una parte de los depositantes. Segundo, el control del banco por un inversionista que lo recapitaliza, es decir, le aporta las reservas que faltan. Tercero, con la intervención del Estado, que hace frente a los compromisos del banco, aprovisiona la cartera vencida, "reestructura y limpia" el balance, sirviéndose del presupuesto del Estado (caso de la crisis bancaria mexicana de la década de los noventa).

[49] H. Bourguinat, *Finance internationale*, cit., p. 105.

[50] R. Boyer, "Dos desafíos para el siglo XXI: disciplinar las finanzas y organizar la internacionalización", *Revista de la CEPAL*, cit., p. 46.

riesgo se desplaza en función del sistema de protección establecido. Los especuladores que están informados de las intervenciones anteriores del FMI ajustan su estrategia. Por su parte, el seguro desplaza e incluso aumenta el riesgo.

Junto a los coeficientes prudenciales se han desarrollado otros mecanismos para prevenir el riesgo sistémico. En efecto, tras el crac bursátil de 1987 se ha generalizado una serie de "cortocircuitos". Se trata de mecanismos que tienen por misión intervenir para interrumpir las transacciones cuando éstas son perturbadas.

La solución *ex post* por excelencia al riesgo sistémico es la existencia de un prestamista en última instancia.[51] La noción de prestamista en última instancia fue teorizada por Thornston, mucho antes de que las funciones del banco central fueran codificadas por la ley, y por Walter Bagehot (banquero y cronista talentoso más que economista) hacia finales del siglo XIX.[52] La formulación de Bagehot se articula en torno a tres puntos.[53] El primero es que el prestamista en última instancia debe actuar en situaciones de no liquidez de los bancos y de las instituciones financieras no bancarias, que son la corriente de transmisión de las crisis. Su papel es suscitar la acción de los tenedores habituales del mercado, momentáneamente paralizados por el agotamiento de su liquidez, proveyéndolos de todo el crédito que necesitan. El segundo punto es que el volumen de creación monetaria del prestamista en última instancia no debe ser limitado a priori. Si los actores saben que su intervención se limitará a un volumen dado, anticiparán una probable reactivación de la baja de las cotizaciones una vez que los créditos se hayan agotado, y continuarán vendiendo. En el mejor de los casos la baja será temporalmente frenada. Por

[51] Michel Aglietta, *Macroéconomie financière. Crises financières et régulation monétaire,* t. 2, La Découverte, París, 2001, pp. 51-61.

[52] Walter Bagehot, *Lombard Street* [1873], Richard D. Irwin, Homewood, Illinois, 1962.

[53] P.-N. Giraud, *Le commerce des promesses,* cit., pp. 150-51.

último, el tercer punto es que la acción del prestamista en última instancia deberá ser discrecional e imprevisible. El riesgo moral que provocarían intervenciones sistemáticas según reglas conocidas por todos sería considerable. Los actores deben saber que el prestamista en última instancia puede no intervenir para que la crisis se despliegue y castigue a los que toman riesgos excesivos. De forma natural, todo mundo sabe que si la crisis degenera en crisis sistémica, el prestamista en última instancia terminará por intervenir, pero nadie sabe a ciencia cierta ni cuándo ni cómo.

La idea clave es que el comportamiento del banco central no es el mismo en una situación normal que en una situación de carrera hacia la liquidez. En el primer caso, se asegura el refinanciamiento de los bancos que tienen necesidad de moneda central (billetes y reserva), practicando una política monetaria ortodoxa. En el segundo caso, se trata de una derogación de la práctica común. En efecto, prestar en última instancia es una operación que deroga las reglas del mercado; pero que se cumple en el interés de la economía de mercado. Hay una violación del mercado ya que compromisos privados no han sido respetados, pero la sanción es suspendida por un tiempo indeterminado y no sólo aplazada contractualmente en el tiempo. De forma paralela, hay una persistencia del mercado, ya que otros compromisos privados que son sanos, pero que no podrían cumplirse debido a las repercusiones externas de los compromisos que han fracasado, son preservados. Al desplazar la restricción de pago hacia un futuro indeterminado, el prestamista en última instancia sustituye con una liquidez inmediata los títulos desvalorizados. Dicho de otra manera, para evitar la quiebra del sistema bancario el banco central actúa con "ventanillas abiertas", a fin de apaciguar la sed de liquidez de los agentes económicos.[54] Ante una situación de pánico, el prestamista en última instancia debe calmar la impetuosa exci-

[54] Michel Aglietta, *Macroéconomie financière. Finance, croissance et cycles,* t. 1, La Découverte, París, 1995, pp. 88-92.

tación en torno a la disponibilidad de dinero, asegurando al mercado que podrá disponerse de él. Se puede entonces restablecer la confianza sin que sea necesario recurrir a grandes emisiones. Por lo general, basta con saber que el dinero está ahí para calmar la angustia y restablecer la calma.[55]

El prestamista en última instancia debe ser una institución fácilmente identificable que acepte la responsabilidad de calmar un ambiente enrarecido. Se trata de una institución que provea el bien público particular que constituye la preservación de la estabilidad financiera.[56] Tradicionalmente, esta función ha sido ejercida por el banco central (aunque en algunas ocasiones fue asumida por el Tesoro, o incluso por algunos bancos de centros financieros). En el ejercicio de su función de prestamista en última instancia, el banco central siempre tiene que dejar la duda sobre su decisión de intervenir con el fin de evitar un comportamiento laxo por parte de los bancos (problema del riesgo moral). En efecto, si la intervención del banco central se considera automática esto puede llevar a que los bancos, sabiéndose socorridos en caso de problemas, tomen una actitud de fuerte exposición al riesgo, lo que debilita el sistema financiero en su conjunto. La certidumbre de la intervención salvadora contribuye a amplificar la desestabilización más que a contenerla. Sin embargo, una vez que el pánico

[55] Ch. Kindleberger, *Histoire mondiale de la spéculation financière*, cit., p. 35.

[56] Recordemos que un bien público tiene dos propiedades: no es posible excluir a otro de su consumo (no exclusión) y el consumo del bien no reduce el de los otros (ausencia de rivalidad). Como el productor del bien público no es remunerado por el servicio prestado a otro (externalidad), la intervención pública se justifica. Los bienes públicos pueden ser locales y por tanto responsabilidad de los Estados nacionales o de las colectividades locales. Sin embargo, otros, como la estabilidad financiera son internacionales y requieren una coordinación entre países. François Benaroya, "Organisations régionales et gouvernance mondiale", en P. Jacquet, J. Pisani-Ferry y L. Tubiana (coords.), *Gouvernance mondiale*, cit., pp. 434-35.

se ha desatado el prestamista en última instancia debe actuar rápido y sin condiciones.

En las crisis internas, los bancos centrales desempeñan el papel de prestamistas en última instancia. A nivel internacional, no existe ni gobierno mundial ni banco central mundial que actué en calidad de prestamista en última instancia. No obstante, desde hace mucho tiempo instituciones como el FMI, el Banco Mundial, el Banco de Pagos Internacionales y la Reserva Federal de Estados Unidos se han visto obligadas en la práctica a desempeñar ese papel. Se pueden presentar varios casos en los que esto ha ocurrido.

1] *La crisis mexicana de la deuda externa.* Los bancos, sobre todo estadounidenses, prestaron masivamente a los países de América Latina durante los años setenta, pensando que las perspectivas de crecimiento de estos países eran ilimitadas y que un país no podía quebrar. Como resultado de la modificación de la coyuntura internacional, los precios de las materias primas cayeron y las tasas de interés aumentaron de manera exagerada. México se declaró en suspensión de pagos el 15 de agosto de 1982. Para entonces el monto de su deuda se elevaba a 95 mil millones de dólares y los bancos estadounidenses estaban muy comprometidos con el país, ya que la deuda mexicana representaba 45 por ciento de sus fondos propios. Para evitar la quiebra del sistema bancario estadounidense, varios organismos financieros dieron liquidez a México, lo que le permitió enfrentar sus compromisos inmediatos en espera de soluciones de más largo plazo. En particular, el Banco de Pagos Internacionales, la Reserva Federal de Estados Unidos y el FMI intervinieron para asegurar la liquidez necesaria para el apaciguamiento de la crisis.[57]

2] *El crac bursátil del 19 de octubre de 1987.* El crac de la bolsa de valores en octubre de 1987 constituye un ejemplo célebre de una crisis de mercado que tuvo un poder de repercusión

[57] Para más detalles, vease H. Guillén Romo, *El sexenio de crecimiento cero. México, 1982-1988*, cit.

global y que pudo ser contenida gracias a una intervención masiva de los bancos centrales. El mayor peligro de este episodio no fue el desplome de los precios del 19 de octubre (el Dow Jones se desplomó en 22.6 por ciento y la caída se propagó a otras plazas financieras extranjeras) a pesar de las pérdidas en capital acontecidas, sino la evaporación de la liquidez durante el 20 de octubre, lo que amenazó con paralizar la compensación y el pago en los mercados de acciones y en los mercados derivados asociados de Estados Unidos. Ante esta situación, el sistema de la Reserva Federal difundió un comunicado anunciando que estaba dispuesta a ofrecer la liquidez necesaria para sostener el sistema financiero. Al mismo tiempo, el sistema de la Reserva Federal de Nueva York alentó a los grandes bancos de esta plaza a prestar sin límites a las casas de bolsa, garantizándoles que la ventanilla del descuento sería abierta. Esta intervención de última instancia evitó la parálisis del mercado y desencadenó una recuperación de la bolsa de Nueva York, de tal suerte que el Dow Jones recuperó 5 por ciento al final de la sesión del 20 de octubre. La intervención devolvió la confianza a los bancos, que prestaron 7 700 millones de dólares a los operadores del mercado entre el 20 y el 21 de octubre de 1987.[58]

3] *La crisis financiera mexicana de 1994-1995.* En diciembre de 1994, la crisis tuvo por teatro el mercado financiero mexicano, por completo abierto al exterior, y como epicentro el déficit de la cuenta corriente de la balanza de pagos financiado mediante la emisión de títulos financieros. La crisis adoptó la forma de una crisis financiera severa, en la cual se superpuso una crisis cambiaria a un estallido de la burbuja especulativa en los mercados de títulos. La caída del tipo de cambio, la fuga de capitales a corto plazo, el desplome del mercado de obligaciones y de la bolsa se conjugaron como partes de un solo y mismo proceso. Éste se propagó brutalmente al conjunto de la economía a través de un sector bancario excesivamente

[58] M. Aglietta, *Macroéconomie financière*, cit., t. 1, pp. 74-76.

frágil, que recibió el choque sin vacilar en transmitirlo en su totalidad hacia las empresas y las familias. En estas condiciones, la crisis de liquidez tomó una doble forma: la del Estado mexicano, incapaz de refinanciarse en los mercados, bien decididos a no comprar las obligaciones que el Tesoro mexicano ponía a la venta y, por tanto, incapaz de afrontar sus compromisos, y la del sistema bancario mexicano, cuyo desplome comienza en febrero de 1995 y vuelve urgente la intervención exterior de un prestamista en última instancia. Así, en un contexto cercano a la suspensión de pagos, México se benefició de un apoyo masivo de Estados Unidos, del FMI y del BPI bajo la forma de un crédito de urgencia de 50 mil millones de dólares, acompañado de un plan de ajuste estructural muy severo.[59]

4] *La crisis financiera asiática de 1997.* El 2 de julio de 1997 el bath tailandés se desplomó y nadie se imaginó que se trataba del inicio de la más importante crisis económica desde la Gran Depresión. Se iniciaba la ruptura con un proceso de crecimiento sin precedentes que había durado treinta años. Durante ese periodo, se asistió a un aumento de los ingresos y a una reducción de la pobreza en el Asia oriental gracias a una política muy diferente a la del Consenso de Washington.

La crisis financiera tailandesa fue la consecuencia de un desfase cada vez más importante entre el crecimiento eufórico de los años precedentes, suscitado por una entrada masiva de capitales, y la situación económica de Tailandia en 1997. Ésta se hallaba caracterizada por una política presupuestal expansionista, una degradación continua de la balanza comercial, un diferencial de inflación creciente con respecto a Estados Unidos (que originó una sobrevaluación del bath tailandés ligado al dólar a través de un vínculo fijo), un sector bancario atascado en negocios dudosos relacionados con la especulación inmobiliaria y un sector privado sobreendeudado.

La crisis afectó primero el mercado de cambios cuando los

[59] Para más detalles véase H. Guillén Romo, *La contrarrevolución neoliberal en México*, cit.

especuladores internacionales apostaron a la baja del bath con respecto al dólar. Ésta originó una caída del valor del bath y su desvinculación del dólar, a pesar de los intentos del banco central por defender el valor de su moneda. Los inversionistas internacionales perdieron confianza en la economía tailandesa y la crisis se propagó al mercado financiero, originando una caída de la bolsa. Más tarde, el contagio se dejó sentir en los países vecinos de industrialización reciente, cuya situación económica y financiera era comparable a la de Tailandia. Indonesia, Filipinas y Malasia sufrieron el desplome del valor de sus monedas y de sus bolsas en noviembre de 1997. Un mes después los especuladores atacaron el mercado financiero de Hong-Kong, que resistió mejor que los países antes mencionados. Asimismo, atacaron Corea del Sur, cuyos conglomerados estaban sobreendeudados y el won perdió la mitad de su valor en unas cuantas semanas. Incluso Japón vio sus intentos de reactivación económica ahogados por la crisis financiera de sus principales socios comerciales.

El FMI se vio obligado a intervenir en varias ocasiones en calidad de prestamista en última instancia para tratar de hacer frente a la crisis (17 mil millones de dólares a Tailandia, 40 a Indonesia, 57 a Corea del Sur...). Sin embargo, debido a un mal diagnóstico del FMI y a una inadecuada política económica, como lo demostró Joseph Stiglitz, la onda de choque de la crisis asiática se difundió en el mundo por el canal de los intercambios comerciales.[60]

5] *La crisis financiera rusa de 1998.* En los años noventa, se asiste a una transición difícil de una economía administrada que caracterizaba a la Unión Soviética hacia una economía de mercado. Era la primera vez que se veía a un país pasar deliberadamente de un sistema en que el Estado controlaba prácticamente todos los aspectos de la economía a otro donde las

[60] J. E. Stiglitz, *La grande désillusion*, cit., capítulo 4; P.-N. Giraud, *Le commerce des promesses*, cit., capítulo 11; André Dumas, *L'économie mondiale*, De Boeck Université, Bruselas, 2002, p. 99.

decisiones serían tomadas por los mecanismos del mercado. Sin embargo, Rusia trató de llegar al capitalismo por la vía corta, creando una economía de mercado sin las instituciones que la sostienen y las instituciones sin la infraestructura que ellas suponen. Entre estas instituciones, destaca el marco jurídico y reglamentario que fue edificado durante siglo y medio en reacción a los problemas que suscitaba un capitalismo de mercado sin obstáculos. Antes de abrir una bolsa de valores es importante cerciorarse de que existe una auténtica reglamentación. Los bancos deben ser verdaderos bancos y no limitarse a prestar al Estado como en el antiguo régimen.

La privatización de las empresas públicas y la liberalización de los precios operadas durante la transición se realizaron en un contexto económico, social y político frágil, originando el desplome de la inversión y de la producción, el aumento de la inflación, de la pobreza y de la corrupción, así como un mayor endeudamiento del Estado provocado por una reducción de los ingresos fiscales y un aumento del déficit presupuestal. Las rigurosas políticas instrumentadas por los neoliberales rusos con el apoyo de los consejeros occidentales suscitaron una disminución de la liquidez disponible agravada por la fuga de capitales. Al mismo tiempo, la degradación del saldo externo acentuó las dificultades para financiar la deuda externa y un deterioro de las reservas cambiarias. La bolsa de Moscú se desplomó y los inversionistas extranjeros perdieron la confianza en la economía rusa y en el valor del rublo.

Al estallar la crisis, el FMI en su papel de prestamista en última instancia dirigió las operaciones de salvamento con un plan de 26 200 millones de dólares provistos por él mismo, por el Banco Mundial y por el gobierno japonés. Tres semanas después del préstamo, Rusia anunció una suspensión unilateral de los pagos de su deuda externa y una devaluación del rublo. Estas decisiones justificaron la desconfianza de los inversionistas, la aceleración de su retirada y numerosas quiebras en el sistema bancario ruso.

Las consecuencias económicas y sociales de la crisis fueron

catastróficas para Rusia: reactivación de la inflación, aumento del desempleo y ruina para los pequeños ahorradores. Las políticas aplicadas por los antiguos estalinistas convertidos en fanáticos de la economía de mercado tuvieron enormes consecuencias: disminución de la esperanza de vida de 3.7 años, aumento de la pobreza y de la desigualdad del ingreso que se compara con la de países como Venezuela o Panamá. De gigante industrial capaz de poner en órbita el primer satélite y de rivalizar en múltiples dominios con Estados Unidos, Rusia se transformó súbitamente, gracias a los neoliberales, en una provincia del mundo sin importancia económica.[61]

6] *La bancarrota del long term capital management (LTCM).* La acción de la Reserva Federal de Estados Unidos entre septiembre y octubre de 1998 es otro caso ejemplar de intervención de un prestamista en última instancia. La Reserva Federal estaba convencida hacia mediados de septiembre de la existencia de un riesgo sistémico. La degradación de la confianza era tal en los mercados de deudas privadas que una declaración de quiebra del Long Term Capital Management (uno de los dos mil fondos de inversión estadounidenses que contaba entre sus consejeros a dos premios Nobel de economía)[62] podía provocar una implosión del sistema financiero gracias a un intento generalizado de liquidación de las deudas. La situación del fondo ocasionó la sospecha sobre todos los bancos de negocios y todas las casas de títulos que habían realizado operaciones especulativas similares con palancas de endeudamiento elevadas. Estas palancas exponían directamente a los bancos prestamistas y sembraban la duda sobre los compromisos de los grandes bancos comerciales.

La FED decidió parar la desbandada. Los dirigentes del ban-

[61] J. E. Stiglitz, *La grande désillusion*, cit., capítulo 5; A. Dumas, *L'économie mondiale*, cit., p. 100; J. Sapir, *Les economistes contre la démocratie. Pouvoir, mondialisation et démocratie*, cit.

[62] Se trata de Robert C. Merton y Myron S. Scholes quienes recibieron el premio Nobel por su contribución a la teoría financiera.

co central de Nueva York reunieron a los principales bancos acreedores del fondo especulativo. Se trataba de convencer a estos bancos de consolidar el capital del fondo para organizar la reducción de sus compromisos en un cierto plazo. El 21 de septiembre el grupo de bancos aceptó aportar 3.25 mil millones de dólares para permitir que el fondo hiciera frente a sus compromisos. Esta intervención no movilizó el dinero público. La FED no puso un solo dólar, sólo se limitó a organizar fuera del mercado un acuerdo que no se habría realizado de manera espontánea sin su iniciativa. A cambio de la cooperación de los bancos, la FED bajó tres veces consecutivas 0.25 por ciento la tasa de interés a corto plazo, aunque la evolución de la coyuntura de la economía real no lo justificaba. Con ello se facilitaba la creación monetaria, se resolvía el problema de liquidez y se restauraba la confianza de la comunidad financiera.[63]

En todos estos episodios, el papel de una instancia nacional o supranacional como prestamista en última instancia fue crucial en la contención de la crisis. No obstante, ni la acción de un prestamista en última instancia ni la existencia de normas prudenciales deben hacernos olvidar que uno de los riesgos mayores de la globalización financiera consiste en que los mercados financieros mundializados y desreglamentados se han erigido en auténticos jueces de las políticas económicas de los gobiernos. Cada vez más, estos últimos actúan conformándose a las expectativas de dichos mercados, practicando políticas económicas acordes con ellos. En ese sentido, se habla de credibilidad de las políticas económicas, lo que significa que los gobiernos están obligados a someterse a los mercados financieros, o cuando menos a asegurarlos, si no quieren sufrir una fuga de capitales en un contexto de liberalización total de la cuenta de capitales que analizamos a continuación.

[63] M. Aglietta, *Macroéconomie financière. Crises financières et régulation monétaire*, t. 2, cit., pp. 53-55; P.-N. Giraud, *Le commerce des promesses*, cit., capítulo 8.

4. Movimientos internacionales de capital hacia las economías emergentes de América Latina

A pesar de la tendencia a la globalización financiera internacional sería erróneo considerar el mercado financiero internacional como un espacio indiferenciado, con una lógica propia desconectada por completo de los Estados-nación. En realidad, existe una interdependencia entre las fuerzas que gobiernan el todo y las que afectan a las partes. En estas condiciones, como correctamente sostiene Henri Bourguinat,[1] no se podrían estudiar las finanzas internacionalizadas sin tomar en cuenta la interfaz nación-mundo. Tomando en consideración esto presentaremos primero la balanza de pagos, en segundo lugar los movimientos internacionales de capital y finalizaremos con una presentación de los mercados emergentes y de sus riesgos.

El ABC *de la balanza de pagos*

Ningún gobierno puede decidir sobre los precios de su moneda en términos de las monedas extranjeras, es decir, de sus tipos de cambio. Estos precios resultan de la confrontación de la oferta y la demanda en los mercados cambiarios.

Así, por ejemplo, los actores económicos privados que viven en Estados Unidos disponen de dólares y quieren adquirir bienes, títulos financieros y monedas extranjeras. Entre los bienes se pueden distinguir aquellos que los residentes compran en el extranjero para importarlos a Estados Unidos (se trata de las importaciones de Estados Unidos). El otro tipo de bienes son los bienes inmuebles comprados en el extranjero por los residentes de Estados Unidos para ser utilizados en el

[1] H. Bourguinat, *Finance internationale*, cit., p. 121.

exterior: edificios, fábricas, terrenos, etcétera. Se trata de la inversión directa en el extranjero de los residentes de Estados Unidos. Ésta constituye una salida de capitales que exige la venta de dólares contra divisas. Por último, los residentes de Estados Unidos deben vender dólares si quieren comprar activos financieros denominados en divisas o simplemente divisas (recordemos que una moneda extranjera puede ser considerada como un activo financiero). Estas compras de activos, es decir de inversiones financieras en el extranjero, constituyen también una salida de capitales. Y a la inversa, los compradores de dólares contra divisas son los actores económicos extranjeros que quieren comprar bienes y títulos estadounidenses. Los que compran mercancías en Estados Unidos para exportarlas (se trata de las exportaciones de Estados Unidos). A estos últimos se agregan los que efectúan inversiones directas en Estados Unidos y los que compran activos financieros denominados en dólares: acciones de la Bolsa de Nueva York, bonos del Tesoro estadounidense, obligaciones emitidas en dólares por las empresas estadounidenses, etcétera, o simplemente dólares. Las inversiones directas y financieras de los no residentes en Estados Unidos constituyen una entrada de capitales.

El saldo Sp (p por privado) = (compras – ventas) de una moneda como el dólar en el caso de los actores económicos privados es, por tanto, para un periodo dado:

Sp = (exportaciones + inversiones directas y financieras de los no residentes en Estados Unidos) – (importaciones + inversiones directas y financieras de los residentes en el extranjero)

Es decir:

Sp = (exportaciones + entradas de capitales) – (importaciones + salidas de capitales)

O bien:

Sp = (exportaciones – importaciones) + (entradas de capitales – salidas de capitales)

Se denomina "balanza comercial" al primer término (exportaciones – importaciones) y "balanza de capitales privados" al segundo término (entradas de capitales – salidas de capitales). Se tiene, por tanto:

Sp = balanza comercial + balanza de capitales privados

Si Sp es positivo, las compras de moneda nacional de los actores económicos privados son superiores a las ventas privadas. Si el banco central no interviene, la demanda de moneda nacional sigue siendo superior a la oferta, el tipo de cambio se aprecia y desempeña normalmente un papel equilibrador. Al contrario, si Sp es negativo, las ventas privadas de moneda nacional son superiores a las compras. En este caso, en ausencia de intervención del banco central, el tipo de cambio se depreciará.

En estas condiciones, sin intervención del banco central, las variaciones del tipo de cambio equilibran la oferta y la demanda de una moneda, de tal suerte que:

Sp = balanza comercial + balanza de capitales privados = 0

La balanza de capitales privados es igual en valor y de signo opuesto a la balanza comercial. Se trata de una igualdad *puramente contable*, siempre verificada para un periodo dado. Un país que exporta más mercancías de las que importa (balanza comercial positiva) tiene necesariamente una balanza de capitales negativa: exporta más capitales de los que importa. Dicho de otra manera, un país con balanza comercial positiva "exporta" una parte de su ahorro interno. Y a la inversa: un país con balanza comercial negativa (importa más mercancías de las que exporta) tiene por fuerza una balanza de capitales positiva del mismo monto. Se trata, por tanto, de un importador neto de capitales, que "importa" el ahorro acumulado en el exterior. Para este país constituye el único medio de realizar más importaciones que exportaciones de mercancías.

En pocas palabras, un déficit comercial tiene necesariamente por contrapartida una entrada neta de capitales. Por el contrario, un excedente comercial tiene por contrapartida una salida neta de capitales. En esta situación, la cuestión de los movimientos internacionales de capital se vuelve crucial.

Movimientos internacionales de capital

La circulación internacional de capitales no es un fenómeno nuevo. Se remonta a la época del nacimiento del capitalismo hace cinco siglos. En efecto, ya desde el siglo XVI, la extensión del comercio afecta las tendencias de la producción en un espacio cada vez más amplio, que abarca no sólo Inglaterra sino también sus colonias y el resto de Europa. A este respecto, recordemos que Fernand Braudel demostró de manera magistral cómo el capitalismo comercial logró un nuevo auge cuando fue capaz de articular gracias al comercio espacios nacionales marcados por fuertes desigualdades de dotaciones y de precios.[2]

Como hemos señalado, contrariamente a lo que pretenden muchos analistas que presentan la mundialización como un fenómeno nuevo, existen trabajos de muchos historiadores que nos muestran cómo a finales del siglo XIX la movilidad internacional del capital era intensa. Se asiste durante los cincuenta años que precedieron a la primera guerra mundial a una vasta expansión de flujos de capitales que se dirigían de Inglaterra, Holanda y otros países europeos hacia América del Norte, Argentina, Australia y otras regiones en donde se colocaban en los mercados de títulos y de obligaciones. Durante la mayor parte de este periodo, Inglaterra tuvo excedentes que repre-

[2] F. Braudel, *La dynamique du capitalisme*, cit.

sentaban entre 8 y 9 por ciento del PNB y que reciclaba gracias a las compras masivas de obligaciones emitidas para financiar la construcción de ferrocarriles, de plantaciones y otros proyectos de infraestructura en el extranjero. La salida masiva de capitales privados extranjeros fuera de Inglaterra y otras economías europeas maduras fue una de las fuerzas más revolucionarias de la economía mundial durante ese periodo. En efecto, las inversiones extranjeras de Inglaterra y otros países europeos estimularon un crecimiento económico mucho más rápido en América del Norte, en América del Sur y en otras naciones importadoras de capital que en los viejos países europeos. Así, entre 1870 y 1913, la economía estadounidense creció a una tasa promedio anual de 4.3 por ciento. Por otra parte, Argentina tuvo una tasa de 6.4 por ciento, Canadá de 4.1 por ciento y Australia de 3.2 por ciento. Estas tasas contrastan con el 1.9 por ciento promedio anual de la economía inglesa, cercano al 1.6 anual de la economía francesa durante el mismo periodo.[3]

El rápido crecimiento de la producción de estos nuevos países provocó un auge sin precedentes del volumen del comercio internacional durante el siglo XIX y principios del XX. El comercio internacional de los países industrializados con respecto a la producción alcanzó 12.9 por ciento en 1913, cifra no muy por debajo de la de 1993 que fue de 14.3 por ciento.[4]

Es evidente que la mundialización comercial y financiera fue favorecida por una serie de progresos tecnológicos que permitieron reducir el costo de las transferencias comerciales y de capitales hacia fines del siglo XIX. Así, la introducción de la navegación con vapor y los ferrocarriles disminuyó de manera considerable el costo del flete sobre largas distancias.

[3] David D. Hale, "Les marchés émergents et la transformation de l'économie mondiale", *Revue d'Économie Financière,* n. 30, París, otoño de 1994, pp. 12-13.

[4] R. Boyer, "Les mots et les réalités", *Mondialisation. Au delà des mythes,* cit., p. 33.

El desarrollo de las telecomunicaciones bajó notablemente el costo de los intercambios de títulos entre los diferentes centros financieros y estimuló un rápido crecimiento de las inversiones extranjeras. Así, por ejemplo, en 1851 se instaló la primera línea de telégrafo entre Londres y el continente europeo, lo que permitió que hacia finales del siglo XIX se intercambiaran millones de telegramas entre Inglaterra y el resto de Europa. De la misma manera, Europa quedó vinculada a través del telégrafo con Nueva York en 1866, con Melbourne en 1872 y con Buenos Aires en 1874.

Este proceso de mundialización correspondiente a la configuración internacional no escapó a la percepción de Keynes. En efecto, en su obra *Las consecuencias económicas de la paz*, publicada en 1920, se expresó en los siguientes términos:

> Un londinense podía, bebiendo su té por la mañana, encargar por teléfono cualquier producto de la tierra entera, en la cantidad que le conviniera y sin esperar mucho tiempo para que se lo entregaran rápidamente en su puerta. Podía, al mismo tiempo y por el mismo medio, invertir su capital en los recursos naturales y las nuevas empresas de cualquier parte del mundo, y compartir sin esfuerzo y sin la menor preocupación sus beneficios futuros [...]. Podía obtener en un instante un medio de transporte barato y confortable hacia cualquier país o clima sin pasaporte ni ninguna formalidad. Podía enviar a su trabajador doméstico a la agencia bancaria más cercana para procurarse todo el metal que necesitara y llevando con él el valor bajo la forma de piezas de moneda, podría posteriormente ir a cualquier comarca extranjera sin conocer sus religiones, lenguas o costumbres.[5]

[5] J. M. Keynes, *The Economic Consequences of the Peace*, en J. M. Keynes, *Collected Writings*, vol. I, Macmillan-Cambridge University Press, 1971, pp. 6-7.

Sin embargo, en la mundialización de la configuración internacional el carácter dominante de los intercambios no fue cuestionado por el movimiento de exportación de capitales. Aunque el periodo que abarca de 1885 al inicio de la primera guerra mundial se caracterizó por fuertes movimientos de capitales, éstos nunca fueron autónomos. Las inversiones directas en el extranjero servían al desarrollo de los intercambios y no a una relocalización sistemática de la producción. Los movimientos de capital estaban determinados por el pago de las transacciones comerciales. Algunos préstamos servían para financiar directamente a las empresas de obras públicas que construían infraestructuras en el extranjero: ferrocarriles, carreteras, canales, etcétera. Los movimientos de capital no estaban desconectados de la economía real. Aunque en algunas ocasiones los préstamos sirvieron para montar operaciones especulativas, se trataba más bien de casos aislados sin que esto fuera sistemático. No existía una autonomización de los flujos financieros con respecto a las relaciones monetarias y comerciales.[6]

La primera guerra mundial, la crisis de los años treinta y la segunda guerra mundial tuvieron un efecto negativo en el proceso de integración económica mundial que se vivió a fines del siglo XIX y principios del XX. El orden mundial que emergió después de 1945 fue netamente menos liberal que el que prevalecía antes de la primera guerra mundial. En particular, las restricciones a la exportación de capitales en los países industrializados eran superiores a las que existían antes de 1914. No obstante, si consideramos la debilidad del ahorro doméstico en los países subdesarrollados latinoamericanos, éstos se vieron en la necesidad de recurrir al financiamiento externo desde finales de la segunda guerra mundial.

Después de la segunda guerra mundial, la ayuda pública, sobre todo bilateral, desempeñó un papel esencial en el financiamiento de los países latinoamericanos, en un contexto mar-

[6] Ch.-A. Michalet, *Qu'est-ce que la mondialisation?*, cit., pp. 38-39.

cado por la guerra fría. En materia bilateral la más importante contribución proviene de Estados Unidos, que practica una política tendiente a alejar los países subdesarrollados de la influencia comunista. En materia multilateral, cabe destacar el papel del Banco Mundial y del Fondo Monetario Internacional. Esta ayuda pública se ve complementada por la inversión extranjera directa que llega a los países subdesarrollados para explotar los recursos naturales y la industria en el caso de algunos países latinoamericanos que, como Brasil y México, habían avanzado mucho en el proceso de industrialización por sustitución de importaciones.

A inicios de los años setenta, la ayuda pública se estanca. En los países latinoamericanos el ahorro doméstico continúa siendo bajo, pero las necesidades de capital son crecientes. Varios países latinoamericanos manifiestan su hostilidad a las empresas multinacionales, acusadas de atentar contra la independencia de las naciones. En esta situación, los préstamos bancarios se desarrollaron en un contexto de transformación de las relaciones financieras internacionales.

En el régimen del patrón dólar de Bretton Woods, el déficit de la balanza de pagos estadounidense constituía la única fuente de liquidez internacional para el resto del mundo. En efecto, los dólares que circulaban en la economía mundial provenían de los gastos realizados en el extranjero por los residentes de Estados Unidos. Tal y como funcionaba al principio, se trataba de un sistema muy rígido, ya que no existía vínculo de causalidad directa entre la creación de liquidez y las necesidades de la economía mundial. Para satisfacer la necesidad de dólares que se volvía imperiosa con el rápido desarrollo de los intercambios internacionales, el sistema bancario internacional se puso a crear a nivel masivo medios de pago en dólares, otorgando préstamos en esta moneda sin ningún control por parte de las autoridades monetarias estadounidenses. Se asiste así al desarrollo del mercado de los eurodólares, gracias al sistema de eurobancos situados esencialmente en la City de Londres. Dicho mercado permitió financiar sin límites por medio del crédito el endeudamiento de los países deficitarios, lo que representó una de las más importantes innovaciones financieras de la segunda mitad del siglo XX. Fue el inicio del poderoso ascenso de las finanzas de mercado.

Como es bien conocido, el choque petrolero de noviembre de 1973 representó grandes superávits en la cuenta corriente de los países productores de petróleo y fuertes déficits para países tanto desarrollados (incluyendo Estados Unidos) como subdesarrollados no productores de petróleo. Los países de la OPEP depositaron sus ganancias en los mercados financieros europeo y estadounidense, en tanto que los países subdesarrollados importadores de petróleo contrataban préstamos en dichos mercados. Así, los mercados financieros europeo y estadounidense reciclaron los excedentes de capital de los países productores de petróleo a los países consumidores. El contexto internacional favoreció dicha orientación: las tasas de rentabilidad económica y de inversión bajan en los países desarrollados, y los bancos son alentados por los bancos centrales y los gobiernos de las grandes potencias a aumentar sus créditos para alejar la amenaza de recesión.

Ante esta oferta de crédito por parte de los países industrializados se verifica una fuerte demanda de capitales por parte de los países subdesarrollados, que se encuentran en una situación de déficit presupuestal y/o de déficit en la cuenta corriente de la balanza de pagos. Más específicamente, algunos países subdesarrollados creen en la continuación del alza del precio de las materias primas que se produjo en 1974-1975 y utilizan el financiamiento externo para especializarse más. Otros países prosiguen su industrialización, en la cual participan en grados diversos las firmas multinacionales. Como la demanda de capitales es de largo plazo, los bancos transforman los depósitos a corto plazo, practicando el refinanciamiento. Para protegerse imponen tasas de interés variables fijadas por referencia al London Interbank Offered Rate (LIBOR), tasa a la que se agrega un margen que cubre el riesgo de no rembolso cuyo monto es específico para cada país.

En los años setenta, con tasas de interés muy bajas o incluso negativas, los países subdesarrollados reciben gracias al endeudamiento una transferencia neta de recursos considerable. La movilidad y la sustituibilidad de capitales permiten a las economías nacionales de varios países subdesarrollados superar tres tipos de restricciones: la restricción externa (las importaciones se determinan independientemente de las exportaciones), la restricción presupuestal (los gastos públicos pueden fijarse independientemente de los ingresos públicos) y la restricción de equilibrio ahorro-inversión (la inversión se determina independientemente del ahorro). Así, el regreso a una fuerte movilidad y sustituibilidad de capital en los setenta permitió que la parte "baja" de la balanza de pagos (los movimientos de capitales del sector privado) se ajustara a los otros saldos (transacciones corrientes).

El crecimiento de la deuda parece durante un cierto tiempo razonable, ya que se acompaña del crecimiento de las economías endeudadas. No obstante, el "riesgo país" existe y éste puede ser múltiple: puede tratarse de un riesgo de no liquidez,[7] de un riesgo de repudio o de un riesgo de insolvencia. Entre estos tres riesgos, es el de insolvencia el que se considera como más grave. Al respecto, se han propuesto varios indicadores para calcularlo.[8]

Dichos indicadores muestran que la estabilidad de las tasas de endeudamiento será más fácil de alcanzar si por un lado las tasas de interés y de amortización son bajas, y además el saldo de la cuenta corriente se aproxima al equilibrio (con más razón si hay un excedente). Por otro lado, la estabilidad quedará mejor asegurada si las tasas de crecimiento de la producción y de las exportaciones son elevadas.

[7] El riesgo de no liquidez existe cuando los vencimientos de la carga de la deuda se concentran en un periodo muy corto.

[8] Jean-Marc Siroën, "L'endettement des nations et le risque pays", en J.-M. Siroën (coord.), *Finances internationales*, Armand Colin, París, 1993.

En estas condiciones, es difícil afirmar que un país ha pasado el umbral del sobreendeudamiento. No hay que olvidar que la deuda es por naturaleza especulativa, ya que reposa en anticipaciones sobre los precios de las materias primas, sobre la evolución de la coyuntura internacional, sobre las tasas de interés, sobre la inflación mundial, etcétera. Así, un endeudamiento que permitiera un crecimiento fuerte de la producción y de las exportaciones con relación a la tasa de interés puede ejercer un poderoso efecto de palanca en favor del crecimiento.

De hecho, el sobreendeudamiento se constata *ex post* cuando como resultado de una crisis de insolvencia un país no puede asegurar el servicio de su deuda, como le sucedió a México en 1982.[9] Entre las causas que explican el sobreendeudamiento de los países latinoamericanos, se pueden distinguir las internas y las externas.

Entre las internas a menudo se menciona que los países latinoamericanos no fueron capaces de controlar su saldo corriente y los determinantes internos de ésta: déficits presupuestales, bajas tasas de ahorro, gasto demasiado fuerte y un crecimiento insuficientemente orientado hacia las exportaciones. A ello se agrega que en algunas ocasiones las inversiones realizadas gracias a los fondos externos no fueron las más adecuadas. La sobredimensión y su ubicación en sectores sensibles a la coyuntura internacional a menudo agravaron la sobrecapacidad de producción mundial. En muchos casos, las inversiones se escogían en función de los precios constatados, sin tomar en cuenta su volatilidad.

Además, una parte importante de los fondos prestados fue reexportada. Esto originó que los bancos occidentales se encontraran en una situación de acreedores de los países subdesarrollados y, a la vez, de deudores de algunos residentes de estos mismos países. A este respecto, Kindleberger señala que en el caso de México entre 1979 y 1982 una buena parte de los

[9] H. Guillén Romo, *Orígenes de la crisis en Mexico, 1940-1982*, cit., y *El sexenio de crecimiento cero. México, 1982-1988*, cit.

empréstitos fue destinada a financiar una exportación de capitales hacia Estados Unidos, con lo cual nos encontrábamos frente a una nueva forma de intermediación internacional o de reciclaje. En efecto:

> los bancos estadounidenses prestan a México y los capitalistas mexicanos prestan a Estados Unidos, constituyendo depósitos en dólares en los bancos estadounidenses. Si la fuga de capitales se invierte en bonos u obligaciones del Tesoro estadounidense, es algo así como si los bancos estadounidenses prestaran al Tesoro por intermedio de la ciudad de México.[10]

Por último, entre los factores internos se señalan los efectos macroeconómicos, que fueron subestimados. En particular se hace referencia al hecho de que la deuda equivale a una importación de moneda extranjera, lo cual favorece la sobreliquidez de la economía, reavivando las tensiones inflacionistas. Como éstas no son corregidas con una devaluación de la moneda nacional, se produce una sobrevaluación del tipo de cambio que favorece las importaciones y desalienta las exportaciones, agravando la situación de la cuenta corriente.

Entre las causas externas que explican el sobreendeudamiento cabe destacar el alza espectacular de las tasas de interés a fines de los setenta, resultado de la adopción por parte del sistema de la Reserva Federal de una política monetaria restrictiva con el objeto de combatir la inflación. Las tasas de interés que habían sido negativas se volvieron fuertemente positivas. Ahora bien, una gran parte de la deuda había sido contratada a corto plazo y a tasa variable, por lo que esta alza histórica repercutía de inmediato en su monto.

La victoria de las tesis monetaristas representa la victoria de los ahorradores sobre los prestatarios. Durante los años setenta, los primeros soportaron tasas de interés muy bajas o

[10] Charles P. Kindleberger, *Les mouvements internationaux de capitaux*, Dunod, París, 1990, p. 67.

negativas debido a la aceleración de la inflación, que provocó transferencias masivas de riqueza de los ahorradores hacia los prestatarios. En los años ochenta, la correlación de fuerzas se invirtió en favor de los ahorradores.

Este viraje de la política monetaria asociado al segundo choque petrolero precipitó al mundo hacia una nueva recesión. En 1982, la tasa de crecimiento del comercio internacional fue negativa. Los países latinoamericanos sufrieron las consecuencias de la recesión y no fueron capaces de encontrar los mercados externos que les permitirían evitar la degradación de sus coeficientes de endeudamiento.

Ese año México declara que se encuentra en la imposibilidad de asegurar el servicio de su deuda. Pronto otros países hacen lo mismo y los bancos pierden la confianza, suspenden sus préstamos e intentan liberarse de sus compromisos en los países latinoamericanos endeudados. Al hacer esto agravan o provocan la crisis de pagos en diversos países.

Los organismos multilaterales como el FMI y los gobiernos de los países desarrollados tratan de evitar una crisis financiera general. Se instrumenta toda una estrategia para reestructurar la deuda: reestructurarla (diferir sus vencimientos) y refinanciarla (otorgar nuevos préstamos para asegurar su servicio). La reestructuración se acompaña de la aplicación de políticas de estabilización cuyo objetivo central es permitir el regreso al equilibrio de la balanza comercial, o incluso al logro de excedentes. Aunque este último objetivo se alcanza, los resultados son muy negativos en materia de crecimiento, de empleo y de nivel de vida.

Debido a la reducción de los préstamos bancarios privados espontáneos y al aumento de la carga del servicio de la deuda, las transferencias netas se vuelven negativas para el conjunto de los países subdesarrollados. Esta modificación en la orientación de los flujos que ahora van del sur hacia el norte ilustra de manera elocuente la gravedad de la situación para los países endeudados. Se toma cada vez más conciencia de que el problema de estos países no es de no liquidez, como se pensó al principio, sino de insolvencia, por lo que hay que explorar nuevas vías.

Entre estas vías destaca el plan Baker, que pone el acento en el ajuste estructural y en la búsqueda del crecimiento. Como a este último se le considera vinculado a los mecanismos del mercado, el ajuste estructural debe llevar al restablecimiento de su funcionamiento y a la liberalización de las economías. Se trata de reducir el sector público y conservar las políticas de estabilización, pero colocándolas en una óptica de largo plazo, recurriendo más a mecanismos como la flexibilidad del trabajo. Para favorecer el crecimiento, las economías deben abrirse al exterior tal y como lo hicieron las economías del sureste asiático citadas como ejemplo.

A nivel de las instituciones internacionales y de los gobiernos, la iniciativa de Baker tiene un éxito relativo. Los recursos del FMI aumentan y el Club de París otorga reestructuraciones cada vez más largas. Por el contrario, los bancos privados colaboran poco, ya que cada día están más conscientes de que la condicionalidad del FMI no representa una verdadera solución. En ausencia de colaboración de los bancos acreedores el plan Baker fracasa y el crecimiento continúa estando ausente en los quince países más endeudados (diez latinoamericanos) contemplados por el plan.

En la segunda mitad de los ochenta los temores de los bancos van aumentando. Cada vez más se encuentran colocados frente a la siguiente alternativa: o bien refinanciar a los deudores para que rembolsen de manera progresiva, permaneciendo dependientes de una mejoría de la situación en los países subdesarrollados, o bien disminuir su dependencia buscando otras estrategias gracias a la utilización de los mecanismos del mercado. A partir de 1987, los bancos van a orientarse en esta dirección, con el acuerdo de los países deudores.

Para disminuir los riesgos y la carga de la deuda, los bancos tienen varias posibilidades.

Los bancos pueden crear *provisiones* sobre préstamos dudosos. A este respecto, hay que señalar que los bancos suizos, suecos y alemanes fueron los primeros en practicar el aprovisionamiento. En mayo de 1987 fueron seguidos por el Citicorp, que va a desempeñar un papel pionero en Estados Unidos. Cuando los gobiernos otorgan la deducción fiscal sobre las provisiones están socializando la carga de la deuda (que puede ser privada) y transfiriéndola a los contribuyentes.

Deseosos de aumentar la liquidez de su cartera de préstamos, los bancos crean un *mercado secundario* de la deuda soberana. Este mercado, que aparece en 1982, se vuelve activo hasta 1984. En él, los bancos venden con descuento la deuda soberana que no desean negociar con los deudores. Hacen esto para no tener que aumentar sus créditos. Este mercado es ante todo alimentado por los bancos, que han aprovisionado fuertemente su cartera dudosa y buscan deshacerse de ella. Aunque los volúmenes intercambiados en dicho mercado tuvieron cierto aumento, sólo fue relativamente líquido para algunos países (Argentina, México, Venezuela y Brasil) que realizaron la mayoría de transacciones a precios que tuvieron una tendencia a reducirse hasta 1989, pero que se recuperaron más tarde. Entre los compradores que actúan en dicho mercado destacan los especuladores que buscan instrumentos financieros baratos pero potencialmente muy rentables, y las empresas o bancos que desean implantarse en el país deudor.

Los gobiernos de los países subdesarrollados aceptaron en algunos casos *transformar una parte de la deuda en activos nacionales* que por lo general pertenecían al Estado. Tales operaciones se realizaron en algunos países como México, Brasil y Chile. En este último país se recurrió mucho a este mecanismo, a tal grado que más de un tercio de la deuda se redujo de esta manera entre 1985 y 1989. Sin embargo, no hay que perder de vista que dicha operación corresponde en los hechos al pago por parte del banco central del país de un subsidio al inversionista, lo que puede plantear varios problemas: exceso de creación monetaria, repatriación de beneficios que puede desequilibrar la cuenta corriente de la balanza de pagos, e incitación por parte de los gobiernos de los países subdesarrollados a rematar activos nacionales esenciales.

En algunas ocasiones, los bancos *cambiaron títulos de deuda contra instrumentos que circulan más fácilmente.* En este caso, un título de deuda con o sin descuento puede ser intercambiado contra una obligación (título financiero) a largo plazo, a una tasa de interés fija y baja. De esta manera, el país deudor puede estabilizar o escalonar su deuda en el tiempo. Este tipo de operación la efectuó México a inicios de 1988 y después Brasil, donde el gobierno se propuso intercambiar con descuento una parte de su deuda contra títulos garantizados con bonos del Tesoro estadounidense.

Por último, en algunos casos aislados *se permitió a los gobiernos comprar su propia deuda.* Esto aconteció con Bolivia, quien pudo comprar 40 por ciento de su deuda con un descuento de 90 por ciento gracias a una importante ayuda externa. Asimismo, Chile utilizó sus reservas cambiarias para comprar 10 por ciento de su deuda.

Pero es en realidad a partir de 1988 cuando los organismos internacionales y los gobiernos modifican su enfoque de los problemas de la deuda de los países más pobres y de los más endeudados. La toma de conciencia de la imposibilidad en la cual se encuentran varios países de rembolsar la deuda fue reforzada por los enfoques relativos a su carga "virtual". En efecto, a fines de los años ochenta varios autores estadounidenses, entre los cuales destaca Paul Krugman, comenzaron a hablar de la existencia de una carga "virtual" de las transferencias.[11] Si el servicio de la deuda que representa una extracción sobre el ingreso nacional aumenta mucho, los ciudadanos de los países preferirán no aumentar su ingreso para no perder una parte de las ganancias. Esta idea, aplicada al monto de la deuda, puede expresarse diciendo que en la medida en que los acreedores extranjeros consideran que su monto es razona-

[11] Paul Krugman, "Market-based Debt-reduction Schemes ", en J. Frenkel (coord.), *Analytical Issues in Debt,* IMF, 1989.

ble, estarán dispuestos a acordar nuevos préstamos y, por tanto, los deudores podrán asegurar su servicio.

Lo anterior puede ser ilustrado a través de una especie de curva de Laffer[12] de la deuda que vincula su valor efectivo total (precio de mercado) con su valor nominal total. La idea central es que pasando un cierto umbral, el sobreendeudamiento pesa sobre la solvencia y cualquier aumento de la deuda provoca la disminución de su valor efectivo.[13]

Dicho de otra manera, cuando los acreedores comienzan a juzgar que el endeudamiento es muy fuerte, se mostrarán reticentes a prestar. Por su parte, los ahorradores nacionales tendrán interés en poner al abrigo sus capitales ante el temor de una posible devaluación o de un aumento de la carga impositiva. Por ejemplo, supongamos que la deuda con problemas sea de 300 mil millones de dólares y que se cotice a un tercio de su valor, es decir, en 100 mil millones de dólares. Si una anulación de la mitad, 150 mil millones, permite regresar a un descuento de un tercio, el valor efectivo de la deuda sigue siendo de 100 mil millones. Esto significa que permanece constante a pesar de la anulación. En estas condiciones, resulta interesante proceder a una reducción de la deuda, ya que "menos se vuelve más".

Por desgracia, como señala Jean-Marc Siroën,[14] este enfoque adolece de serias limitantes. Aunque realizado en términos de valor de mercado, no toma en cuenta los ingresos procurados

[12] En 1980, el economista Arthur Laffer trató de convencer al presidente de Estados Unidos Ronald Reagan de que el alza de la tasa impositiva más allá de un máximo provocaba una baja de ingresos del Estado. Para Laffer muchos individuos dinámicos que pagan muchos impuestos se preguntan ¿para qué trabajar tanto si es para financiar al gobierno? Por tanto van a trabajar menos y a frenar el crecimiento. Los ingresos van a disminuir más de lo que aumentó la tasa impositiva y paradójicamente el monto de los impuestos disminuirá.

[13] Francisco L. y Luis A. Rivera-Batiz, *International Finance and Open Economy Macroeconomics*, Macmillan, Nueva York, 1994, pp. 322-23.

[14] J.-M. Siroën, "L'endettement des nations et le risque pays", en J.-M. Siroën (coord.), *Finances internationales*, cit., p. 222.

por el pago de intereses. Además, si el interés colectivo de los bancos puede estar en anular una parte de la deuda, su interés individual será abstenerse, esperando aprovechar la apreciación del valor efectivo de los títulos de deuda en su posesión. Este comportamiento de *free riding* puede justificar una intervención pública que obligue a todos los acreedores a cooperar.

Justo fue la intervención del secretario del Tesoro de Estados Unidos, Nicholas Brady, la que indujo a encaminarse por la vía de la reducción de la deuda. En efecto, en marzo de 1989 Brady considera que la deuda es muy elevada y obstaculiza los esfuerzos de los países para mejorar su situación, por lo que debe ser reducida cuando tales esfuerzos se constatan. Para ello, propone que los diferentes mecanismos ya utilizados por los bancos sean retomados de manera sistemática. Al mismo tiempo, el secretario del Tesoro alienta a las organizaciones financieras internacionales para que otorguen fondos a los gobiernos de los países que realizan políticas de ajuste, en la perspectiva de comprar una parte de su deuda con descuento.

Un primer acuerdo de tipo Brady fue negociado a finales de 1989 entre México y quinientos bancos acreedores por un monto de 49 mil millones de dólares. Como es bien conocido, los bancos tuvieron la oportunidad de escoger entre tres opciones:

1] conversión de la deuda en obligaciones a treinta años con una tasa de interés fijada con referencia al mercado y un descuento de 35 por ciento;

2] conversión de la deuda principalmente a tasa variable en títulos a una tasa fija reducida (6.5 por ciento) pero sin descuento;

3] aportación de dinero fresco bajo la forma de préstamos bancarios a quince años, a la tasa del mercado, de un monto correspondiente a un cuarto de los compromisos adquiridos a mediano y largo plazos.

En el caso de las dos primeras opciones, el principal está garantizado con obligaciones de cupón cero emitidas por el Tesoro estadounidense en la misma divisa que la deuda.

Al final de las negociaciones, en febrero de 1990, México firma el primer acuerdo Brady con el Club de Londres. En dicho acuerdo, 49 por ciento de los bancos escogen la segunda opción, 41 por ciento la primera, pero sólo 10 por ciento la tercera. Más tarde, entre 1990 y 1994, siete países negocian acuerdos de tipo Brady: Venezuela, Nigeria, Filipinas, Brasil, Argentina, Costa Rica y Polonia. Los resultados de estas negociaciones no se hicieron esperar. Así, gracias entre otras cosas al plan Brady, la situación de la mayoría de los países latinoamericanos mejora de manera sustancial a principios de los noventa, cuando regresan a los mercados internacionales de capitales y las transferencias de capital cambian a su favor flujos muy negativos a elevados flujos positivos.[15] Varios de estos países pasan a formar parte del selecto grupo de países emergentes.[16]

Los mercados emergentes latinoamericanos

El desarrollo de las bolsas de valores emergentes es uno de los hechos más significativos que han marcado la evolución financiera mundial hacia finales de los ochenta y principios de los noventa. Durante mucho tiempo, el desarrollo de los mercados financieros locales fue frenado por varias razones. Por un lado, los procesos inflacionarios –y en algunos casos hiperin-

[15] Stephany Griffith-Jones y Barbara Stallings, "Nuevas tendencias financieras globales: implicaciones para el desarrollo", *Pensamiento Iberoamericano*, n. 27, Madrid, enero-junio de 1995.

[16] Entendemos por países emergentes única y sencillamente los países dotados de lo que en el terreno de las finanzas se conoce como mercados financieros emergentes. Se trata de mercados accesibles que han emprendido recientemente un proceso de crecimiento y de modernización que los vuelve interesantes para los inversionistas. De la lista de veintinueve países calificados como emergentes por la Corporación Financiera Internacional siete son latinoamericanos: Argentina, Brasil, Chile, Colombia, México, Perú y Venezuela. David Grimbert, Pierre Mordacq y Emmanuel Tchemeni, *Les marchés émergents*, Economica, París, 1995, p. 8.

flacionarios– obligaron a una parte de los ahorradores latinoamericanos a trasladar sus capitales al extranjero, a colocarlos en bienes reales en el país o a adquirir propiedades en el exterior. Por otro lado, el sistema financiero basado en el crédito a través de las instituciones nacionales e internacionales de préstamo volvía irrelevantes las bolsas de valores, que se encontraban relegadas a un papel marginal en América Latina.

La década de los ochenta fue una mala década para los bancos. Por el lado de sus recursos se constata una fuga de los depósitos en favor de las colocaciones financieras; por el lado de la utilización de los recursos, los créditos bancarios enfrentan una dura competencia de las finanzas de mercado. Las finanzas de mercado se desarrollan en detrimento de las finanzas bancarias (intermediadas). Sin embargo, los bancos reaccionan implicándose masivamente en las finanzas de mercado y volviéndose uno de los motores de su desarrollo. Los bancos se vuelven actores principales de los mercados financieros, colocan los títulos emitidos por los prestatarios y aconsejan a los inversionistas. También intervienen en los mercados derivados, e inventan día con día nuevos productos.[17]

Hacia mediados de los ochenta, la combinación de distintos elementos creó un medio ambiente más favorable al desarrollo de las finanzas directas.

En primer lugar, la suspensión de los préstamos bancarios voluntarios después de 1982 originó una grave crisis económica en América Latina, contribuyendo a la severidad del desplome que se produjo en muchos otros países en ese mismo periodo. Aunque no hubo acciones inmediatas tendientes a promover las inversiones en bolsa como fuente alternativa de capitales, la crisis de la deuda sentó las bases para la implan-

[17] P.-N. Giraud, *Le commerce des promesses,* cit., pp. 186-87.

[18] Stephany Griffith-Jones, "Las afluencias de capital internacional en la América Latina", en Víctor Bulmer-Thomas (comp.), *El nuevo modelo económico en América Latina,* Fondo de Cultura Económica, México, 1997, p. 157.

tación de las reformas económicas liberales que culminaron a fines de los ochenta con el renacimiento de los mercados bursátiles de América Latina. En efecto, la característica principal del nuevo modelo económico latinoamericano es su orientación al exterior mediante el comercio y la liberalización de la cuenta de capital.[18] Como señala Stephany Griffith-Jones,

> la apertura de la cuenta de capital, acompañada –o, a menudo, precedida– por la liberalización del mercado interno de capitales crea los requisitos necesarios para recibir del exterior grandes afluencias de capital.

Estas grandes entradas de capital extranjero fueron fundamentales en el desarrollo de los mercados bursátiles.

En segundo lugar, la reciente expansión de los mercados de bonos y acciones se explica por otros factores como son la reducción de la inflación, la desregulación financiera interna, las innovaciones tecnológicas y financieras, la privatización y las reformas al seguro social.

El tercer factor de promoción del boom búrsátil en los países latinoamericanos fue el importante movimiento de liberalización de los mercados financieros de los países industrializados. Iniciado en Estados Unidos, el movimiento se propagó a Europa en la segunda mitad de los ochenta. En el viejo continente, Inglaterra, Francia e Italia fueron particularmente afectadas por la ola liberalizadora. Alemania permaneció un poco al margen debido al papel limitado que desempeña el mercado financiero en el financiamiento de las empresas. Por lo que toca a Japón, la transformación se operó bajo el efecto de una doble restricción: por un lado, Estados Unidos, que desde 1984 ha incitado a los japoneses a liberar sus mercados financieros; por el otro la necesidad de reciclar los enormes excedentes generados por la cuenta corriente de la balanza de pagos. De alguna manera, el despegue de los mercados bursátiles latinoamericanos, como el de otros países denominados emergentes, corresponde a una extensión natural de la expansión mundial de los mercados financieros. Este despegue no hubiera sido posible sin las reformas liberales operadas en los países latinoamericanos, pero el hecho de que los dos sucesos hayan coincidido aceleró de manera considerable el boom bursátil.

Algunas cifras ilustran el boom, que afectó no sólo a las bolsas latinoamericanas sino a todas las bolsas de los países emergentes.[19] En efecto, su capitalización pasó de 146 mil millones de dólares en 1984, a más de 1.6 billones a finales de 1994. Junto a esta extraordinaria expansión, la parte de los mercados bursátiles emergentes en la capitalización mundial pasó de 4 a 13 por ciento en el mismo periodo. Los volúmenes de transacciones aumentaron aún más rápidamente, siendo multiplicados por 30 entre 1984 y 1994. Como testimonio de este crecimiento acelerado se puede señalar que mercados emergentes como el de Corea, Malasia, México y Tailandia se cuentan hoy entre los quince mercados más grandes de acciones en el mundo.

Buenos resultados acompañaron desde 1990 el desarrollo de los mercados emergentes. La rentabilidad de estos mercados comparada con la de los países desarrollados constituye un testimonio de su buen desempeño. En efecto, el índice compuesto de los mercados emergentes (IFCI) muestra una tasa de rentabilidad promedio anual en dólares sobre el periodo de diciembre de 1990 a diciembre de 1994 de 24.39 por ciento, a pesar de una caída del índice de 14 por ciento en 1994. En el mismo periodo, el índice americano S and P500 y el índice MSCI EAFE para Europa, Australia y Extremo Oriente ofrecieron respectivamente tasas de rentabilidad promedio de 11.50 y 10.02 por ciento. Aunque los mercados emergentes son muy volátiles,[20] al estar poco o incluso negativamente

[19] D. Grimbert, P. Mordacq y E. Tchemeni, *Les marchés émergents*, cit., pp. 7-11.

[20] Las bolsas emergentes están sometidas a fuertes fluctuaciones. Debido a la dimensión restringida y a la débil liquidez de los mer-

correlacionados con los mercados desarrollados,[21] procuran significativas ganancias de diversificación a los inversionistas internacionales.

En estas condiciones, los países subdesarrollados, después de haber estado ausentes de los mercados financieros internacionales durante los años ochenta, gozan desde hace algunos años de un regreso de los capitales privados. Varios hechos no dejan dudas al respecto.[22]

El flujo neto de capital privado a los países subdesarrollados excedió 240 mil millones de dólares en 1996, lo que representa seis veces más que al principio de la década y casi cuatro veces más que durante la cima alcanzada durante el boom de préstamos de la banca comercial entre 1978 y 1982.

Los flujos de capital privado superan ampliamente a los flujos oficiales en términos de importancia relativa. Dichos flujos representan cinco veces el tamaño de los flujos oficiales. Esto es notable ya que hace sólo algunos años los flujos oficiales a los países subdesarrollados eran superiores a los flujos privados.

El capital privado se orienta cada vez más hacia los países

cados emergentes, movimientos de fondos de una amplitud relativamente reducida pueden provocar una fuerte inestabilidad de los cursos tanto a la baja como a la alza. La fuerte variabilidad observada de los cursos se explica también por la sensibilidad a los choques exógenos de la economía de estos países. En efecto, estos mercados pueden ser muy sensibles a factores externos que constituyen fuentes de riesgo, como el precio de las materias primas o los choques petroleros. A esto se agrega una inestabilidad política y social mayor a la del mundo desarrollado como factor que coadyuva a una más fuerte volatilidad.

[21] La débil correlación entre los resultados de los mercados emergentes y los mercados desarrollados se explica, a pesar de todo, por la aún débil integración del mercado mundial de capitales. En la medida en que los mercados se integren progresivamente a la economía mundial, los mercados emergentes constatarán un aumento no sólo de su correlación entre sí sino con respecto a los países desarrollados.

[22] Banco Mundial, *Private Capital Flows to Developing Countries. The Road to Financial Integration*, Oxford University Press, 1997, capítulo I.

subdesarrollados. Estos últimos reciben 40 por ciento del flujo de inversión extranjera directa en 1996, lo cual representa un gran avance con respecto al 15 por ciento en 1990. En el caso de la inversión en portafolio de acciones, los flujos llegan a representar casi 30 por ciento, habiendo partido de menos de 2 por ciento a inicios de la década.

La importancia de los flujos de capital privado se ha incrementado en los países subdesarrollados, pasando de 4.1 por ciento de la inversión doméstica en 1990 a casi 20 por ciento en 1996.

Se ha operado una importante ampliación en la composición de los flujos de capital privado. Mientras que los préstamos tradicionales de la banca representaban más de 65 por ciento de todos los flujos privados entre 1980 y 1982, la inversión extranjera directa se vuelve el principal componente de los flujos de capital privado entre 1995 y 1996. Por otra parte, los flujos de portafolio –tanto bonos como acciones–, partiendo de un nivel muy bajo en 1989, llegan a representar más de un tercio de los flujos totales de capital privado entre 1995 y 1996.

Los flujos de capital privado han cambiado por el lado del receptor de los gobiernos al sector privado. Los préstamos al sector público representan menos de una quinta parte de los flujos totales de capital privado. La mayor parte de estos flujos a los países subdesarrollados transita a través de canales de mercado.

Los inversionistas institucionales han mostrado un interés creciente por los mercados emergentes. En particular, los fondos mutuos se orientan cada vez más hacia dichos mercados. Así, por ejemplo, entre 1990 y 1994 más de 30 por ciento de la nueva inversión internacional de los fondos mutuos estadounidenses se dirigió hacia los mercados emergentes. Los fondos de jubilación también han mostrado interés, invirtiendo a través de los fondos mutuos o por su propia cuenta. Se calcula que hacia principios de 1997, los fondos de jubilación controlan 70 mil millones de dólares de activos financieros de los mercados emergentes.

La notable afluencia de capitales hacia América Latina por lo general fue bien recibida entre los analistas. Los argumentos en favor de la libre movilidad de capital son respaldados por serios fundamentos teóricos. Se considera que los movimientos de capital de los países desarrollados a los subdesarrollados aumenta la eficiencia de la asignación de recursos a nivel mundial, ya que el rendimiento real de la inversión marginal en los países con abundancia de capitales es por lo general más bajo que el de los países con escasez de capital. Se consideró que el flujo de capitales externos constituye un ahorro externo que complementa al ahorro interno, aumentando la inversión y favoreciendo el crecimiento. En el caso de la inversión extranjera directa, se piensa que ésta aumenta la eficiencia micro o sectorial gracias a la transferencia de tecnología y al conocimiento administrativo que por lo general acompaña dicho tipo de inversión. Además, se sostiene que la libre movilidad del capital permite a las personas satisfacer de mejor manera sus preferencias de riesgo gracias a una mayor diversificación de sus tenencias de activos.

Por desgracia, para los defensores de la libre movilidad del capital el mundo real es subóptimo y condiciona seriamente sus razonamientos teóricos. Los resultados previstos dependen de algunas condiciones difíciles de cumplir en la realidad. Una de ellas es que los mercados financieros que intermedian la mayoría de los movimientos internacionales de capital cuenten con lo que Tobin, premio Nobel de economía, denomina "eficiencia fundamental de la valoración", es decir, las valoraciones del mercado deben reflejar el valor actual de los rendimientos previstos de los activos a lo largo del tiempo. Los precios en los mercados financieros no son el reflejo de los fundamentales, lo que sugiere que la asignación de recursos en los mercados de capital es ineficiente. La incertidumbre y las imperfecciones de los mercados internacionales de capital constituyen obstáculos para la llegada de cantidades suficientes de financiamiento en el momento requerido. Hacer una analogía entre el libre comercio de mercancías y el libre comercio de activos financieros resulta arbitrario. En tanto que las transacciones de mercancías son completas e instantáneas, las transacciones financieras son por esencia incompletas y de valor incierto, ya que se basan en una promesa futura de pago.

> En un mundo de incertidumbre, de mercados de seguros incompletos, costos de información y otras distorsiones, las evaluaciones *ex ante* y *ex post* de los activos financieros pueden ser radicalmente diferentes. Además, la separación en el tiempo entre una operación financiera y el pago correspondiente, junto a las barreras de información, genera externalidades en las transacciones de mercado que pueden magnificar y multiplicar los errores en las evaluaciones objetivas.[23]

Salvo algunas excepciones, la mayoría de los analistas olvidó que ya en el pasado una abundante entrada de capitales en América Latina derivó en crisis. Por desgracia, como veremos a continuación, el desarrollo de los sistemas financieros y la inestabilidad que le es consustancial pueden ejercer un efecto negativo sobre el crecimiento y el desarrollo en general.

Los efectos de la afluencia de capitales y del boom bursátil sobre los países emergentes

Para el conjunto de América Latina, la entrada de capital tuvo efectos positivos de tipo keynesiano, ya que al reducir la escasez de divisas permitió utilizar de manera más plena la capacidad productiva existente, lo que generó un aumento de la producción, los ingresos y el empleo.[24] No obstante, la veloci-

[23] Ricardo Ffrench-Davis, *Macroeconomía, comercio y finanzas para reformar las reformas en América Latina,* McGraw Hill-CEPAL, Santiago de Chile, 1999, p. 99.

[24] Ibid., p. 112.

dad con que las entradas de capital cerraron la brecha externa y generaron un excedente de divisas se reflejó en una tendencia a la sobrevaluación del tipo de cambio, en una rápida reducción del superávit de la balanza comercial y en un aumento del déficit en cuenta corriente.

Si la sobrevaluación del tipo de cambio no se evita será perjudicial para el volumen de las exportaciones, que constituyen un aspecto clave del nuevo modelo orientado hacia el exterior. En efecto, como señala Stephany Griffith-Jones,

> una revaluación del tipo de cambio causada en este caso por el "mal holandés" financiero, o sea un aumento de las entradas de capital, reducirá el rendimiento de las exportaciones, lo cual podría tener efectos negativos, a largo plazo, en la producción [...] así como podría inhibir la inversión en exportaciones, socavando con ello la lógica del modelo, la cual se fundamenta en un crecimiento basado en las exportaciones, y necesita generar exportaciones para ayudar al servicio del capital que está ingresando.[25]

Una sobrevaluación alienta que se anticipe la devaluación. Esto puede provocar una reducción súbita o hasta una fuerte reversión en las entradas de capital, cuya dinámica depende en buena medida del clima de confianza. Así, bastará algún acontecimiento político desagradable para los mercados o algún signo de malestar social que los inquiete para que el ca-

[25] S. Griffith-Jones, "Las afluencias de capital internacional en la América Latina", en V. Bulmer-Thomas (comp.), *El nuevo modelo económico en América Latina*, cit., p. 169. Un aumento masivo de las exportaciones de recursos naturales provoca una apreciación del tipo de cambio efectivo real, lo que conduce a una disminución de la producción manufacturera interna debido a las pérdidas de competitividad-precio internacionales. A este fenómeno que se observó en los Países Bajos tras el descubrimiento y la explotación de importantes yacimientos de gas natural se le denominó el "mal holandés".

pital se fugue y el nivel de las reservas internacionales se vea seriamente afectado.

Pero la crisis no se limitará al mercado cambiario y afectará seriamente el mercado bursátil. En efecto, las bolsas emergentes están expuestas a tres peligros: la dificultad creciente para privatizar, el repliegue de las inversiones extranjeras y el riesgo de cambio asociado a la devaluación. Veamos estos tres puntos.

Las privatizaciones tuvieron un profundo impacto en el desarrollo de los mercados emergentes. La privatización de empresas públicas, gracias a la oferta de títulos que suscita, aumenta la capitalización y la liquidez del mercado. Favorece también la emergencia de un tejido financiero local, facilitando la creación de fondos de jubilación privados locales. Además, las privatizaciones crean un contexto favorable al desarrollo de los bancos de inversión y de los servicios financieros. Esta tendencia ininterrumpida desde inicios de la década de los noventa que contribuyó al auge de las bolsas emergentes comenzó a estancarse a medida que el stock de empresas públicas privatizables disminuyó. Como es lógico, el avance de la privatización despierta cada vez más la oposición nacionalista y de los sindicatos temerosos de los despidos que por lo general acompañan los procesos de privatización.

Entre los factores que los inversionistas internacionales toman en cuenta (rendimiento, riesgo de cambio, régimen fiscal) no hay que olvidar la liquidez anticipada, es decir, la capacidad para monetizar las colocaciones en corto tiempo, sin pérdida importante en el valor del capital. La falta de liquidez es una característica inherente a las bolsas emergentes. Estas bolsas están particularmente expuestas a fenómenos de sobrerreacción, que provocan caídas brutales de los cursos bursátiles. Además no hay que olvidar que el crecimiento explosivo de las bolsas en estos últimos años provoca la llegada masiva de capitales a menudo anglosajones que buscan nuevas oportunidades de inversión. En tales condiciones, las bolsas emergentes con liquidez muy baja están amenazadas a nivel estructural con un eventual retiro de los grandes fondos anglosajones.

Basta con que algunos de los grandes fondos de inversión internacionales decidan cambiar de zona geográfica para invertir una tendencia juzgada prometedora. Así, desde febrero de 1994 las bolsas emergentes han tenido que enfrentar una importante corriente vendedora cada vez que se vuelve más restrictiva la política monetaria estadounidense.

La interdependencia entre el mercado financiero y el mercado cambiario introduce una fuente adicional de volatilidad proveniente del riesgo cambiario, es decir, del riesgo de registrar una pérdida o una ganancia en el momento de convertir la moneda local en una moneda internacional. Así, por ejemplo, el inversionista internacional que coloca en la bolsa de valores de México espera obtener una plusvalía financiera y un ingreso incrementado si la moneda se aprecia, pero una fuerte devaluación podrá anular sus ganancias. Es por ello que el saldo de la balanza comercial y el nivel de las reservas internacionales es observado con particular atención en el momento de realizar la inversión en algún país. De igual forma, cuando la inversión ya ha sido realizada cualquier indicador que muestre a los inversionistas internacionales que la moneda local corre el riesgo de devaluarse desencadenará importantes órdenes de venta, que generan bajas cuantiosas en los mercados financieros.

Pero la crisis que se propaga del mercado de cambios al mercado financiero no para ahí y puede sacudir el sistema bancario. En este aspecto, el caso mexicano fue muy ilustrativo. Tras la devaluación del peso mexicano a finales de 1994, los bancos tuvieron que hacer frente a compromisos en dólares cuyo valor en moneda local aumentaba fuertemente en el momento en que tenían que enfrentar importantes retiros de depósitos. Por otro lado, la fuerte alza de la tasa de interés para sostener el peso aumentó el costo que tenían que pagar los bancos para obtener recursos y los condujo a encarecer sus créditos, sacudiendo la solvencia de los prestatarios y aumentando la proporción de créditos dudosos en su cartera. En esta situación, las agencias internacionales de calificación disminuyeron su evaluación de los bancos mexicanos, lo que volvió aún más difícil su acceso a los mercados internacionales de capitales e incrementó su riesgo de no liquidez. Dichas agencias desempeñaron un papel importante en el contagio mimético de la desconfianza.[26]

De manera general, se considera que los choques macroeconómicos casi siempre están en el origen de las crisis bancarias.[27] Estos choques pueden afectar los activos o los pasivos del sistema bancario. En el caso de los activos, se puede tratar de una recesión importante, de un deterioro de los términos de intercambio o de cualquier otro choque desfavorable a la riqueza nacional que disminuye la rentabilidad de los prestatarios y los coloca en la incapacidad de rembolsar su deuda. En el caso de los pasivos, se considera que los choques macroeconómicos pueden afectar el monto de depósitos y otros pasivos bancarios, lesionando así la capacidad de los bancos para otorgar préstamos. A este respecto, no hay que olvidar que las dos fuentes más importantes de financiamiento bancario en América Latina son los depósitos y, en algunos países y en ciertos periodos, los préstamos del extranjero. Como sabemos, tanto los depósitos como la disponibilidad de capitales extranjeros son particularmente volátiles en América Latina. En estas condiciones, el monto de los depósitos puede disminuir en razón de una devaluación anticipada vinculada a un déficit de la cuenta corriente de la balanza de pagos y a un tipo de cambio considerado irreal. La baja acentuada del monto de depósitos o de la capacidad de los bancos nacionales para endeudarse en el extranjero reducirá gravemente la liquidez del sistema bancario nacional. Para restaurar su liquidez, los bancos se verán

[26] Para un tratamiento más detallado de la crisis financiera mexicana véase H. Guillén Romo, *La contrarrevolución neoliberal en México*, cit.

[27] Michael Gavin y Ricardo Hausmann, "Las raíces de las crisis bancarias: el contexto macroeconómico", en Ricardo Hausmann y Liliana Rojas-Suárez (comps.), *Las crisis bancarias en América Latina*, Banco Interamericano de Desarrollo-Fondo de Cultura Económica, Santiago de Chile, 1997.

obligados a vender sus activos o a reducir su cartera de préstamos no renovando los créditos que llegan al vencimiento. No obstante, un rechazo súbito del crédito al sector privado no financiero lo desestabilizaría y podría provocar una severa recesión con efectos nefastos sobre la calidad de la cartera bancaria.

Pero los choques macroeconómicos sorpresivos no son una condición suficiente de las crisis bancarias. Hay que comprender por qué en algunas ocasiones los sistemas bancarios son suficientemente débiles para verse sacudidos por los choques macroeconómicos y en otra situación son bastante fuertes para resistir. En todo caso, para Gavin y Hausmann no hay que perder de vista que durante las fases de recursos abundantes que llegan del exterior el sistema bancario manifiesta una fuerte tendencia a expandir el crédito más allá de lo razonable. Los banqueros tienen una gran propensión a otorgar crédito, sin informarse mayormente sobre la credibilidad y la solvencia de los prestatarios. Esto por varias razones. El boom de la demanda de créditos tiende a efectuarse durante el periodo de expansión macroeconómica, cuando los prestatarios representan de manera temporal clientes muy remuneradores provistos de liquidez. Además, la velocidad a la cual la cartera de préstamos se incrementa en el momento de aumentos de la demanda de crédito puede agravar los problemas de información de los banqueros. Antes que nada, para aumentar su cartera de préstamos en corto tiempo, los banqueros no sólo necesitarán tomar más riesgos entre sus clientes sino también encontrar nuevos prestatarios. Ahora bien, por razones obvias, los nuevos clientes son sujetos sobre los cuales los banqueros tienen poca información, lo que significa que con el aumento de la demanda de crédito el riesgo inherente a la cartera aumentará, como también lo hará la cantidad de empresas a las que hubiera sido prudente no prestar. Otra razón por la cual, como dicen Gavin y Hausmann, "los buenos tiempos son malos tiempos para el aprendizaje",[28] la constituye el he-

[28] Ibid., p. 59.

cho de que cuando el crédito es fácilmente disponible, los prestatarios pueden pasar cualquier prueba de liquidez para medir su solvencia, sirviéndose del crédito obtenido en algún otro lugar.

Pero el efecto del flujo de capitales internacionales sobre el sistema bancario nacional no es el último eslabón de la cadena. Gracias a un efecto de contagio, se asiste a una propagación internacional de la crisis favorecida por la liberalización financiera. Así, cuando el financiamiento del déficit externo gracias a inversión de portafolio y de otros capitales flotantes conduce a una depreciación brutal de la moneda local, a una caída fuerte de las acciones y a un debilitamiento del sistema bancario de un importante país emergente como México, ello tiende por un efecto de contagio a expandir la sospecha sobre todas las bolsas de los países emergentes. Se trata, en un primer momento, de un contagio calificado de "efecto tequila", que afectó a otros países de América Latina, principalmente a Argentina, pero también a Brasil y, en menor medida, a Venezuela.

Argentina vio su bolsa caer estrepitosamente. Ahora bien, a pesar de algunas similitudes aparentes, la situación argentina era muy diferente a la de México. Su crecimiento era más fuerte, su inflación más débil y su déficit en cuenta corriente proporcionalmente dos veces menos importante. En tanto el peso mexicano estaba vinculado al dólar a través de un sistema de tipo de cambio administrado (*crawling peg*), el peso argentino estaba vinculado al dólar en virtud del plan de convertibilidad (*currency board*).[29] Como sabemos, para volver este compromiso

[29] El ministro de Economía de Argentina Domingo Cavallo resucitó un sistema monetario que había operado durante la colonización europea. A las colonias se les permitía emitir su propia moneda, pero el valor de la moneda permanecía rígidamente atado al del país colonizador. La solidez de la moneda era garantizada con una ley que obligaba a que la emisión de moneda local estuviera respaldada con divisas fuertes. El público podía convertir la moneda local a libras

creíble el peso argentino sólo tendría validez si su emisión estaba respaldada totalmente con dólares. Dicho de otra manera, la paridad fija entre la moneda nacional y el dólar hacía que el volumen de creación monetaria fuera determinado por el stock de divisas existente. El banco central dejaba de ser el "prestamista en última instancia", rehusando refinanciar los créditos otorgados por los bancos cuando las entradas de dólares no eran suficientes ni podía financiar al Estado. Se trataba de una camisa de fuerza que impedía cualquier iniciativa. De hecho, se renunciaba a tener una política monetaria. A pesar de estas diferencias con la situación mexicana, la crisis de confianza afectó al sistema financiero argentino, creando en su propio sistema bancario problemas de una amplitud cuando menos tan importante como en el caso de México. El choque provocado por la devaluación mexicana de finales de 1994 redujo brutalmente la llegada de capitales extranjeros a Argentina. Los depósitos del sistema bancario disminuyeron 18 por ciento en tres meses y la contracción del crédito originó una caída de 4.4 por ciento de la producción, acompañada de un fuerte aumento del desempleo.[30] El *currency board* argentino resistió a la crisis mexicana, e incluso a la devaluación del real brasileño de inicios de 1999. No obstante, a pesar del apoyo masivo de la comunidad financiera internacional el *currency board* argentino no resultó viable en el largo plazo, pues, junto con la política económica neoliberal condujo a Argentina al precipicio.[31]

o francos a un tipo de cambio fijado por ley. Por su parte, el banco central estaba legalmente obligado a mantener una cantidad suficiente de la moneda del país colonizador para garantizar la convertibilidad de los billetes locales. Paul R. Krugman, *De vuelta a la economía de la Gran Depresión*, Norma, Argentina, 1999, p. 87.

[30] Michel Aglietta y Sandra Moatti, *Le FMI. De l'ordre monétaire aux désordres financiers*, Economica, París, 2000, p. 111.

[31] El plan de convertibilidad lo único que permitió fue acabar con la inflación. Dicho plan y la política ultraliberal implantada con el asentimiento del FMI *hicieron* que este país, cuyo nivel de vida supe-

En un segundo momento, la crisis se propagó a otros países situados fuera de América Latina. Entre ellos, India, Pakistán y Turquía fueron los más afectados. En este caso, se consideró que la pérdida de confianza en México había originado una nueva sensibilidad de los inversionistas a los riesgos corridos en todos los países emergentes. La desconfianza se propagó de mercado en mercado, afectando los eslabones más débiles del sistema financiero internacional. Los títulos se vuelven indiferentes ante una dinámica de duda que los contamina a todos. Como señala André Orléan,

> con la noción de confianza se reconoce la presencia en la evaluación financiera de una dimensión colectiva que hace del precio una realidad que no se reduce al juego mecánico de los fundamentales. El precio ya no es un simple reflejo de restricciones objetivas de escasez: pone igualmente en juego un *juicio colectivo*, el de la comunidad financiera que como tal constituye una totalidad activa, dotada de intereses y creencias más o menos fundadas.

En estas condiciones, "al igual que el contagio, la confianza (o la desconfianza) hace entrar en escena una adhesión colectiva a ciertas creencias, se propaga, da nacimiento a evo-

raba en 1948 al de Gran Bretaña, se encontrara en 2001 al borde del caos sumido en una terrible recesión: derrumbe financiero y bancario, desindustrialización masiva, desarrollo del desempleo y de la pauperización, multitud de monedas provinciales, trueque, pérdida de legitimidad del gobierno y del Estado, etcétera. Pierre Salama, "L'Argentine piégée par l'ultra-libéralisme", reporte de la FIDH, París, septiembre de 2002; Robert Boyer, "La crisis argentina: un análisis desde la teoría de la regulación", *Realidad Económica*, n. 191, noviembre-diciembre de 2002; Guillermo Vitelli, "La raíz de los males está en la política económica: una explicación de los resultados de la convertibilidad", *Realidad Económica*, n. 181, julio-agosto de 2001, y Jorge Schvarzer y Hernán Finkelstein, "Bonos, cuasi monedas y política económica", *Realidad Económica*, n. 193, enero-febrero de 2003.

luciones de precios desconectadas de los fundamentales y se autorrealiza".[32]

Resumiendo, las crisis financieras típicas de la última década del siglo XX se desarrollaron según una secuencia que comienza a ser bien conocida.[33] Todo inicia con una política clásica de estabilización con restricción del crecimiento monetario y reducción del gasto público. Ésta se acompaña de la privatización de las empresas públicas, la liberalización del sistema financiero y de los flujos de capital. A ello se agrega el uso de algún tipo de ancla para determinar el tipo de cambio o un tipo de cambio fijo. Las altas tasas de interés crean un diferencial suficientemente grande para atraer flujos de capital externo, ya que esto es muy redituable en condiciones de tipo de cambio semifijo. Los bancos liberalizados prestan hacia el interior y las empresas nacionales solicitan créditos en el exterior para evitar las altas tasas internas de interés, aunque esto aumenta su exposición al riesgo en moneda extranjera. La apreciación real del tipo de cambio debilita el sector externo, en tanto que las medidas para esterilizar los flujos de capital conducen a mayores tasas de interés, condiciones internas más débiles y mayores déficits, ya que los bonos públicos para esterilizar los flujos de capital se emiten con rendimientos elevados. Con el transcurso del tiempo, las cuentas externas o fiscales se descontrolan, y las condiciones internas se deterioran. Todo ello crea un ambiente propicio para que un incremento de las tasas externas de interés o una disminución en las internas conduzca a una salida de capitales, a un colapso del tipo de cambio, a pérdidas cuantiosas para los bancos y las empresas endeudadas en moneda extranjera. En un intento

[32] André Orléan, "Contagion spéculative et globalisation financière: quelques enseignements tirés de la crise mexicaine", en André Cartapanis (coord.), *Turbulences et spéculations dans l'économie mondiale*, Economica, París, 1996, pp. 39-40.

[33] Jan Kregel, "Flujos de capital, banca mundial y crisis financiera después de Bretton Woods", *Comercio Exterior*, enero de 1999, p. 11.

desesperado por cubrir las pérdidas, la demanda de divisas crea un desequilibrio importante y una caída libre de la moneda, provocando bancarrotas y quiebras bancarias.

Pero los países latinoamericanos no fueron los únicos forzados por el FMI y el Tesoro de Estados Unidos a abrir la cuenta de capital en el entendido de que esto facilitaría su desarrollo. Incluso a los países asiáticos que no tenían necesidad de capitales suplementarios en virtud de su tasa elevada de ahorro, se les impuso esta apertura. Para el premio Nobel de economía Joseph Stiglitz, dicha liberalización fue "el factor más importante en la génesis de la crisis".[34] Los promotores de la apertura de la cuenta de capital no habían percibido el carácter procíclico de los flujos de capital: salen de un país durante las recesiones, justo cuando más se les necesita, y entran durante las expansiones, exacerbando las presiones inflacionarias.

Los efectos de la afluencia de capitales y del boom bursátil sobre los países emergentes resultan sin duda del juego de opiniones que se expresan en los mercados y de la incertidumbre que pesa sobre las políticas económicas y las dinámicas macroeconómicas, pero responden también a las mutaciones de las finanzas internacionales operadas desde principios de los ochenta. Entre éstas, destaca el hecho de que el estatuto mismo de los movimientos de capitales se ha transformado. Considerados a principios de los cincuenta por el economista inglés James Meade como movimientos compensatorios, se vuelven ahora el elemento central de la economía internacional y relegan las transacciones corrientes a un papel secundario. El ejército de la especulación, compuesto principalmente por inversionistas institucionales, es capaz de desplazar grandes masas de capital, sacudiendo con violencia los tipos de cambio de los países emergentes con todas las consecuencias que ya conocemos.

[34] J. E. Stiglitz, *La grande désillusion*, cit., p. 138.

¿Qué hacer frente a la libre movilidad del capital?

Los flujos de capitales a corto plazo (el dinero especulativo) imponen enormes externalidades, es decir costos soportados por agentes diferentes a los prestamistas y los prestatarios. Cada vez que se constatan externalidades masivas se requiere la intervención del Estado, a nivel de los actores de los mercados financieros o del sistema fiscal.

En estas condiciones, el debate se orienta en el sentido de cómo controlar los mercados financieros. A este respecto, se ha propuesto aceptar la globalización pero controlando a los actores (inversionistas institucionales, bancos comerciales, empresas, gobiernos) gracias a un dispositivo prudencial que reduzca las asimetrías de información, impida los comportamientos generadores de riesgo y la propagación de accidentes financieros locales.[35]

Sin embargo, cuando las autoridades deben hacer frente a un inesperado flujo de capitales, en parte transitorio o que fluye demasiado rápido para ser absorbido de manera eficiente, se puede intervenir en tres niveles:[36]

- las autoridades pueden actuar con el propósito de moderar el efecto sobre el tipo de cambio gracias a la compra de divisas por el banco central, lo que aumenta el monto de las reservas (intervención no esterilizada);
- las autoridades pueden adoptar políticas de esterilización como las operaciones de mercado abierto para contrarrestar el efecto monetario de la acumulación de reservas en el primer nivel de intervención (intervención esterilizada);
- las autoridades pueden imponer restricciones a la afluencia de capital, como son las reservas obligatorias sin interés

[35] Jacques Léonard, "Mouvements de capitaux et instabilité financière internationale. Contrôle et prévention de risques", en J. Léonard (coord.), *Les mouvements internationaux de capitaux*, cit.

[36] R. Ffrench-Davis, *Macroeconomía, comercio y finanzas para reformar las reformas en América Latina*, cit., p. 114.

respecto a depósitos bancarios u otros créditos del exterior, y diversos tipos de controles cuantitativos como son requisitos en cuanto a periodos mínimos de vencimiento, volúmenes mínimos para las emisiones de bonos y reglas para la participación del capital extranjero en el mercado de valores.

A este respecto, la política seguida por los países latinoamericanos en la década de los noventa fue muy variada. Algunos países como Argentina eligieron un enfoque puro de mercado ante las entradas de capital, operando una intervención no esterilizada que implica una política monetaria pasiva y una fuerte revaluación del tipo de cambio. Otros como Chile mostraron una actitud más activa a través de una intervención esterilizada, que permitió practicar una política monetaria dinámica, evitando una expansión excesiva de la demanda agregada y una fuerte sobrevaluación del tipo de cambio. En este último país, la intervención esterilizada se complementó con medidas para restringir o disuadir ciertas entradas de capital (requerimientos de reserva para algunos créditos externos y diversos controles cuantitativos como periodos mínimos de vencimiento, volumen mínimo de emisiones de bonos, etcétera).[37] México, por su parte, adoptó una política intermedia entre la de Argentina y Chile. Se preocupó por hacer converger su inflación interna con la de Estados Unidos, sin llegar al extremo de fijar el tipo de cambio nominal como lo hizo Argentina. No obstante, el peso mexicano se revaluó de manera considerable en términos reales. Como todos sabemos, se logró una inflación de un dígito pero a costa de un déficit creciente en cuenta corriente que llegó a ser insostenible.

Tras las crisis financieras mexicana, asiática y rusa de la década de los noventa, el debate sobre las reformas al sistema monetario internacional ha seguido un nuevo cauce: en el centro de lo que se denomina pomposamente "la nueva arquitec-

[37] Ibid., pp. 193-95. Véase Barry Eichengreen, *Hacia una nueva arquitectura financiera internacional*, Oxford University Press, México, 2000, pp. 61-65.

tura financiera internacional" se encuentra la proposición de instaurar el célebre impuesto Tobin.

James Tobin presentó por vez primera su propuesta en 1972 en relación con el mercado del eurodólar, que dificultaba la autonomía monetaria nacional a ambos lados del Atlántico.[38] Para hacer frente a la movilidad creciente de los capitales, Tobin proponía "poner un poco de arena en los circuitos bien aceitados del mercado del eurodólar"[39] gracias a la instauración de un impuesto uniforme de, por ejemplo, uno por ciento sobre todas las conversiones al contado de una moneda en otra.

Tobin regresa al tema en 1978. Para él, el problema más importante a finales de los setenta es la excesiva movilidad de los capitales privados. Los intercambios monetarios transmiten perturbaciones que se originan en los mercados financieros. A este respecto, señala:

> Las economías nacionales y los gobiernos nacionales no son capaces de ajustarse a los movimientos masivos de capitales en los mercados cambiarios sin soportar infortunios ni sa-

[38] En efecto, el mercado del eurodólar unificó los mercados monetarios de Europa y de Estados Unidos. Los países europeos se quejaron amargamente de haber perdido la autonomía de su política monetaria. Incluso, la autonomía de la Reserva Federal disminuyó. Así, entre 1966 y 1969, periodo de dinero raro, las entradas de capitales a corto plazo retrasaron el alza de las tasas de interés. Los bancos aumentaron sus posibilidades de préstamo, pidiendo prestado en el mercado de los eurodólares. Durante los periodos de dinero fácil en Estados Unidos como durante el invierno 1971-1972, se constataron importantes salidas de capitales de corto plazo. En los dos casos los países europeos se quejaron. La escasez de dinero en Estados Unidos les impone la escasez y el dinero fácil en Estados Unidos inunda sus bancos centrales de dólares no deseados. James Tobin, *Retour sur la Taxe Tobin. Textos escogidos,* Confluences, Bègles, 2000, pp. 20-21.

[39] Ibid., p. 23.

crificar de manera significativa los objetivos de política nacional en materia de empleo, producción e inflación.[40]

Para superar esta situación se debería tender a una mayor fragmentación de la economía entre naciones o zonas monetarias que permitiera a sus bancos centrales y gobiernos una mayor autonomía, con políticas adaptadas a sus instituciones económicas y a sus objetivos específicos. Según Tobin, dicha fragmentación se lograría "poniendo un poco de arena en el engranaje de los mercados demasiado eficaces de las finanzas internacionales".[41] Más específicamente, propone que

> sea instaurado un impuesto internacional sobre las conversiones al contado de una moneda en otra proporcional al monto de la transacción. El impuesto desalentaría las idas y venidas financieras de corto plazo de una moneda a otra [...]. El impacto del impuesto sería muy leve para cambios permanentes de moneda o para haberes de vencimiento a largo plazo.[42]

Se trataría de una tasa uniforme, adoptada por todas las naciones y administrada por cada Estado en el interior de su territorio. El ingreso del impuesto podría ir al FMI o al Banco Mundial. Tobin termina su proposición señalando que los costos y distorsiones que genera son muy pequeños, comparados con los costos macroeconómicos mundiales de la libre movilidad.[43]

Veinte años después de su lanzamiento, el impuesto Tobin se

[40] Ibid., p. 31.

[41] Ibid., p. 32.

[42] Ibid., p. 34.

[43] Tobin precisa su propuesta en un artículo publicado el 22 de diciembre de 1992 por *The Financial Times* ("Tax the Speculators") y durante un coloquio sobre el impuesto Tobin organizado en 1995. A este respecto, véase Mahbub ul-Haq, Inge Kaul e Isabelle Grunberg (coords.), *The Tobin Tax Coping with Financial Volatility*, Oxford University Press, 1996.

puso en el centro del debate acerca de las reformas del sistema monetario internacional gracias a la asociación ATTAC.[44] En la proposición de ATTAC se trata de gravar con un impuesto de alrededor de 0.25 por ciento todas las transacciones cambiarias.[45] El objetivo de la asociación es doble: dificultar los movimientos de capitales especulativos y utilizar los ingresos así colectados para financiar la ayuda al desarrollo de los países pobres.

La aplicación del impuesto Tobin ha sido objeto de varias críticas, entre las que destacan las siguientes:

• *Factibilidad de su aplicación.* Algunos de sus detractores observan que si los gobiernos de los países donde se sitúan las grandes plazas financieras (Nueva York, Londres, Frankfurt, Tokio y París) donde se efectúan 80 por ciento de las transacciones de cambio lo aplicaran, dichas transacciones se desviarían hacia los centros *off-shore* (paraísos fiscales) donde el impuesto no sería percibido.[46]

Esta objeción ha sido seriamente cuestionada por Peter B. Kenen,[47] quien demuestra que aunque sería preferible, el impuesto no necesitaría ser aplicado por todos los países del mundo para ser factible. Bastaría con que fuera aplicado por las principales plazas financieras internacionales. Sin embar-

[44] La ATTAC (Asociación para una Imposición de las Transacciones Financieras y la Ayuda a los Ciudadanos) fue creada en 1998 a iniciativa del periódico francés *Le Monde Diplomatique.*

[45] Suzanne de Brunhoff y Bruno Jetin, "Taxe Tobin: une mesure forte contre l'instabilité financière", en François Chesnais y Dominique Plihon (coords.), *Les pièges de la finance mondiale,* La Découverte-Syros, París, 2000, y François Chesnais, *Tobin or not Tobin? Une taxe internationale sur le capital,* L'Esprit Frappeur, París, 1998.

[46] B. Eichengreen, *Hacia una nueva arquitectura financiera internacional,* cit., p 106, y Olivier Davanne, *Instabilité du système financier international,* Conseil d'Analyse Économique-La Documentation Française, París, 1998, pp. 46-47.

[47] Peter B. Kenen, "The Feasibility of Taxing Foreign Exchange Transactions", en M. ul-Haq, I. Kaul e I. Grunberg (coords.), *The Tobin Tax Coping with Financial Volatility,* cit., capítulo 4.

go, para evitar la evasión impositiva Kenen sugiere que las transacciones cambiarias fueran impuestas en el lugar de negociación en vez de en el lugar de registro de la operación. Además, el profesor de la Universidad de Princeton recomienda la introducción de una tasa impositiva punitiva (5 por ciento) para toda transacción de un país que rehúse aplicar el impuesto Tobin. Con ello, sólo las transacciones entre dos paraísos fiscales permitirían escapar a la tasa punitiva. Se necesitaría entonces que un número muy grande de bancos y otros agentes financieros decidieran migrar, para que las ventajas vinculadas a la evasión del impuesto compensen las desventajas, pérdidas ocasionadas por la fuerte liquidez y las economías de escala de las principales plazas financieras.

Tobin considera que los mecanismos propuestos por Kenen para evitar una posible evasión hacia los paraísos fiscales son satisfactorios. De cualquier modo, piensa que el peligro de que el impuesto que lleva su nombre provoque una migración masiva hacia paraísos fiscales como las islas Caimán ha sido exagerado. A este respecto, señala:

> Existen ya plazas financieras baratas para las operaciones financieras. Su atractivo no parece haber sido tan fuerte para sacar las actividades financieras de Londres, Tokio o Nueva York. Dudo que el impuesto sobre las transacciones las desplace.[48]

• *Innovación financiera.* Se ha evocado la posibilidad de escapar al impuesto Tobin sustituyendo las transacciones al contado en el mercado cambiario con productos derivados. A este respecto, Tobin responde diciendo que las operaciones a futuro y los swaps son tan parecidos a las operaciones al contado que deberían ser sometidos al impuesto. Para simplificar, los valores al contado de dichos contratos deberían ser impuestos en el momento de la firma. Asimismo, se ha mencio-

[48] J. Tobin, prólogo, ibid., p. XIV.

nado el problema de la sustitución, es decir que las transacciones fueran pagadas, por ejemplo, en bonos del Tesoro, o cualquier trueque de activos, en lugar de un intercambio de depósitos monetarios.[49] Esta eventualidad no le preocupa a Tobin, ya que considera que en el caso de los bonos del Tesoro se les podría aplicar el impuesto. En los otros casos, la probabilidad de remplazo es muy débil, ya que las transacciones se efectuarían a un costo tal que superaría el impuesto.[50]

- *Ineficacia del impuesto para atacar la especulación.* Este impuesto, al menos al nivel que se considera, bloquearía seguramente los movimientos de capitales de arbitraje, que se desplazan por algunas décimas o centésimas porcentuales de diferencia de precio. Sin embargo, no tendría ningún efecto sobre los movimientos a los que se ha asistido en todas las crisis recientes, en los cuales los capitales se desplazan debido a la anticipación de importantes variaciones porcentuales de precios. Son justo estos capitales denominados especulativos los que se pretende afectar con el impuesto Tobin.[51] Así por ejemplo, en el caso de la crisis financiera mexicana frente a una devaluación de 60 por ciento se habría requerido un impuesto Tobin superior a 23 por ciento para frenar la fiebre especulativa que provocó la crisis del peso. Los "granos de arena" del impuesto Tobin afectan el arbitraje que implica por lo general diferencias pequeñas en los precios inmediatos, pero son impotentes para contener los flujos especulativos que suponen diferencias relevantes en los precios. Más que afectar los flujos de capital especulativo, el impuesto Tobin arroja enormes granos de arena al engranaje de las operaciones de arbitraje y al comercio internacional real, restringiéndolas de manera significativa.

[49] Peter M. Garber, "Issues of Enforcement and Evasion in a Tax on Foreign Exchange Transactions", ibid., capítulo 5.

[50] J. Tobin, prólogo, en ibid., p. XV.

[51] B. Eichengreen, *Hacia una nueva arquitectura financiera internacional,* cit., p. 106. Véase Paul Davidson, "Are Grains of Sand in the Wheels of International Finance Sufficient to Do the Job When Boulders Are Often Required?", *The Economic Journal,* mayo de 1997.

Ante las supuestas o reales dificultades para introducir el impuesto Tobin, Barry Eichengreen recomienda el control de los flujos de capital siguiendo el ejemplo chileno:

> Un impuesto a los flujos de capital, similar al requisito de depósito chileno, tiene dos ventajas sobre un impuesto Tobin. Primera, se aplicaría a todas las operaciones financieras entre residentes y no residentes; por tanto, estaría menos sujeto a la sustitución de activos. Segunda, limitaría la vulnerabilidad de una nación frente a los efectos desestabilizadores de súbitos flujos de capital saliente no por medio del intento de recuperarlos, lo que sería poco eficaz, sino gravando el capital en su etapa entrante, cuando es menor el estímulo para la evasión.[52]

Por otro lado, el éxito alcanzado por Malasia utilizando el control de los flujos de capital como mecanismo para superar la crisis ha legitimado esta política, rechazada hasta hace poco tiempo de manera vigorosa por la mayoría de los economistas.[53]

Sin embargo, el control del flujo de capitales está lejos de haberse generalizado y se limita al caso aislado de algunos países y de manera temporal. La reticencia para la instauración y generalización de dichos controles se sitúa más bien a nivel ideológico y político (interno y externo).[54]

[52] B. Eichengreen, *Hacia una nueva arquitectura financiera internacional*, cit., pp. 107-108.

[53] Contra la opinión del FMI, Malasia introdujo en 1998 el control de capitales durante doce meses, lo que le permitió superar la crisis económica más rápidamente. Para Stiglitz, esto permitió junto con otras medidas (reestructuración de bancos, empresas, etcétera) que unos años después Malasia se encontrara en una mejor situación que los países que siguieron los consejos del FMI. J. E. Stiglitz, *La grande désillusion*, cit., pp. 165-70.

[54] Benjamin J. Cohen, "La question du contrôle des mouvements de capitaux", *Revue Économique*, marzo de 2001.

A nivel ideológico, se considera que los gobiernos pueden vacilar en utilizar los controles de capitales u otras restricciones como el impuesto Tobin, ya que esto correría el riesgo de ser percibido como una violación de los valores económicos fundamentales del Consenso de Washington. No olvidemos que la libre movilidad de capital representa un componente esencial del dicho consenso, y su ausencia representaría una forma atentatoria a la libertad que deberían tener los individuos de colocar su dinero donde mejor les parezca.

A un nivel más profundo, la renuencia a controlar el flujo de capitales nos remite a factores políticos internos y externos. Entre los factores políticos internos hay que considerar la fuerza política de todos aquellos que se benefician de la ausencia de controles (grandes empresas industriales y comerciales que obtienen préstamos internacionales en mejores condiciones que en los mercados domésticos, instituciones financieras o individuos afortunados que colocan sus recursos líquidos ahí donde el rendimiento ponderado por el riesgo les parece más prometedor), y que hacen todo lo que está a su alcance para impedirla. Entre los factores políticos externos hay que contar con Estados Unidos, que tiene un fuerte interés en extender la libertad de los movimientos de capitales en el mundo, con los bancos de Wall Street, las sociedades de colocación de fondos y las empresas multinacionales que desean ampliar sus negocios en los países emergentes. Mientras el poder de los que sacan partido de la liberalización de los movimientos de capitales supere el de los que podrían resultar beneficiados con su control (sindicatos, bancos locales, agentes endeudados), la situación no mejorará y habrá que continuar contentándose con la intervención *ex post* del prestamista en última instancia para detener el pánico y restaurar la confianza en todos los mercados contagiados por la crisis.

5. Del desarrollo "hacia adentro" al desarrollo "hacia afuera" en México

El desarrollo "hacia adentro"

A partir de los años cuarenta, México, como muchos otros países latinoamericanos (Argentina, Brasil, Chile, Colombia y Uruguay), siguió un modelo de desarrollo "hacia adentro" con el propósito de edificar un sector industrial para satisfacer las necesidades del mercado interno. El inicio de la política proteccionista mexicana puede situarse en 1947, cuando el gobierno comienza a establecer restricciones cuantitativas a las importaciones y a sustituir con tarifas *ad valorem* las específicas existentes.[1]

Aunque el FMI favorecía la política hacia el exterior como solución a los problemas de los países latinoamericanos, la CEPAL defendía el desarrollo hacia adentro. Los argumentos en favor del desarrollo hacia adentro o de lo que se conoce como la Industrialización Sustitutiva de Importaciones (ISI) pueden clasificarse en argumentos de orden externo y de orden interno.[2]

Los argumentos de *orden externo* en favor de la industrialización sustitutiva de importaciones se basan en una crítica de la teoría estática de la especialización (Ricardo, Heckscher-

[1] Enrique Cárdenas, "Lecciones recientes sobre el desarrollo de la economía mexicana y retos para el futuro", *México, transición económica y comercio exterior*, cit., p. 64, y Víctor Bulmer-Thomas, *La historia económica de América Latina desde la independencia*, Fondo de Cultura Económica, México, 2000, capítulo 9.

[2] Eliana Cardoso y Ann Helwege, *La economía latinoamericana. Diversidad, tendencias y conflictos*, Fondo de Cultura Económica, México, 1993, pp. 90-97, y Patrick Guillaumont, *Économie du développement*, t. III, Presses Universitaires de France, París, 1985, pp. 166-68.

Ohlin, Samuelson) y de los efectos dinámicos esperados de las exportaciones. A este respecto se destacaba:

• *la inestabilidad de los precios de los productos primarios* que vuelve arriesgado concentrar las exportaciones en este tipo de productos;

• *el deterioro de los términos de intercambio de los países subdesarrollados,* resultado de la menor elasticidad del ingreso de los productos primarios (Ley de Engel), la superioridad tecnológica de los países industriales (sus exportaciones incorporan progresos tecnológicos) y la diferencia de estructura de los mercados laborales entre los países industriales y los países subdesarrollados;[3]

• *los déficits de la balanza de pagos,* que pueden solucionarse más fácilmente en el corto plazo al bloquear las importaciones que alentando a los productores a incrementar sus exportaciones. Se considera que una devaluación real tendrá un efecto mínimo sobre la balanza comercial, tanto más que las exportaciones de los países subdesarrollados enfrentan las restricciones proteccionistas de los países industrializados.

Entre los argumentos de *orden interno* en favor de la industrialización sustitutiva de importaciones, se destacaban:

• *el desempleo* que incita a crear empleos donde a primera vista resulta más fácil, es decir, produciendo los bienes importados. Como lo hacía notar Hirschman,[4] la importación cons-

[3] Según Prebisch, en los países industrializados el progreso técnico conduce a ingresos más altos de los factores y no a menores precios de las exportaciones. En los países subdesarrollados, debido al desempleo y a sindicatos que no cumplen su función de defender a los trabajadores, los aumentos de productividad no se traducen en salarios más elevados, sino en precios más bajos. En esas condiciones, un aumento de la productividad beneficia a los consumidores extranjeros y no a los productores de los países subdesarrollados.

[4] Albert O. Hirschman, "The Political Economy of Import-Substituting Industrialization in Latin America", *The Quarterly Journal of Economics,* febrero de 1968.

tituye un estudio de mercado gratuito. Se trata, entonces, de recuperar un mercado;

- *la industria naciente* que hay que proteger en sus inicios para que adquiera la experiencia necesaria para ser competitiva, y quizá con el tiempo pueda exportar su producto;
- *la naturaleza dinámica de la dotación de recursos* obligaba a los gobiernos a ofrecer incentivos como protección y financiamiento. Se trataba de atraer inversiones en fábricas y equipo, modificando la dotación en recursos de los países subdesarrollados de pobres en capitales a ricos en capitales;
- *la integración de la economía* gracias a un crecimiento diversificado. La sustitución comenzaba con las actividades finales y remontaba progresivamente la cadena productiva. La integración vertical prosigue a la integración horizontal.

En México, argumentos como los mencionados fueron utilizados durante la década de los cincuenta y los sesenta para aumentar las tarifas arancelarias, extenderlas a un número cada vez mayor de bienes (sobre todo manufacturados), y finalmente sustituirlas por cuotas o restricciones cuantitativas a la importación. Así, a medida que surgían empresas nacionales o multinacionales extranjeras dispuestas a producir los bienes importados, se cerraban las fronteras para impedir la importación de dichos bienes.[5] Los bienes de capital o los intermedios que no se producían a nivel interno había posibilidades de adquirirlos en el exterior. En estas condiciones, a principios de los años setenta todos los bienes importables estaban suje-

[5] Aunque México reservó muchos sectores al capital nacional (por ejemplo petróleo, banca, seguros y transportes) alentó a las empresas multinacionales extranjeras a invertir en las manufacturas. Las empresas multinacionales, sobre todo estadounidenses, llegaron a América Latina a donde se les invitaba para aprovechar su capacidad tecnológica, su habilidad gerencial, sus técnicas de marketing y su acceso al financiamiento. Para dichas empresas el acceso a América Latina significaba "saltar" la alta muralla arancelaria y aprovechar un mercado cautivo al que ya habían estado exportando.

tos a alguna barrera arancelaria o no arancelaria, y la mayor parte tenía que enfrentar controles cuantitativos.

Diversos estudios sobre la industrialización sustitutiva de importaciones mostraron que ésta alcanzó más rápidamente el sector de bienes de consumo que el de bienes intermedios, y este último más pronto que el de bienes de capital. De hecho, la sustitución de importaciones fue una fuente de crecimiento en algunos sectores de tecnología simple, que requirieron mercados estrechos y gozaron por lo general de una protección elevada. Una vez que estos sectores se "ocuparon", el crecimiento comenzó a enfrentar obstáculos como oportunamente lo hizo notar la literatura sobre el desarrollo, incluyendo la misma CEPAL.[6] Se trataba de una industrialización limitada, superficial, sin que se establecieran vínculos hacia atrás.

La limitación de la sustitución a ciertos sectores o actividades situados por lo general al final de la cadena productiva (bienes de consumo final) sin que el proceso se prosiga hacia atrás, hace que la actividad industrial permanezca dependiente del exterior para su aprovisionamiento en bienes de capital y en bienes intermedios. Se produce más bien una sustitución *en-*

[6] Maria Conceiçao Tavares, "Auge y declinación del proceso de sustitución de importaciones en el Brasil", *Boletín Económico de América Latina,* vol., IX, n. 1, marzo de 1964; Santiago Macario, "Proteccionismo e industrialización en América Latina", *Boletín Económico de América Latina,* vol. IX, n. 1, marzo de 1964; Raúl Prebisch, *Hacia una dinámica del desarrollo latinoamericano,* Fondo de Cultura Económica, México, 1963, y J. Little, T. Scitovsky y M. Scott, *Industry and Trade in Some Developing Countries,* Oxford University Press, 1970. En el caso de México, Nacional Financiera y la CEPAL fueron las primeras instituciones que llamaron la atención sobre el agotamiento de la primera fase de la sustitución de importaciones y las debilidades asociadas a la escasa integración vertical de los eslabonamientos industriales, sobre todo en la fabricación de bienes de capital, y a los rezagos en materia de productividad y competitividad internacional. Nacional Financiera-CEPAL, *La política industrial en el desarrollo económico de México,* México, 1971.

tre importaciones de tipo diferente que sustitución *de las* importaciones. A final de cuentas, debido a la evolución de la estructura de la demanda, puede acontecer que el coeficiente global de importación no disminuya o incluso aumente.

La dependencia que de lo anterior resulta no es inferior a la antigua. En efecto, la falta de divisas provocada por las dificultades de la balanza de pagos puede detener la producción o generar una subutilización del equipo,[7] de tal suerte que no sólo la oferta disminuya, sino que el empleo sea inestable y los costos de producción aumenten.

Los efectos del proteccionismo se hacen sentir sobre la estructura productiva, la estructura social, la distribución espacial de la población y las relaciones industriales.

1] *Efectos sobre la estructura productiva.* La estructura productiva resulta generalmente de una cierta estructura de la protección, que orienta la producción hacia los sectores protegidos.[8] La utilización de restricciones cuantitativas acentuaba el papel de la protección en materia de asignación de recursos. Como señalan los economistas conservadores J. Bhagwati y A. Krueger,[9] este papel difiere del de las tarifas, ya que en general las licencias de importación sólo son cedidas por el gobierno a los utilizadores reales y no pueden ser revendidas. Así, con el otor-

[7] En varios estudios sobre la industrialización mexicana realizados a principios de los setenta se constataba una importante subutilización de equipo en el sector industrial. Ibid., p 49, y David Ibarra, "Mercados, desarrollo y política económica", *El Perfil de México en 1980,* vol. I, Siglo XXI, México, 1971, p. 164.

[8] Dicho sea de paso, las empresas extranjeras se vieron obligadas a invertir en economías que hasta ese momento se aprovisionaban con importaciones, para preservar un mercado o conquistar el de un competidor. La protección atrajo los capitales extranjeros hacia los sectores protegidos, instalando lo que se denominaba como *tariff factories.*

[9] J. Bhagwati, *Anatomy and Consequences of Trade Control Regimes,* National Bureau of Economic Research-Ballinger, 1978, y A. O. Krueger, "Exchange Control, Liberalization and Economic Development", *American Economic Review,* mayo de 1973.

gamiento de licencias el gobierno decidía la estructura de la producción no sólo entre categorías de bienes sino entre productores. Entre los bienes se facilitó la importación de los que se consideraban esenciales (alimentos, bienes de capital e insumos intermedios) y se puso un freno a las importaciones de bienes de consumo final.[10] Entre los productores, el poder burocrático prefirió, mediando muchas veces la corrupción, a los mejor establecidos. Como es sabido, los burócratas aprovechaban ampliamente las oportunidades que se les presentaban de aumentar sus ingresos mediante sobornos por el otorgamiento de permisos de importación.

En este contexto, los efectos sobre la productividad de los recursos no se hacen esperar y se asiste a un hecho paradójico. En efecto, el argumento de la industria naciente señalaba que el objetivo de la protección era darle tiempo a la empresa para que adquiriera la experiencia necesaria para volverse competitiva y, con el tiempo, poder incluso exportar. Sin embargo, en muchos casos la restricción de la competencia generó el mantenimiento de situaciones adquiridas (rentas de situación), provocando una menor productividad y un desperdicio de recursos. En ese sentido, se ha considerado que el costo de la protección ha resultado menos de una mala asignación

[10] La protección efectiva tarifaria en México a finales de los sesenta fue de 129.2 por ciento para los bienes de consumo no durable, 86.7 por ciento para los bienes de consumo durable, entre 67 y 58.8 por ciento para los bienes intermedios y entre 29.6 y 10.1 por ciento para los bienes de capital. Estos datos de protección efectiva miden, siguiendo la metodología de Balassa, la ventaja otorgada al productor nacional al considerar el precio al que pueden obtenerse los bienes intermedios importados. Para un nivel determinado de protección nominal, cuanto menor sea la protección de los insumos de una industria, mayor será la tasa efectiva de protección. Por el contrario, si los insumos de una industria están muy protegidos, la tasa efectiva de protección de la industria podría ser baja, aun cuando sea alta la protección nominal. Bela Balassa, *The Structure of Protection in Developing Countries*, The Johns Hopkins University Press, Baltimore, 1971.

de recursos que de la ineficiencia resultante de los efectos de tranquilidad de la protección. En esa misma perspectiva, se considera que el modelo de industrialización sustitutiva de importaciones aplicado en México implicó una pauta de crecimiento extensivo, con una contribución declinante del crecimiento de la productividad total de los factores desde los años cuarenta hasta principios de los ochenta.[11]

La evidencia de la economía mexicana muestra que la protección elevada de los bienes producidos para remplazar las importaciones se acompañaba de una protección débil, y en algunos casos negativa, de las actividades de exportación. La relación de incitaciones relativas otorgadas a los dos tipos de actividad ilustra bien lo que se ha dado en llamar el *sesgo contra la exportación.*

La protección tal y como se practicó con tarifas y restricciones cuantitativas, perjudicó a la exportación de diferentes maneras: los exportadores soportaron las consecuencias de los costos de producción más elevados en los sectores que competían con las importaciones, sufrieron un tipo de cambio real que se sobrevaluó, lenta pero continuamente, entre 1955 y 1975 como respuesta a una inflación discreta, y que pudo mantenerse sobrevaluado por la protección. La penalización de las actividades exportadoras se constató en la agricultura.[12] El ti-

[11] Según A. Solimano, entre 1940 y 1980 la economía mexicana tuvo una tasa promedio de crecimiento anual del PIB de 6.2 por ciento obtenida gracias a la contribución de la acumulación de los factores (4.6 por ciento) y, en menor medida al aumento de la productividad total de los factores (1.6 por ciento). Andrés Solimano, "El crecimiento económico con diversas estrategias de desarrollo", en Andrés Solimano (comp.), *Los caminos de la prosperidad. Ensayos del crecimiento y el desarrollo,* Fondo de Cultura Económica, México, 1998.

[12] En la década de los sesenta la protección al sector primario se volvió negativa con tasas efectivas de -1.4 por ciento para la agricultura, la ganadería, la silvicultura y la pesca. Este resultado se explica por una menor protección nominal y un mayor costo de los insumos

po de cambio sobrevaluado redujo las ganancias de los exportadores de productos agrícolas y les dificultó la competencia con los importadores de alimentos baratos. Los efectos negativos sobre la agricultura se manifestaron en la estructura social.

2] *Efectos sobre la estructura social.* La protección provocó una distorsión en los precios relativos que actuó directamente sobre la distribución. Su principal efecto perverso fue favorecer a las categorías urbanas que realizaban actividades protegidas, en detrimento de las categorías rurales no protegidas y consumidoras de productos de sustitución más caros que los productos análogos de importación. A este respecto Little, Scitovsky y Scott subrayaron que el proteccionismo elevado provoca el deterioro de los términos de intercambio internos entre la agricultura y la industria. Este efecto favoreció el éxodo rural y desalentó la producción agrícola, incluso la de exportación. Esto último se vio reforzado por la existencia, como ya señalamos, de un tipo de cambio sobrevaluado que hacía que a un precio dado en moneda extranjera de los productos agrícolas exportados correspondiera un menor precio en moneda nacional y, por tanto, un menor precio pagado al productor. Al mismo tiempo, el precio en moneda nacional de los productos importados, consumidos en mayor proporción por las categorías urbanas, fue inferior a lo que sería al tipo de cambio de "equilibrio".[13] Además, la protección elevada favoreció

(sobre todo de los fertilizantes). Bela Balassa, "La política de comercio exterior de México", *Comercio Exterior*, marzo de 1983, cuadro 4.

[13] A largo plazo, los economistas consideran que el tipo de cambio tiende a converger a su nivel de equilibrio, pero a corto plazo, los tipos aparecen con frecuencia sub o sobrevaluados con respecto al "buen" nivel. La definición misma del tipo de cambio de equilibrio se enfrenta a muchas dificultades metodológicas. Cuando los capitales son poco móviles, los tipos de cambio buscan ajustar las balanzas de pagos y corregir las diferencias de inflación que originan los desequilibrios (teoría de la paridad del poder de compra). Cuando los capitales son móviles, los tipos de cambio reaccionan a las tasas de interés y, por tanto, a la política monetaria y a la elección del por-

a los beneficios con respecto a los salarios, asegurando una alta rentabilidad en los sectores protegidos.[14] Por todo lo anterior, se puede afirmar que la protección tuvo por efecto aumentar la desigualdad del ingreso personal y en términos de participación factorial. De un coeficiente de Gini de alrededor de 0.52 en 1950, se pasa a 0.56 en 1970 (entre 1968 y 1977 la desigualdad disminuye, como lo constata el coeficiente de Gini que se situó en 0.49 en 1977).[15]

3] *Efectos sobre la distribución espacial de la población.* La protección engendró un modelo de desarrollo regional en torno a las megalópolis.[16] En la medida en que el modelo económico

tafolio de los agentes (teoría de la paridad de las tasas de interés). Por último, el tipo de cambio puede también intentar corregir los desequilibrios macroeconómicos y las diferencias de coyuntura.

[14] No obstante, hay quien considera que la legislación laboral mexicana (artículo 123 constitucional y la Ley Federal del Trabajo) operó como un mecanismo para que los trabajadores se apropiaran, gracias a las disposiciones sobre el reparto de utilidades, de una parte de las ganancias extraordinarias obtenidas por los empresarios gracias a la protección y otro tipo de subsidios. Isaac Katz, "El impacto regional del Tratado de Libre Comercio", en Beatriz Leycegui y Rafael Fernández de Castro (coords.), *¿Socios naturales? Cinco años del Tratado de Libre Comercio de América del Norte*, ITAM-Miguel Ángel Porrúa, México, 2000, pp. 160-61.

[15] El coeficiente de Gini tiene un valor de 0 en el caso de igualdad completa (por ejemplo cuando todos los individuos reciben el mismo ingreso) y de 1 en el caso de desigualdad completa (por ejemplo cuando todo el ingreso va a un solo individuo). A título comparativo, el coeficiente de Gini en Europa occidental se sitúa entre 0.3 y 0.4. Nora Claudia Lustig y Miguel Székely, "México: evolución económica, pobreza y desigualdad", en Enrique Ganuza, Lance Taylor y Samuel Morley (comps.), *Política macroeconómica y pobreza en América Latina y el Caribe*, PNUD-CEPAL-BID-Mundi-Prensa, Madrid, 1998, p. 583, y V. Bulmer-Thomas, *La historia económica de América Latina desde la independencia*, cit., p. 565.

[16] Isaac Katz, "El impacto regional del Tratado de Libre Comercio", en B. Leycegui y R. Fernández de Castro (coords.), *¿Socios na-*

implicaba una política de crecimiento industrial orientada hacia el interior en la que el mercado interno era el principal destino de la producción de las empresas del sector manufacturero, se incitó a las empresas industriales a instalarse en los grandes centros de consumo, provocando un crecimiento rápido de las ciudades. Como las empresas que producían los bienes de consumo manufacturero se instalaron en las ciudades, las empresas productoras de bienes intermedios utilizados en la producción de bienes de consumo hicieron lo mismo, reforzando el crecimiento urbano. En razón de lo anterior, se observa simultáneamente en las ciudades un crecimiento importante de los servicios comerciales, financieros y educativos. Esto alimentó un flujo continuo y creciente de población proveniente de sectores como el agrícola y el minero, que fueron penalizados por la protección otorgada al sector industrial. Además, en una economía proteccionista que abastecía casi exclusivamente el mercado interno, el sistema de transporte se limitaba a unir las grandes ciudades para facilitar el abastecimiento de bienes intermedios destinados a la industria manufacturera y poder encaminar los bienes hacia otros centros de consumo. Como era de esperarse, la construcción de la infraestructura de transporte aumentaba el efecto de atracción de las grandes ciudades. Como el costo unitario del transporte de bienes de consumo era relativamente elevado, las empresas tendían a instalarse cerca de los centros de consumo masivo, lo que aumentaba la concentración geográfica de la actividad económica.

4] *Efectos sobre las relaciones industriales.* El modelo de sustitución de importaciones generó en diferentes ámbitos territoriales (ciudad de México, Guadalajara, Puebla y Monterrey) una configuración productiva y de relaciones industriales calificada de cuasi fordista:

turales? Cinco años del Tratado de Libre Comercio de América del Norte, cit., pp. 137-39.

Producción en masa para consumo nacional, eslabonamientos productivos nacionales estables, un sistema de relaciones industriales con prerrogativas para el trabajo (negociación colectiva).[17]

No se califica plenamente de fordismo, ya que este último en su estado puro reposa no sólo sobre una producción masiva sino también sobre salarios elevados que permitan crear una demanda correspondiente.[18]

Pero este modelo económico, si bien constituyó el núcleo de la industrialización, no operó en forma pura. En 1965, con el fin del Programa de Braceros,[19] se introduce el Programa

[17] Tito Alegría, Jorge Carrillo y Jorge Alonso Estrada, "Reestructuración productiva y cambio territorial: un segundo eje de industrialización en el norte de México", *Revista de la CEPAL*, n. 61, Santiago de Chile, abril de 1997, p. 195.

[18] Henry Ford defendió la idea de pagar salarios elevados en la industria, compensados con una fuerte productividad, para proveer de mercados a una producción masiva. Él mismo instituyó en 1914 la participación de sus empleados en los beneficios de la empresa y el crédito a largo plazo, lo que permitiría que los obreros tuvieran un automóvil. Generalizando, "el fordismo" designa un periodo del capitalismo industrial en el que el auge de la producción está vinculado al alza de los ingresos salariales y el beneficio proviene de las cantidades vendidas en el mercado interno aunque el margen del beneficio unitario sea reducido. Héctor Guillén Romo, *Lecciones de economía marxista*, Fondo de Cultura Económica, México, 1988, pp. 395-409.

[19] Entre 1942 y 1947 los gobiernos de México y Estados Unidos firmaron varios acuerdos para permitir la migración temporal. Después de 1947, el gobierno de Estados Unidos continuó autorizando la migración temporal de trabajadores mexicanos. En 1951, ante un nuevo incremento de la demanda de trabajadores provocado por la guerra de Corea, se firma el Programa de Braceros para proteger las garantías económicas y sociales de los trabajadores mexicanos en Estados Unidos. Rudolf M. Buitelaar, Ramón Padilla y Ruth Urrutia, *Centroamérica, México y República Dominicana: maquila y transformación productiva*, Cuadernos de la CEPAL, n. 85, Santiago de Chile, 1999, p. 39.

de Industrialización Fronteriza.[20] Este programa implicaba una modificación periférica del modelo de industrialización hacia adentro, ya que impulsaba en la zona fronteriza una orientación hacia el mercado externo.[21] Se mantenía el compromiso de proteger a las manufacturas contra la competencia internacional, injertando en la sustitución de importaciones un nuevo conjunto de incentivos que hicieran posible la exportación de artículos manufacturados. En este sentido, la industrialización sustitutiva de importaciones coincide con lo que se ha denominado *la primera generación* de la industria maquiladora.[22]

[20] El Programa de Industrialización Fronteriza tenía por objetivo atraer la inversión estadounidense, buscando la creación de empleos, el mejoramiento del nivel de vida de la población fronteriza, la elevación del nivel de calificación de la mano de obra, el fomento de la industrialización gracias a la demanda de insumos de origen nacional y la reducción del déficit comercial. Ibid., p. 40.

[21] "Ante la preeminencia del modelo sustitutivo de importaciones, la industria maquiladora de exportación aparecía como un fenómeno eminentemente periférico, tanto por la magnitud que representaba en el contexto mexicano como por la intención misma de la política gubernamental que lo apoyaba" (T. Alegría, J. Carrillo y J. A. Estrada, "Reestructuración productiva y cambio territorial: un segundo eje de industrialización en el norte de México", *Revista de la CEPAL*, cit., p. 196).

[22] Bajo el término maquila se designa una fase del proceso productivo intensivo en el uso de mano de obra que las empresas de los países desarrollados transfieren a países donde los salarios son relativamente bajos. Por lo general, la mayoría de los bienes intermedios transformados provienen de las empresas matrices a las cuales retornan total o parcialmente terminados. Claro está que en el traslado a otros países se aprovechan facilidades arancelarias específicas del país emisor (Estados Unidos) e incentivos fiscales del país receptor (México). Esta situación se ha modificado con el TLCAN, ya que en dicho tratado se estipuló que desde el 1° de enero de 2001, México elimina los programas de importación temporal a tasa cero de insumos provenientes de otros países que no sean Estados Unidos o Canadá. Dicho de otra manera, los insumos provenientes de Asia o Eu-

Desde la introducción del Programa de Industrialización Fronteriza hasta los primeros años de la década de los ochenta, la industria maquiladora fue relativamente homogénea. Se observaba el predominio de plantas pequeñas y medianas de capital estadounidense en actividades de ensamble tradicional desvinculadas a nivel productivo de la industria nacional. El proceso de producción se limitaba al ensamble de partes provistas por la matriz extranjera. Los eslabonamientos productivos nacionales eran mínimos ante la incapacidad de los productores nacionales para competir con las importaciones en los mercados fronterizos por cuestiones de calidad y precio. Se utilizaba tecnología intensiva en el uso de mano de obra, sobre todo femenina, con baja o nula calificación, en un contexto caracterizado por la ausencia de organizaciones sindicales efectivas. En dichas plantas ensambladoras privaba una mayor preocupación por los volúmenes de producción que por la calidad del producto. Se trataba de producir masivamente productos estandarizados para mercados donde la competencia se realiza en función del costo. Las actividades más usuales a las que se abocaron las maquiladoras de primera generación fueron la industria electrónica y la rama de la confección. La mayoría de las plantas maquiladoras de esta primera etapa se localizaron casi exclusivamente en la frontera norte.[23]

El desarrollo de la industria maquiladora no fue la única desviación del modelo de industrialización sustitutiva. Los abundantes descubrimientos de petróleo durante los setenta fueron la base para un intento de reorientación del modelo de acumulación hacia una economía exportadora de petróleo. La economía mexicana se petrolizó en su estructura ex-

ropa usados en las maquiladoras son sujetos a impuestos de importación. En estas condiciones, los productores asiáticos y europeos se ven obligados a reubicar a sus proveedores en México o a adquirir los insumos que necesitan en empresas mexicanas, estadounidenses o canadienses.

[23] CEPAL, *México. La industria maquiladora*, Santiago de Chile, 1996.

portadora y en sus recursos fiscales con las consecuencias que todos conocemos.

En la época de la sustitución de importaciones, con la maquiladora y el petróleo como complementos, los resultados en materia de crecimiento fueron muy positivos. México creció a una tasa media anual cercana a 6.5 por ciento desde inicios de los cincuenta hasta principios de los ochenta. Sin embargo, los frutos del crecimiento estuvieron repartidos de manera muy desigual.[24]

Así, a principios de los ochenta la situación puede describirse de la siguiente manera: un modelo de industrialización sustitutiva dominante, con todo su dispositivo proteccionista vigente (la licencia para importar era casi universal en 1982), una industria maquiladora en gestación y una economía mexicana fuertemente petrolizada. Todo esto dentro de un sistema caracterizado por los neoliberales, según lo expresan Bourdieu y Wacquant,[25] como estatal, restrictivo, cerrado, rígido, petrificado, superado, arcaico, colectivista, artificial y autocrático. De cualquier manera, el modelo formaba parte de un proyecto de autodeterminación nacional en materia económica, financiera, tecnológica y política, siguiendo los lineamientos del nacionalismo revolucionario, en un contexto de guerra fría y de bipolarización entre Estados Unidos y la Unión Soviética.

[24] D. Félix y Van Ginneken estimaron un empeoramiento de la desigualdad del ingreso entre 1950 y 1975. Al comparar el coeficiente de Gini calculado por estos autores con el de los países desarrollados, Angus Maddison concluye que durante la industrialización sustitutiva "México es un país de profunda desigualdad". Angus Maddison et al., *La economía política de la pobreza, la equidad y el crecimiento: Brasil y México*, Fondo de Cultura Económica, México, 1993, pp. 213-14.

[25] Pierre Bourdieu y Loïc Wacquant, "La nouvelle vulgate planétaire", *Le Monde Diplomatique*, París, mayo de 2000.

El desarrollo "hacia afuera"

El modelo económico fue exitoso, al contrario de lo que a menudo afirman los neoliberales, que lo consideran hoy una aberración y lo condenan. Probó su utilidad durante varias décadas, protegiendo el desarrollo de una industria nacional y modernizando la economía mexicana. Modificó las ventajas comparativas en favor de las manufacturas y de las industrias que en su inicio eran incipientes. Sin embargo, desde principios de los ochenta ese modelo simplemente se agotó. Con la crisis de 1982, cuyos orígenes analizamos en su momento,[26] al fin se terminó por comprender que la protección plagó la industria nacional de problemas de ineficiencia, altos costos y baja competitividad.

La crisis de 1982 condujo a una ruptura radical con el modelo. En una primera etapa (1983-1985) se impulsa una política ortodoxa de estabilización macroeconómica, centrada en el control de los déficits y de la inflación. Pero a partir de 1985 se adopta, bajo la presión de la situación y del FMI, un nuevo modelo económico orientado hacia el exterior. Un componente clave de este nuevo modelo fue la apertura comercial. Las tarifas aduanales disminuyen rápidamente. Las restricciones cuantitativas y las licencias de importación desaparecen. El proceso de apertura unilateral se completa con el ingreso de México al GATT en 1986 y un poco más tarde, en 1994, con la entrada en vigor del Tratado de Libre Comercio de América del Norte (TLCAN). Se trata de implantar el proyecto neoliberal realizando no sólo la apertura comercial sino toda una serie de reformas "estructurales" (privatización, libre entrada de la inversión extranjera directa, desregulación, liberalización financiera, etcétera)[27] para facilitar "la evolución a una mayor integración con la economía mundial".[28] Para los reformado-

[26] H. Guillén Romo, *Orígenes de la crisis en México, 1940-1982*, cit.
[27] H. Guillén Romo, *La contrarrevolución neoliberal en México*, cit.
[28] OCDE, *Politiques de libre-échange au Mexique*, París, 1996, p. 10.

res neoliberales el objetivo era construir un sistema de mercado, libre, abierto, flexible, dinámico, novedoso, creciente, individualista, auténtico y democrático.[29] En pocas palabras, se trataba de incorporarse al proceso de globalización abandonando el proyecto de nación asociado a la sustitución de importaciones.

El lanzamiento del proyecto neoliberal en México tiene lugar en un momento en que el mercado mundial plantea nuevos requisitos. Se trata de responder pronto a una demanda que exige la reducción de los plazos de espera en el mercado y darle mayor importancia a la calidad sin descuidar los costos. Se verifica una mayor preocupación por la producción en lotes que por la producción en masa, y por la innovación del producto más que por la fabricación de productos estandarizados. Las grandes empresas asumen tales exigencias, transfiriéndolas a lo que se ha denominado como filiales maquiladoras de *segunda generación*.[30] En estas últimas se da un proceso de modernización productiva mediante la incorporación de nuevas tecnologías, la introducción de nuevas formas de organización del trabajo, el cambio en la administración de los recursos humanos y la transformación de las relaciones contractuales.

Estas maquiladoras de segunda generación, predominantes en la industria maquiladora desde principios de los ochenta, son principalmente extranjeras, sobre todo estadounidenses y en menor medida asiáticas. Operan utilizando mano de obra con estudios secundarios en la rama automotriz, electrónica y de la confección. Su integración a la industria nacional es baja, aunque se comienza a recurrir a proveedores nacionales. Las plantas se orientan menos al ensamble y más a los proce-

[29] P. Bourdieu y L. Wacquant, "La nouvelle vulgate planétaire", *Le Monde Diplomatique*, cit.

[30] R. M. Buitelaar, R. Padilla y R. Urrutia, *Centroamérica, México y República Dominicana: maquila y transformación productiva*, cit., pp. 50-52.

sos de manufactura con un mayor nivel tecnológico. Este tipo de plantas siguen coexistiendo con la industria maquiladora tradicional, imprimiéndole un perfil heterogéneo.[31]

Pero lo más novedoso es que la reestructuración industrial en México se está constituyendo en dos espacios territoriales diferentes y, en alguna medida, con trayectorias de desarrollo independientes: el espacio territorial de la industria implantada durante la industrialización sustitutiva en las zonas metropolitanas del centro del país y un nuevo espacio territorial en el norte.[32] Se considera que se trata de dos trayectorias de industrialización diferentes que operan de manera paralela pero con distintos procesos y formas de organización social de la producción.

El primer eje de industrialización se constituye en los estados del centro de México históricamente asociados a la sustitución de importaciones, pero sometidos a un intenso proceso de reestructuración resultado del nuevo modelo económico. Dicha reestructuración provocó cambios radicales, si bien se mantuvo

> la misma trayectoria: producción para el mercado nacional, pero bajo el modelo de apertura comercial y con orientaciones fuertes a la exportación; fortalecimientos de los eslabonamientos productivos nacionales de carácter competitivo, pero sustitución por insumos importados de aquellos que no cumplen con los requisitos de competitividad, debilitamiento de los sindicatos y de las prerrogativas del trabajo, pero mantenimiento de la negociación colectiva.[33]

[31] Paralelamente, se ha llegado a hablar del surgimiento de maquilas *de tercera generación* que emplean mano de obra con estudios universitarios orientada a actividades de diseño, investigación y desarrollo. Ibid., p. 52.

[32] T. Alegría, J. Carrillo y J. A. Estrada, "Reestructuración productiva y cambio territorial: un segundo eje de industrialización en el norte de México", *Revista de la CEPAL*, cit.

[33] Ibid., p. 195.

El segundo eje de industrialización, calificado de norteño fronterizo, se constituye en los estados del norte gracias al crecimiento de la industria maquiladora y a nuevas actividades manufactureras exportadoras realizadas por empresas multinacionales. La reestructuración productiva agravó los antiguos desequilibrios regionales, excluyendo aún más a los estados del sur del país, que habían sido marginados de la modernización propiciada por el modelo de industrialización sustitutiva. Este segundo eje opera desde su inicio con otra lógica: sin organizaciones sindicales efectivas salvo en casos excepcionales, con eslabonamientos productivos prácticamente nulos[34] y con mercados de trabajo locales que operan diferente, por ejemplo, con una utilización mayoritaria de mujeres.

Las cifras que presentamos a continuación permiten apreciar el éxito de México como exportador de productos manufacturados durante la década de los ochenta. En términos de valor corriente, las exportaciones manufactureras mexicanas aumentaron de manera considerable, pasando de 1 868 millones de dólares a 11 567 millones en el mismo periodo. Para el conjunto de América Latina las exportaciones manufactureras aumentan de 15 015 millones de dólares en 1980, a 38 330 en 1990. Como vemos, México participó con 41 por ciento del aumento del valor de las exportaciones manufactureras latinoamericanas en la década de los ochenta.[35]

La tasa de crecimiento anual de las exportaciones manufactureras a precios constantes en América Latina disminuye de 10.8 por ciento en la década de los setenta a 6.7 por ciento en la de los ochenta. México evoluciona a contracorriente de esta tendencia global para América Latina. De 4.2 por ciento

[34] Menos de 3 por ciento de los insumos usados por la industria maquiladora son comprados a proveedores nacionales.

[35] John Weeks, "El sector manufacturero en América Latina y el nuevo modelo económico", V. Bulmer-Thomas (comp.), *El nuevo modelo económico en América Latina. Su efecto en la distribución del ingreso y en la pobreza*, cit., p. 333.

de crecimiento anual de las exportaciones manufactureras mexicanas en la década de los setenta, se pasa a 13.2 por ciento en los ochenta.[36]

Por último, en tanto que las exportaciones manufactureras de América Latina como porcentaje del total de exportaciones se elevan de 17.9 por ciento en 1980 a 33.1 por ciento en 1990, para México en los mismos años se transita de 12.1 por ciento a 43.3 por ciento.[37]

Es importante preguntarse en qué ramas tuvo éxito el esfuerzo de la manufactura mexicana constatado en los ochenta. A este respecto, se ha señalado[38] que las tendencias del patrón comercial y de la estructura industrial constituyeron, salvo algunas excepciones, una extrapolación del pasado. Como al final del periodo sustitutivo, se constataba la importancia de los bienes intermedios pesados, de los bienes de consumo durable y de los bienes de capital. Para aquellos que esperaban, siguiendo la lógica ortodoxa de la teoría de la especialización en función de las capacidades productivas, una reorientación de las exportaciones hacia los bienes tradicionales con uso intensivo de mano de obra y recursos naturales, el resultado fue decepcionante. El auge de las exportaciones se realizó en las industrias manufactureras con uso intensivo de capital que se desarrollaron durante la sustitución de importaciones. Un tipo de cambio subvaluado y las reformas comerciales de mediados de los ochenta cayeron en un terreno fértil preparado por aquel modelo. En ese sentido, podemos considerar que la notable irrupción de las exportaciones manufactureras en los años ochenta constituye

[36] Ibid., cuadro 3, p. 336.

[37] Ibid, cuadro 4, p. 337.

[38] Jaime Ros, "México en los años noventa: '¿un nuevo milagro económico?' Algunas notas acerca del legado económico y de políticas de la década de 1980", en María Lorena Cook, Kevin J. Middlebrook, Juan Molinar Horcasitas (coords.), *Las dimensiones políticas de la reestructuración económica*, Cal y Arena, México, 1996.

un legado del periodo de sustitución de importaciones y subraya su éxito de manera muy real: a pesar de sus costos produjo un cambio irreversible en la estructura de ventajas comparativas de la economía.[39]

Los datos de la década de los noventa confirman el éxito exportador de México.[40] El Índice de Especialización Tecnológica (IET) del país aumenta de 0.650 en 1985, año de la apertura, a 1.582 en 1998.[41] Esta última cifra es superior a la de los países del Mercosur (0.343), a la del conjunto de América Latina (0.526) y de China (0.534), y similar a la de República de Corea, Hong Kong, Singapur y Taiwán (1.508).[42] Entre los países de América Latina y el Caribe, México es el que más aumentó su cuota en el mercado mundial pasando de 1.55 en 1985 a 2.24 en 1998.[43]

Si se agrupan México y el Caribe por un lado y América del Sur por el otro, podemos observar un contraste marcado en su desempeño comercial y en su competitividad internacional. En tanto que México y la cuenca del Caribe aumentan su participación en el mercado internacional de 2.1 a 2.8 por ciento entre 1985 y 1998, lo contrario acontece en América del Sur, cuya participación baja de 3.3 a 2.8 por ciento en esos mis-

[39] Ibid., p. 164.

[40] Michael Mortimore y Wilson Peres, "La competitividad empresarial en América Latina y el Caribe", *Revista de la CEPAL*, n. 74, Santiago de Chile, agosto de 2001.

[41] El Índice de Especialización Tecnológica es la relación entre la cuota de mercado de un país o grupo de países en sectores de alta y mediana tecnología y su cuota en los de baja tecnología. Un valor superior a 1 indica que la cuota de mercado de un país o grupo de países en sectores de alta y mediana tecnología es mayor que su cuota en sectores de baja tecnología. Un aumento del índice en el tiempo indica un movimiento hacia cuotas de mercado relativamente mayores en mercados de alta y mediana tecnología. Ibid., p. 41.

[42] Ibid., cuadro 3, p. 41.

[43] Ibid., cuadro 4, p. 42.

mos años.[44] Mientras que esta última aumenta su participación en sectores poco dinámicos del comercio mundial (recursos naturales y manufacturas basadas en ellos), México y la cuenca del Caribe se especializan en manufacturas no basadas en recursos naturales y con un desempeño muy dinámico en el comercio mundial, como es el caso de la industria automotriz, la electrónica y la confección de prendas de vestir. Se trata sobre todo de exportaciones manufactureras ensambladas por filiales de empresas multinacionales para el mercado estadounidense, en el marco de los sistemas internacionales de producción integrada. En estas condiciones, México y la cuenca del Caribe hacen depender su crecimiento cada vez más de su integración a cadenas productivas globalizadas.

Como es evidente, el boom de las exportaciones manufactureras mexicanas incidió en la estructura de las exportaciones, que se despetrolizaron. En efecto en 1998, el 90.2 por ciento de las exportaciones fueron manufactureras, situación que contrasta con la que existía en 1982, cuando el petróleo representaba 80 por ciento de las exportaciones mexicanas.[45]

El éxito exportador está sin duda vinculado con los progresos realizados en materia de desarrollo tecnológico. A este respecto, el PNUD[46] calculó el Indicador de Desarrollo Tecnológico (IDT) para evaluar el nivel de innovación y de difusión de las tecnologías de un país, así como el grado de formación de las competencias humanas.[47] El Indicador de Desarrollo Tec-

[44] Ibid.

[45] B. Leycegui y R. Fernández de Castro (coords.), *¿Socios naturales? Cinco años del Tratado de Libre Comercio de América del Norte*, cit., p. 41.

[46] PNUD, *Rapport mondial sur le développent humain, 2001*, De Boeck Université, 2001, anexo 2.1.

[47] El Indicador de Desarrollo Tecnológico expresa la capacidad de participar en las innovaciones tecnológicas en la era de las redes. Se trata de un indicador compuesto que mide los logros y no las potencialidades. Su objetivo no es saber qué país ocupa el primer lugar en términos de desarrollo tecnológico, sino evaluar la participación de cada país en su conjunto en la innovación y la utilización de tecnologías.

nológico es un indicador compuesto que cubre varios aspectos: innovación tecnológica (número de patentes otorgadas por habitante y monto por habitante de regalías y de derechos de licencia recibidos del extranjero), difusión de tecnologías recientes (número de computadoras vinculadas a Internet por habitante y parte de las exportaciones de productos con contenido tecnológico intermedio o fuerte en la totalidad de las exportaciones), difusión de tecnologías antiguas (número de teléfonos fijos o celulares por habitante y consumo de electricidad por habitante) y competencias humanas (duración promedio de la escolaridad y tasa bruta de inscripción en la enseñanza superior en ciencias, matemáticas e ingeniería). El PNUD realizó un cálculo del indicador para setenta y dos países de los que se disponía de información aceptable. Los países fueron clasificados en cuatro grupos: líderes (IDT superior a 0.5), líderes potenciales (IDT comprendido entre 0.35 y 0.49), utilizadores dinámicos (IDT entre 0.20 y 0.34) y países al margen de las tecnologías (IDT inferior a 0.20). México forma parte del segundo grupo, el de los líderes potenciales, con un IDT de 0.389 que lo coloca en el lugar 32 de los países considerados, superando a todos los países de América Latina.

No obstante todos estos logros, el nuevo modelo económico ha sido incapaz de generar un crecimiento similar al de la industrialización sustitutiva de importaciones en el periodo 1950-1980. En efecto, la tasa de crecimiento del PIB entre 1990 y 2000 fue de 3.1 por ciento promedio anual, lo que representa menos de 50 por ciento de la tasa promedio anual constatada entre 1950 y 1980.[48] Esta incapacidad de alcanzar la tasa de crecimiento histórica resulta de una serie de características del modelo industrial exportador que analizamos a continuación.

[48] René Villarreal y Rocío Ramos de Villarreal, *México competitivo 2020. Un modelo de competitividad sistémica para el desarrollo*, Océano, México, 2002, p. 276.

Como lo han señalado René Villarreal y Rocío Ramos,[49] tres hechos caracterizan el nuevo modelo económico impulsado en México: su desarticulación, su concentración y su baja aportación tributaria.

1] *La desarticulación de los eslabonamientos productivos.* El modelo secundario exportador ha mostrado un gran dinamismo, al hacer que las exportaciones pasaran de 27 mil millones de dólares en 1990 a 166 mil millones de dólares en 2000. Este impresionante dinamismo se acompañó de un proceso de "sustitución de exportaciones", que llevó a las exportaciones manufactureras a representar cerca del 90 por ciento del total (145 mil millones de dólares), desplazando a los bienes primarios y petroleros. No obstante, el modelo secundario exportador, a pesar de ser dinámico, tiene un bajo poder de arrastre interno. Para el año 2000, del total de mercancías exportadas (166 mil millones de dólares), 66 por ciento (110 mil millones de dólares) son importaciones, y sólo 56 mil millones de dólares representan productos y componentes nacionales. Dos hechos explican este fenómeno: la industria maquiladora realiza cerca de 50 por ciento de las exportaciones totales (80 mil millones de dólares) y 55 por ciento de las exportaciones de manufacturas. De esos 80 mil millones de dólares, 62 mil millones corresponden a partes y componentes importados, por lo que la aportación neta de la maquila es de sólo 18 mil millones de dólares, sobre todo mano de obra, ya que los insumos nacionales –como vimos– representan menos de 3 por ciento. Por otra parte, las exportaciones manufactureras de la industria no maquiladora representaron 66 mil millones de dólares, pero tienen un fuerte contenido importado debido a la desarticulación de las cadenas productivas, resultante de una errónea política de apreciación cambiaria con respecto al dólar (alre-

[49] Ibid., pp. 19-21 y 241-50.

dedor de 28 por ciento en el año 2000)[50] y de la ausencia de política industrial.[51]

2] *La concentración de las ventas externas.* Trescientas grandes empresas realizan 95 por ciento de las exportaciones de las empresas no maquiladoras. Una parte importante de estas ventas corresponde al intercambio integrado dentro de redes globalizadas de producción y comercio, y a transacciones intrasectoriales o intracorporaciones. Esto ha posibilitado que las grandes empresas se consoliden fortaleciendo su capacidad competitiva y su penetración en los mercados internacionales. Por el contrario, las pequeñas y la medianas empresas se han visto marginadas del proceso de exportación. En efecto, el tránsito del proteccionismo al libre cambio se realizó abruptamente, colocando en una situación delicada a muchas pequeñas y medianas empresas, sobre todo en la rama de textiles, juguetes y alimentos. Se eliminó el excesivo proteccionismo sin darles a las pequeñas y medianas empresas las condiciones para resistir a la competencia externa, ya que se optó por la apreciación cambiaria y por una política industrial pasiva. La ausencia de crédito para las pequeñas y medianas empresas no ha hecho más que agrandar las dificultades iniciales resultantes de una exposición repentina a la competencia externa.[52] Por otra parte, México concentra su comercio exterior con Estados Unidos, en cuyo mercado realizamos cerca de 90

[50] En México se utilizó el tipo de cambio como ancla deflacionaria entre 1988 y 1994 bajo un régimen de *crawling peg* (paridad móvil). Dicha política terminó sobrevaluando el peso, lo que condujo a la maxidevaluación en 1995. Durante el periodo 1996-2001, el tipo de cambio real se ha apreciado a pesar de tener un régimen cambiario flexible (flotación independiente).

[51] Banco de México, *Informe anual, 2001*, cuadro A 56, p. 204.

[52] David Ibarra, "Nacional Financiera, un banco de desarrollo en metamorfosis" y "¿Es aconsejable una política industrial en México?", *Política y economía. Semblanzas y ensayos*, Miguel Ángel Porrúa, México, 1999.

por ciento de nuestras exportaciones e importaciones.[53] El crecimiento mexicano depende cada vez más de su integración a cadenas productivas estadounidenses globalizadas, con lo que nos volvemos fuertemente dependientes del ciclo de la economía estadounidense, como lo demostró la recesión de 2001 que se transmitió a nuestro país.[54]

3] *La baja participación tributaria.* El crecimiento jalado por las exportaciones[55] tiene una incidencia negativa a nivel tributario: las exportaciones no pagan el impuesto al valor agregado, por lo que no se generan ingresos tributarios con este estilo de desarrollo. Además, las importaciones de maquila están exentas de aranceles, y el resto paga aranceles muy bajos. Así, el crecimiento volcado al exterior, aunque es dinámico, no per-

[53] A pesar de que México ha firmado una gran cantidad de tratados de libre comercio con muchos países del mundo, incluso uno con la Unión Europea, el comercio exterior mexicano no se ha diversificado y se orienta cada vez más hacia Estados Unidos. En el caso del tratado con la Unión Europea por el momento no se han visto los resultados esperados. En efecto, con una sobrevaluación del peso mexicano de alrededor de 28 por ciento en los últimos años y una devaluación del euro desde su lanzamiento hasta principios de 2003 (de 0.84 a 1.08 euros por dólar) las empresas mexicanas enfrentan muchas dificultades para ganar mercados en Europa. Una baja sensible del dólar y del peso frente al euro permitiría quizá a México emprender su necesaria diversificación geográfica en materia de flujos comerciales en dirección de Europa.

[54] En efecto, en 2001 la economía mexicana se estancó con un crecimiento del PIB de 0.1 por ciento, marcando un fuerte contraste con el desempeño del año anterior, 7 por ciento. La desaceleración económica de Estados Unidos provocó una notable pérdida de dinamismo productivo. CEPAL, *Balance preliminar de las economías de América Latina y el Caribe*, 2001, p. 83.

[55] En 1999, cerca de 50 por ciento de la tasa de crecimiento del PIB real (3.7 por ciento) se explica por la demanda externa o exportaciones netas (1.8 por ciento). R. Villarreal y R. Ramos de Villarreal, *México competitivo 2020. Un modelo de competitividad sistémica para el desarrollo*, cit., p. 243.

mite elevar el coeficiente tributario. En tales condiciones, no es de extrañar que México tenga una de las más bajas cargas tributarias del mundo,[56] con consecuencias negativas en la formación de capital humano y físico.

En pocas palabras, una liberalización comercial brusca y no selectiva, una sobrevaluación cambiaria cercana a 30 por ciento y una ausencia de política industrial generaron una desprotección neta de la planta productiva nacional.

El sesgo antiexportador de la sustitución de importaciones es remplazado por el sesgo proimportador del modelo secundario exportador. Bajo el nuevo modelo económico se constata un decremento de la sustitución de importaciones y un aumento de la elasticidad-ingreso de las importaciones. Ambos hechos desempeñaron un papel central en el aumento del déficit comercial que estuvo en el corazón de la crisis financiera de 1994-1995.[57]

[56] Los ingresos tributarios de México, dejando de lado los correspondientes al petróleo, representan menos de 10 por ciento del PIB, una proporción deficiente en términos de los estándares internacionales (comparable a la de Haití y cerca de la mitad de la de Rusia). Marcelo M. Giugale, Olivier Lafourcade y Vinh. H. Nguyen, *México. A Comprehensive Development Agenda for the New Era*, The World Bank, Washington, D. C., 2001, p. 27.

[57] La participación de la producción de la industria manufacturera en la oferta total baja de 70 a 50 por ciento entre 1988 y 1998. Aunque la oferta total manufacturera sigue creciendo, las importaciones aumentan su participación en el total en detrimento de la producción interna. Por otro lado, la elasticidad-ingreso de las importaciones tiene un valor igual a 3, de tal suerte que si el PIB crece 1 por ciento, las importaciones lo hacen en 3 por ciento, generando déficit comercial. Este último fue de 56 mil millones de dólares entre 1989 y 1994. Aunque entre 1995 y 2000 el déficit comercial fue sólo de 7 mil millones de dólares, éste resulta de un déficit comercial del sector no maquilador de 69 mil millones de dólares, compensado con un superávit en la balanza comercial maquiladora de 62 mil millones de dólares; R. Villarreal y R. Ramos de Villarreal, *México competitivo 2020. Un modelo de competitividad sistémica para el desarrollo*, cit., pp. 245-46, y Banco de México, *Informe anual, 2001*, cit., cuadro A 56, p. 204.

Así, a pesar del éxito exportador del nuevo modelo económico, los problemas estructurales de la economía mexicana persisten: un crecimiento lento, un bajo coeficiente de inversión, una baja carga tributaria y un empeoramiento de la distribución del ingreso.[58] Aunado a esto, con el paso del modelo de la sustitución de importaciones al nuevo modelo económico se ha modificado, no siempre en el buen sentido, el papel de México en la economía mundial.

El lugar de México en la economía mundial

La participación de México en los intercambios corrientes mundiales ha *mejorado* entre 1967 y 1996. A nivel de los ingresos su participación pasa de 0.8 a 1.0 por ciento en el periodo. A nivel de los gastos, se eleva de 1 a 1.5 por ciento en esos mismos años.[59]

Para cada país se puede calcular el grado de apertura como la relación entre el promedio de sus ingresos y gastos corrien-

[58] Las cifras de la distribución factorial del ingreso en la economía mexicana muestran una disminución de la participación del trabajo en el ingreso entre 1983 y 1999. Por el contrario, la participación del capital aumenta en esos mismos años. Además, las cifras del INEGI referentes al ingreso corriente de las familias mexicanas muestran una tendencia al empeoramiento al pasar de la industrialización sustitutiva de importaciones al nuevo modelo económico. En efecto, entre 1977 y 1984, todos los sectores de la población mejoraron su participación en el ingreso, con la excepción de 10 por ciento de la población más pudiente. Por el contrario, entre 1984 y 1994 la situación se invierte. Todos los sectores de la población sufren una disminución en su participación en el ingreso, con la excepción de 10 por ciento más pudiente que la incrementa en más de 17 por ciento. Paul. A. Samuelson, William D. Nordhaus, Lourdes Dieck y José de Jesús Salazar (comps.), *Macroeconomía (con aplicaciones a México)*, McGraw Hill, México, 1999, pp. 122-23.

[59] G. Lafay, C. Herzog, M. Freudenberg y D. Ünal-Kesenci, *Nations et mondialisation*, cit., p. 88, cuadro 2.5.

tes, y su producto interno bruto. El cálculo puede efectuarse tomando como denominador el PIB en valor internacional, medido a precios nacionales y convertido en dólares al tipo de cambio corriente. Para el caso de México, la evolución es hacia el alza cuando se transita del modelo sustitutivo de importaciones al nuevo modelo económico, como lo expresan los siguientes porcentajes: 9.2 en 1967, 8.6 en 1973, 14.5 en 1980, 22.1 en 1986, 20.8 en 1991 y 35.7 en 1996. El grado de apertura de 1996, 35.7 por ciento, es superior a la media anual de ese año, 27.3 por ciento. Sin embargo, este resultado, denominado grado *aparente* de apertura, se encuentra sesgado por una distorsión monetaria. En efecto, la subvaluación del tipo de cambio reduce el PIB correspondiente y aumenta en consecuencia el grado de apertura del país, en tanto que la sobrevaluación actúa en sentido inverso.[60]

Un cálculo más significativo puede hacerse corrigiendo este sesgo. Se toma entonces en el denominador el PIB medido en paridad del poder de compra (PPC), expresado en dólares corrientes. En este caso, se obtiene el grado *real* de apertura para México, cuyo porcentaje evoluciona de la siguiente manera: 5.8 en 1967, 5.5 en 1973, 10.2 en 1980, 9.1 en 1986, 12.5 en 1991 y 18.4 en 1996. El alza del grado de apertura manifiesta una integración creciente de la economía mexicana a los intercambios internacionales, aunque el grado de apertura es inferior al grado de apertura mundial promedio (27.3 por ciento) y al de nuestros socios en el TLCAN (Canadá 48 por ciento y Estados Unidos 19.2 por ciento).[61]

La distribución geográfica de las exportaciones de mercancías a nivel mundial muestra el *dinamismo de las exportaciones mexicanas.* En 1967, éstas representaban 0.6 por ciento de las exportaciones mundiales de mercancías. Más adelante, dichas exportaciones pasan a representar los siguientes porcentajes: 0.9 en 1980, 1.1 en 1986, 1.2 en 1991 y 1.8 en 1996. Esta última

[60] Ibid., p. 90, cuadro 2.6a.

[61] Ibid., p. 91, cuadro 2.6b.

cifra ubica a nuestro país en el lugar 16 entre los exportadores mundiales.[62]

La distribución geográfica de las importaciones a nivel mundial muestra también la *fuerte integración de México al comercio mundial*. En efecto, en 1967 México realizaba 0.9 por ciento de las importaciones mundiales de mercancías, cifra que aumenta a 1.1 por ciento en 1980, a 1.4 por ciento en 1991 y a 1.5 por ciento en 1996.[63]

La participación más activa de México en el comercio mundial se ha visto acompañada de otras tendencias menos alentadoras.

A este respecto, la primera constatación es el *aumento de la participación de México en la estructura de la población mundial*: de representar 1.3 por ciento en 1960 se pasa a 1.5 por ciento en 1980, y a 1.6 por ciento en 1996. Este último porcentaje corresponde a 95.5 millones de mexicanos de una población mundial de 5 771.8 millones.[64]

La segunda constatación es una *disminución de la participación de México en la estructura de la producción mundial*. De representar 1.7 por ciento de la producción mundial en 1960, se pasa a 2.1 por ciento en 1973 y a 2.5 por ciento en 1980 en el ocaso del modelo de la industrialización sustitutiva. A partir de ahí, con la instauración del nuevo modelo económico la disminución comienza: 2.3 por ciento en 1983, 2.3 por ciento en 1991 y 2.2 por ciento en 1996.[65]

Por lo que toca a la *repartición geográfica del ingreso mundial la situación de México tampoco ha mejorado*. En el año 1996, el PIB mexicano era de 326 mil millones de dólares, el cual representaba el 1.1 por ciento de un PIB mundial evaluado en 29 334 millones de dólares. Si bien en 1960 el PIB mexicano representaba un porcentaje aún menor del PIB mundial, 1.0 por ciento,

[62] Ibid., p. 118, cuadro 2.13.
[63] Ibid., p. 121, cuadro 2.14.
[64] Ibid., p. 14, cuadro1.1.
[65] Ibid., p. 20, cuadro 1.2.

posteriormente mejora, pasando a representar 1.3 por ciento en 1973 y 1.8 por ciento en 1980, un poco antes del abandono de la estrategia de sustitución de importaciones. A partir de ahí, *se opera con el nuevo modelo económico una neta regresión* que sitúa el PIB mexicano en 0.9 por ciento del PIB mundial en 1986, aumentando a 1.4 por ciento en 1991, para volver a caer a 1.1 por ciento en 1996.[66]

Como sabemos, al dividir la producción real entre la población se obtiene el producto real por habitante, que como una *primera aproximación* puede considerarse como un indicador del nivel de desarrollo del país. Para 1996 éste se evalúa en 7 103 dólares, frente a una media mundial de 5 543 dólares, lo que lo sitúa en 128, siendo la base 100 la media mundial del año. A través del mismo cálculo, se obtiene 132 en 1960, 139 en 1973, y 162 en 1980. De ahí comienza, con el abandono del viejo modelo económico y la instauración de una nueva estrategia de crecimiento, *una fuerte regresión del nivel de desarrollo* de nuestro país relativa a la media mundial: 141 en 1986, 141 en 1991 y 128 en 1996.[67]

A fin de cuentas, con el abandono de la industrialización sustitutiva de importaciones y la instauración del nuevo modelo económico, México se encuentra en una situación en la cual dispone de una mayor parte de la población mundial, ha disminuido su participación en la estructura de la producción mundial y en la del ingreso mundial, sufriendo al mismo tiempo una regresión en términos de su nivel de desarrollo. Un balance del cual no deberían enorgullecerse los promotores del neoliberalismo mexicano.

[66] Ibid., p. 32, cuadro 1.4.
[67] Ibid., p. 24, cuadro 1.3.

6. El régimen macrofinanciero mexicano

Siguiendo a Hicks,[1] se hace a menudo la distinción entre una economía de endeudamiento (o de crédito) en la cual el financiamiento de la economía es esencialmente intermediado (con crédito bancario) y una economía de mercados financieros (o de fondos propios) en la cual priva el financiamiento desintermediado (con emisión de títulos en los mercados monetarios y financieros).

Varios criterios de distinción son enunciados para distinguir una economía de endeudamiento de una economía de mercados financieros.[2]

El primer criterio es el modo de financiamiento de la economía. En la economía de endeudamiento, el ajuste entre la capacidad y la necesidad de financiamiento se opera principalmente con un mecanismo de *financiamiento indirecto*, es decir, gracias a los intermediarios financieros bancarios y no bancarios. Por el contrario, en una economía de fondos propios predomina el *financiamiento directo* a través de los mercados de capitales.

El segundo criterio de distinción se refiere a la fijación de la tasa de interés. En una economía de endeudamiento, la tasa de interés es casi fija y determinada de manera *administrativa* por las autoridades monetarias (por lo general en función de un objetivo de tipo de cambio). En una economía de fondos propios, las tasas de interés constituyen auténticos precios de

[1] J. R. Hicks, *The Crisis in Keynesian Economics*, Basil Blackwell, Oxford, 1974.

[2] Christian Ottavj, *Monnaie et financement de l'économie*, Hachette, París, 1995, pp. 295-96, y Jean-François Goux, *Économie monétaire et financière*, Economica, París, 1998, pp. 124-25.

mercado, función de las ofertas y las demandas en los diferentes compartimentos del mercado de capitales.

Finalmente, el tercer criterio se refiere al papel del banco central como prestamista en última instancia. En una economía de endeudamiento, los intermediarios financieros obtienen muy fácilmente la moneda que necesitan del instituto de emisión gracias a un refinanciamiento automático. En este tipo de economía, los intermediarios financieros bancarios están estructuralmente endeudados con el banco central, quien está obligado a actuar como prestamista en última instancia. En una economía de fondos propios, los intermediarios financieros prestan si disponen de una base de moneda del banco central. En dicha economía, el banco central no está obligado a actuar como prestamista en última instancia. Sólo interviene si el sistema bancario se encuentra amenazado.

Se ha considerado la economía de endeudamiento como un *sistema cerrado* y la economía de fondos propios como un *sistema abierto*.[3] El sistema cerrado bloquea la propiedad del capital y el control administrativo de las empresas mediante mecanismos fuera del mercado, en la organización de los cuales el poder bancario desempeña un papel estratégico. El sistema abierto otorga al mercado un lugar importante en el acceso a la propiedad del capital y en el control de los equipos dirigentes.

En el sistema cerrado, característico de Alemania y Japón, se observa un número pequeño de sociedades cotizadas, una base de accionistas débiles y concentrados, un mercado de capitales poco líquido en el cual la propiedad y los derechos de control son poco negociados, una claridad y una transparencia de los derechos de los accionistas poco neta, un sistema de participaciones cruzadas relativamente complejo, un ambiente poco favorable a las ofertas públicas de compra hostiles[4] y un poder bancario fuerte.

[3] A. Orléan, *Le pouvoir de la finance*, cit., pp. 202-204.

[4] La oferta pública de compra es una operación lanzada por una empresa o por una persona sobre una sociedad para tomar el con-

En el sistema abierto, característico del mundo anglosajón, encontramos una gran cantidad de sociedades cotizadas, una base de accionistas numerosos y dispersos, un mercado de capitales líquido donde la propiedad y los derechos de control son con frecuencia negociados, claridad y transparencia de los derechos de los accionistas, separación de la propiedad y del control, pocas participaciones cruzadas, un medio ambiente donde las ofertas públicas de compra hostiles son frecuentes, así como un poder bancario débil.

Recientemente, se ha señalado[5] que la economía francesa y la mayor parte de las economías europeas cambiaron de régimen macrofinanciero desde inicios de los años ochenta. En efecto, se considera que éstas pasaron de un régimen de endeudamiento a un régimen de fondos propios, en el cual las empresas recurren menos al endeudamiento, financiándose sobre todo con sus fondos propios (ahorro y emisión de acciones).[6] Se trata de un cambio de lógica financiera de un sistema cerrado a un sistema abierto con profundas implicaciones económicas y sociales. En esta perspectiva, nuestro objetivo es analizar las transformaciones del régimen macrofinanciero mexicano durante la segunda mitad del siglo XX.

trol comprando sus acciones en la bolsa a un precio atractivo, superior al último curso. La oferta es amistosa si se hace con el visto bueno de la sociedad comprada y hostil en el caso contrario.

[5] Dominique Plihon, "L'économie de fonds propres: un nouveau régime d'accumulation financière", en F. Chesnais y D. Plihon (coords.), *Les pièges de la finance mondiale*, cit.

[6] En el año de 1998 los bancos de los países europeos de la OCDE (media no ponderada de Alemania, Francia, Italia, Reino Unido, Bélgica, Países Bajos, Suecia y Suiza) controlaban 48.5 por ciento de los activos financieros totales del sistema financiero, frente a 51.5 por ciento controlado por las otras instituciones financieras: compañías de seguros, sociedades de colocación de fondos, fondos de pensión, etcétera. OCDE, *Études économiques de l'OCDE. Mexique*, París, 2002, p. 118.

Del nacimiento del banco central al "desarrollo estabilizador"

Es en la Constitución de 1917 donde se comienzan a sentar las bases jurídicas del sistema monetario y financiero mexicano. En dicha Constitución se establece la creación de un banco único de emisión controlado por el Estado. Sin embargo, no es sino hasta 1925 que el Banco de México comienza a funcionar teniendo como principales atribuciones

> la emisión y regulación monetarias, el descuento de documentos mercantiles, la regulación de los cambios con el exterior y la realización de operaciones bancarias que requiera la Tesorería de la Federación.[7]

Para impedir un manejo político del banco, desde un principio se buscó dotarlo de autonomía frente al gobierno federal por lo que la ley prohibía el otorgamiento de crédito primario.[8]

En los hechos, el Banco de México comenzó a operar más como un banco comercial que como un auténtico banco central. La asociación de los bancos privados era voluntaria, y por tanto también lo era el encaje equivalente a 5 por ciento de los depósitos. Los billetes del banco central no tenían poder liberatorio ilimitado ni curso forzoso. En estas condiciones, pocos bancos privados se afiliaron, el descuento de documentos fue limitado y el banco realizaba directamente operaciones con el público.

Es en 1936 cuando el Banco de México comienza a funcionar como un auténtico banco central. Ese año se concede poder liberatorio ilimitado a los billetes y se decreta la circulación

[7] Antonio Ortiz Mena, *El desarrollo estabilizador: reflexiones sobre una época*, Fondo de Cultura Económica, México, 1998, p. 16.

[8] Sin embargo, no está de más señalar que en los años treinta las necesidades de industrialización del país volvieron imperioso el crédito primario del Banco de México, alejándose así temporalmente de una gestión ortodoxa del banco central.

forzosa. Asimismo, se volvió obligatoria la afiliación de los bancos comerciales al banco central, así como su participación en el encaje legal. A partir de ese momento, el banco central constituyó un sólido pilar del sistema financiero mexicano que alcanzó una gran madurez durante el llamado desarrollo estabilizador (1958-1970).[9]

En este periodo, el sistema bancario privado estaba basado en los principios de la separación entre el mercado monetario y el mercado de capitales, y el de la *especialización* de las instituciones. Existían seis tipos de instituciones financieras: bancos comerciales, instituciones de ahorro y préstamo, financieras, hipotecarias, bancos fiduciarios y bancos de capitalización y ahorro. Las tres primeras operaban en el mercado monetario aportando fondos de menos de 180 días y tomando participación en el capital de las empresas. Las tres últimas operaban en el mercado de capitales aportando fondos de más de 180 días gracias a bonos a largo plazo y obligaciones.

Aunque la ley estipulaba el principio de la especialización de las instituciones, en la práctica existía una estrecha relación entre los distintos tipos de instituciones financieras, llegando al extremo de que en algunos casos los bancos constituían sus propias financieras e hipotecarias. Esto de alguna manera prefiguraba la evolución posterior hacia la banca múltiple. Por otra parte, gracias a una serie de dispositivos instrumentados en los años sesenta y rompiendo con lo que habían sido los orígenes del sistema bancario mexicano, el gobierno promovió la mexicanización del sector bancario, reservando a los inversionistas nacionales la inversión en banca, seguros y finanzas.

Las tasas de interés eran determinadas por las autoridades monetarias, tanto del lado de los depósitos (tasa pasiva) cuanto de los préstamos (tasa activa). El crédito se orientaba de manera selectiva gracias a tres instrumentos: el encaje legal, las instituciones nacionales de crédito y los fondos de fomento.

El encaje legal era un mecanismo que obligaba a la mayo-

[9] Ibid., capítulo 5.

ría de las instituciones financieras (bancos comerciales, financieras e hipotecarias) a depositar en el Banco de México una parte de los recursos captados del público. El porcentaje de los depósitos sujetos a encaje legal variaba en función de las necesidades de financiamiento del sector público y de la meta de crecimiento de los agregados monetarios fijados por las autoridades.

Los recursos depositados en el Banco de México por concepto de encaje legal permitían regular la liquidez de la economía, ya que su aumento implicaba una reducción de la liquidez por la disminución del multiplicador bancario y viceversa. Por otra parte, una porción de los recursos se destinaba a gasto del sector público, permitiendo así un financiamiento no inflacionario de los moderados déficits que caracterizaron al desarrollo estabilizador. Además, una parte del encaje se destinaba a financiar los fondos de fomento.

Como las instituciones financieras percibían por los recursos de encaje legal depositados en el Banco de México una tasa de interés inferior a la que podían obtener mediante otro tipo de inversiones, el encaje constituía un impuesto que le permitía al sector público financiarse a bajo costo.[10] El efecto perverso de este mecanismo se volvió evidente: "Los bancos no desarrollaron suficientemente sus sistemas de análisis de crédito, ya que el encaje representaba una inversión totalmente segura que no requería de análisis de riesgo".[11]

Con el propósito de desarrollar sectores considerados como prioritarios o de alto beneficio social se permitía que los bancos cumplieran con el requisito de encaje legal otorgando créditos bajo condiciones de costo y plazo favorables a ciertos sectores. Este encuadramiento del crédito apoyaba la acción desarrollada por las instituciones nacionales de crédito

[10] No obstante, los requerimientos de reserva eran remunerados a una tasa suficientemente elevada para cubrir los costos financieros y administrativos de los bancos.

[11] Ibid., p. 130.

(Nacional Financiera, Banco Nacional Agropecuario, Banobras, etcétera) y los fondos de fomento[12] en favor de la agricultura, la industria mediana y pequeña, la exportación de productos manufacturados, el turismo, el desarrollo de la zona fronteriza y la vivienda de interés social.[13]

Aunque en muchos países del mundo se consideraba que los gobiernos debían ejercer un control directo sobre los bancos centrales, en México las autoridades financieras tenían una opinión contraria. A este respecto, Antonio Ortiz Mena, secretario de hacienda y artífice del desarrollo estabilizador, consideraba

> que para que los bancos centrales pudieran cumplir con sus funciones, principalmente las relativas a la estabilidad macroeconómica, era necesario que fueran independientes de los gobiernos.[14]

Sin embargo, esto no representaba un obstáculo para que el Banco de México desempeñara un papel indirecto como promotor del desarrollo económico. Así, Mario Ramón Beteta señalaba a principios de los años sesenta:

> El Banco de México, sin patrocinar una política crediticia inflacionaria o un deliberado financiamiento deficitario del sector público [...] no ha olvidado la promoción del desarrollo económico.
>
> Más específicamente, el Banco de México trata de

[12] Los fondos de fomento administrados en su mayoría por el Banco de México funcionaban como bancos de segundo piso, redescontando a tasas preferenciales los préstamos que los bancos otorgaban a sectores o regiones que se pretendía apoyar.
[13] Ibid., p. 130.
[14] Ibid., p. 116.

asegurar la estabilidad monetaria como estímulo al crecimiento general del país, sin pretender que tal estabilidad sea un fin en sí mismo, sino sólo un eficiente instrumento capaz de crear el ambiente adecuado para el desarrollo de la inversión pública y de la privada.[15]

Así, el sistema financiero mexicano de la época del desarrollo estabilizador es un sistema dominado por los bancos y con un mercado financiero muy rudimentario en el que predominaban los títulos gubernamentales de largo plazo y los bonos financieros. En estas condiciones, resultaba imposible realizar operaciones de mercado abierto y el Banco de México instrumentaba la política monetaria recurriendo a la intervención directa mediante topes a la tasa de interés, cambios en razón de requerimientos de reservas, controles cuantitativos del crédito y modificaciones a la tasa de remuneración de los depósitos. Es decir, se utilizan muchos de los instrumentos que autores como Shaw y McKinnon[16] atribuían a las economías sometidas a la represión financiera. A pesar de todo, el sistema financiero seguía consolidándose y apoyando a la economía como lo demuestra una serie de indicadores.[17]

[15] Mario Ramón Beteta, "El banco central como instrumento del desarrollo económico de México", *Comercio Exterior*, junio de 1961, p. 354.

[16] Edward S. Shaw, *Financial Deepening in Economic Development*, Oxford University Press, 1973; Ronald I. McKinnon, *Money and Capital in Economic Development*, Brookings Institution, Washington, D. C., 1973.

[17] Así, por ejemplo, el grado de intermediación financiera medido por la razón de M4 (el agregado monetario más amplio en México) al PIB pasa de 18 por ciento en 1960 a 35.9 por ciento en 1972. Sergio Ghigliazza, "El papel de la banca central en la modernización financiera", en Dwight S. Brothers y Leopoldo Solís (comps.), *México en busca de una nueva estrategia de desarrollo*, Fondo de Cultura Económica, México, 1992, p. 303. Por otro lado, el financiamiento bancario a la economía pasa de 22.2 por ciento del PIB en 1959, a 43.8

Los cimientos de la liberalización del sistema financiero

En la década de los setenta se llevan a cabo transformaciones institucionales muy importantes: creación de la banca universal, internacionalización de la banca mexicana y dinamización de los mercados bursátiles.[18] El punto de partida de dichas transformaciones lo constituye la creación de los grupos financieros. A este respecto, se trataba de legalizar una situación que en los hechos se venía dando desde los años cincuenta. En efecto, los bancos especializados habían comenzado a actuar espontáneamente de manera coordinada, formando redes financieras integradas. Por lo general, alrededor de un banco comercial líder del grupo se encontraba una financiera o una hipotecaria, y en el caso de los grupos más importantes, una aseguradora y otras instituciones. Pero la integración no se limitaba al nivel financiero. Los grupos financieros se integraban a grupos económicos más amplios.[19] Esta situación permitía que las instituciones financieras captaran el ahorro para dirigirlo a las empresas del grupo.

En esta situación, la reforma de 1970 a la ley bancaria confirmaba la existencia de redes financieras permitiéndoles consolidar sus operaciones pero imponiéndoles seguir una política financiera coordinada y garantizar mutuamente su capital. La reforma colmaba una laguna legal, pero favorecía a los grupos existentes en detrimento de los pequeños banqueros especializados que no disponían de los vínculos necesarios para formar un grupo. Este problema trata de superarse con la creación en 1974 de la banca universal, que sustituye a los grupos financie-

en 1970. A. Ortiz Mena, *El desarrollo estabilizador: reflexiones sobre una época*, cit., p. 138.

[18] Geneviève Marchini, *Libéralisation, diversification et internationalisation du système financier mexicain, 1983-1993*, tesis doctoral, Universidad de París 13, 1997, pp. 79-89.

[19] Gregorio Vidal, *Grandes empresas, economía y poder en México*, Plaza y Valdés-Universidad Autónoma Metropolitana, México, 2000.

ros recién legalizados. Esta reforma reservada únicamente a los intermediarios financieros existentes tenía como objetivo favorecer la competencia gracias a la fusión de bancos pequeños. Se trataba, en la óptica liberalizadora de Shaw y McKinnon, de reducir la segmentación de los mercados financieros, ampliando la gama de operaciones permitidas a los intermediarios.

La segunda transformación institucional importante se refiere a la autorización otorgada a los bancos en 1974 de intervenir en los mercados internacionales. A partir de ese año, los bancos pudieron abrir sucursales en el extranjero y participar en el capital de instituciones extranjeras. Esta ampliación de las operaciones en el extranjero de los intermediarios mexicanos no tuvo como contrapartida la apertura de los mercados financieros locales. Al contrario, estos continuaron cerrándose con la prohibición hecha en 1978 a las sucursales de los bancos extranjeros de operar con fondos de los residentes.

Por último, la transformación institucional se manifiesta en una diversificación de los instrumentos ofrecidos a los pequeños y medianos ahorradores, y de las fuentes de financiamiento de las empresas con el objeto de volverlas menos dependientes del crédito bancario. A este respecto cabe destacar la creación en 1975 de la Bolsa Mexicana de Valores a partir de una fusión de las bolsas de la ciudad de México, Guadalajara y Monterrey; la primera emisión de petrobonos y la primera emisión de Certificados de Tesorería (Cetes). La emisión de los Cetes tenía por objetivo aportar al mercado un instrumento líquido de deuda pública adaptado a la realización de operaciones de mercado abierto.

Las transformaciones institucionales fueron acompañadas de una reforma al mecanismo del encaje legal para volverlo más simple[20] y de una flexibilización de las tasas de interés. Estas últimas serán fijadas en función de las tasas de interés en el extranjero tomando en cuenta las anticipaciones del tipo

[20] G. Marchini, *Libéralisation, diversification et internationalisation du système financier mexicain, 1983-1993*, cit., pp. 91-93.

de cambio. Igualmente, se establece una estructura de tasas de interés, pagando una prima a los ahorradores dispuestos a sacrificar liquidez.

En la década de los sesenta, caracterizada por el doble fenómeno de la desintermediación financiera y de la fuga de capitales,[21] los esfuerzos realizados para desarrollar los mercados financieros no han transformado el régimen macrofinanciero mexicano. El sistema financiero continúa siendo dominado por los bancos. Varios indicadores corroboran este hecho.

En diciembre de 1982, la banca comercial disponía de 52.98 por ciento del capital contable del sistema financiero. La banca de desarrollo era propietaria de 27.65 por ciento de dicho capital. Así, el sistema bancario en su conjunto controlaba más de 80 por ciento del capital. Frente a esto, los intermediarios bursátiles eran propietarios sólo de 1.78 por ciento del capital contable. También cabe destacar la relativa debilidad de los inversionistas institucionales como las aseguradoras, que eran propietarias de sólo 11.78 por ciento del capital contable del sistema financiero.[22]

Si se desagrega el sector financiero en sector bancario y sector bursátil, se constata el predominio del primero en términos de su capacidad de captación de ahorro. En efecto, en 1982, mientras el sector bancario captaba recursos que representaban 29.28 por ciento del PIB, el sector bursátil sólo recibía 2.83 por ciento.[23]

Aunque los bancos captaron recursos muy importantes, las empresas no dispusieron de mecanismos de fondeo estables para financiar la inversión. Esto ocasionaba que la fuente principal de financiamiento de las empresas fueran los fondos internos.

[21] H. Guillén Romo, *Orígenes de la crisis en México, 1940-1982,* cit.

[22] G. Marchini, *Libéralisation, diversification et internationalisation du système financier mexicain, 1983-1993,* cit., p. 102.

[23] Bolsa Mexicana de Valores, *El proceso de globalización financiera en México,* Colección Planeación y Desarrollo de Mercado, México, 1992, p. 93.

Pero los bancos no sólo dominaban el sistema financiero en una situación de fuerte concentración,[24] sino que tenían una participación activa en el capital de otros intermediarios financieros y en empresas industriales y comerciales.[25] La inserción de los bancos en los grupos económicos daba lugar a una asignación preferencial del crédito (dentro de los límites permitidos por el sistema de canalización hacia determinadas actividades) hacia las empresas pertenecientes a estos últimos, en detrimento de las empresas independientes. Dicha asignación preferencial incluía tasas de interés más favorables, menores garantías de colaterales y una renovación automática de las líneas de crédito. En esas condiciones, los bancos terminan la década de los setenta y comienzan la de los ochenta engrosando grandes beneficios no sólo por la elevación del margen bancario, sino realizando jugosas operaciones en el mercado cambiario.

Así, el tránsito de una década a otra se opera con un régimen macrofinanciero próximo de una economía de endeudamiento, girando en torno a los bancos. Este régimen acompañó al modelo de industrialización por sustitución de importaciones, que mostraba importantes síntomas de agotamiento.

La nacionalización bancaria y el despegue de los mercados financieros

En el periodo que va de 1982 a 1987 se constatan dos fenómenos en apariencia contradictorios: la nacionalización bancaria y el despegue de los mercados financieros.

La nacionalización de los bancos[26] reforzó la represión finan-

[24] A inicios de los ochenta quince instituciones controlaban aproximadamente 90 por ciento del total de recursos del sistema financiero. Héctor González Méndez, "Algunos aspectos de la concentración en el sistema financiero mexicano", *Documentos de Investigación,* n. 34, Banco de México, marzo de 1981, p. 6.

[25] G. Vidal, *Grandes empresas, economía y poder en México,* cit., capítulo 3.

[26] Sobre las razones de la nacionalización véase H. Guillén Romo, *Orígenes de la crisis en México, 1940-1982,* cit., pp. 113-17.

ciera sin anular lo que desde una lógica neoliberal se calificaba como "proceso de modernización del sistema financiero". En efecto, la nacionalización de los bancos es seguida de la decisión de acabar con su participación en el capital de las empresas no financieras y de los intermediarios financieros no bancarios. Con ello, desaparece el grupo financiero-industrial y la noción de banca a su servicio. La política de reestructuración del sistema financiero aplicada desde 1983 tuvo como preocupación central el deseo del gobierno de mejorar su relación con el sector financiero privado, que había sido afectado con la nacionalización. Así, por ejemplo, las ventas de las participaciones de los bancos en el capital de otros intermediarios financieros favoreció abiertamente a los antiguos banqueros, que además habían resultado favorecidos con un cambio de método en el cálculo de indemnización de los accionistas.[27]

Bajo control estatal, el sistema bancario prosigue con su proceso de fusión-concentración, buscando economías de escala y sanear la situación financiera de algunos intermediarios. Este proceso se acompañó de una serie de medidas para mejorar la cobertura territorial del espacio nacional.

Varios hechos permiten caracterizar el sistema bancario del periodo 1982-1987:[28]

• la propiedad estatal de todos los bancos comerciales y de desarrollo, así como de algunas grandes empresas de seguros;

• el porcentaje del encaje legal que los bancos están obligados a depositar en el banco central disminuye de 50 al 10 por ciento del pasivo. Esta medida no significa una liberalización de los fondos bancarios dado que se acompaña de un aumento de las inversiones obligatorias, que pasan de 25 a 65

[27] G. Marchini, *Libéralisation, diversification et internationalisation du système financier mexicain, 1983-1993*, cit., p. 157.

[28] Ibid., pp. 155-98, y Sergio Ghigliazza, "El papel de la banca central en la modernización financiera" y Francisco Suárez, "Comentarios al artículo de Aristóbulo de Juan", en D. S. Brothers y L. Solís (comps.), *México en busca de una nueva estrategia de desarrollo*, cit.

por ciento del mismo pasivo. Un máximo de 45 por ciento de estas inversiones podía ser canalizado hacia el gobierno federal y las empresas y organismos públicos. Así, el crédito dirigido por intermedio del sistema bancario remplaza al encaje legal como mecanismo principal de financiamiento del déficit presupuestal. En la medida en que las reservas obligatorias son remuneradas a la tasa de mercado (o incluso más) y que se realizan operaciones de mercado abierto en un mercado bastante desarrollado para los Cetes, se cuenta con un mecanismo de sostén de los beneficios bancarios cuando se reduce la demanda privada de crédito. Así, cuando los bancos tenían un exceso de liquidez debido a la débil demanda de crédito del sector privado aumentaban sus depósitos en el banco central para asegurar un buen margen de rentabilidad. En estas condiciones, la tasa de remuneración de las reservas representaba un auténtico subsidio a los bancos;

• la determinación de la mayor parte de las tasas de interés activas y pasivas, así como las características de los instrumentos de ahorro ofrecidos por los intermediarios, son un atributo de las autoridades monetarias.[29] La política seguida en materia de fijación de tasas de interés no logró asegurar siempre un rendimiento real positivo a los ahorradores durante todo el periodo;

• a pesar de los diversos programas gubernamentales que permitieron la transformación de los pasivos expresados en divisas en deudas en pesos, numerosos deudores se encontra-

[29] La principal tasa de referencia para la determinación de las tasas de interés en el sistema financiero mexicano es desde 1978 la de los Cetes a 28 días. La tasa de los Cetes es la tasa piso de los depósitos bancarios y la referencia fundamental para fijar el CPP (Costo Promedio Porcentual). Si se toma en cuenta que debido a la vinculación con Estados Unidos se debe considerar la variación anticipada del tipo de cambio con el dólar, la secuencia de determinación de la tasa activa es la siguiente: Tipo de cambio anticipado–Tasa del mercado monetario (Cetes)–CPP–Tasa activa. La diferencia entre la Tasa activa y el CPP es el margen de intermediación bancaria.

ban a inicios del periodo que analizamos en una situación financiera muy precaria provocada por la gravedad de la crisis. Las medidas de apoyo a los deudores y la creación del Fondo de Apoyo Preventivo a las instituciones de banca universal (Fonapre)[30] contribuyeron a que el peso de los créditos dudosos disminuyera de 2.78 por ciento del crédito total en 1983, a 1.08 por ciento en 1987.[31] Pero no hay que perder de vista que la calidad del crédito mejoró porque una gran parte de los préstamos se canalizaban hacia el sector público;

- como el país en su conjunto, los bancos comerciales fueron sometidos a severas medidas de austeridad bajo la forma de reducciones de las remuneraciones reales del personal y limitaciones a los gastos comprendida la inversión física.[32]

Pero como ya mencionamos, el periodo 1982-1987 no se caracteriza sólo por la represión reforzada del sistema bancario, sino por el dinamismo del sector bursátil. En 1983, se inicia un proceso en el cual desde el gobierno se busca fortalecer a las instituciones financieras no bancarias con el propósito explícito de equilibrar un sistema financiero dominado por los bancos. Así, en este periodo, las casas de bolsa, ahora en manos privadas, ganan terreno. En efecto, la captación del sector bursátil pasa de 2.83 por ciento del PIB en 1982, a 10.66 en 1987. Al mismo tiempo, en el sector bancario la captación con respecto al PIB permanece prácticamente estable. De representar 29.28 por ciento en 1982, se pasa a 29.70 en 1987.[33] Así, aunque el régimen macrofinanciero mexicano continúa sien-

[30] Este fondo tenía como objetivo mantener la estabilidad del sistema bancario. Se financiaba con aportaciones de todos los bancos sin apoyo fiscal adicional.

[31] G. Marchini, *Libéralisation, diversification et internationalisation du système financier mexicain, 1983-1993*, cit., p. 188.

[32] Para un análisis detallado de la política económica en este periodo consultar H. Guillén Romo, *El sexenio de crecimiento cero. México 1982-1988*, cit.

[33] Bolsa Mexicana de Valores, *El proceso de globalización financiera en México*, cit., p. 93.

do dominado por los bancos, el sector bursátil atraviesa un auténtico *take-off*.

Este *take-off*, vinculado también al auge del financiamiento de la deuda pública a través de subastas de títulos públicos, se refleja en el comportamiento de los agregados monetarios. El medio circulante y los instrumentos bancarios pierden terreno en favor de los instrumentos no bancarios a corto plazo (Cetes, Tesobonos, Pagafes, Bondes, Papel Comercial) y de los instrumentos financieros de largo plazo.[34] Esta tendencia hacia la bursatilización del sistema financiero mexicano se confirma con fuerza hacia fines de los ochenta y principios de la siguiente década.

El fin de la represión financiera y la implantación de una economía de mercados financieros

Entre 1988 y 1994, el sistema financiero mexicano experimentó una profunda transformación. Los puntos más notables de dicha transformación son los siguientes:[35]

- una serie de medidas tendientes a permitir que los bancos emitan títulos a corto plazo a las tasas de interés del mercado y a que participen plenamente en los mercados de títulos es-

[34] En efecto, en 1982 el medio circulante y los instrumentos bancarios representan 89.5 por ciento del agregado monetario total, en tanto que los instrumentos no bancarios y los instrumentos financieros a largo plazo representan 10.5 por ciento del resto. Para 1987, el medio circulante y los instrumentos bancarios representan sólo 74.9 por ciento, en tanto que los instrumentos no bancarios y financieros a largo plazo aumentan su participación, representando 25.1 por ciento de los agregados monetarios. Nafinsa, *La economía mexicana en cifras*, México, 1990, p. 470.

[35] OCDE, *Études économiques de l'OCDE, 1994-1995. Mexique,* París, 1995, pp. 95-101; Pedro Aspe Armella, *El camino mexicano de la transformación económica,* Fondo de Cultura Económica, México, 1993, pp. 65-94, y G. Marchini, *Libéralisation, diversification et internationalisation du système financier mexicain, 1983-1993*, cit., capítulo III.

tatales (octubre-noviembre de 1988). Los mercados de títulos son afectados con la introducción de algunos productos derivados en 1992 y la creación, en 1993, de un mercado intermedio destinado a financiar las pequeñas y medianas empresas. De gran importancia son también las medidas de internacionalización de los mercados como la apertura de los mercados locales a los inversionistas extranjeros (1989-1990) y las disposiciones tendientes a permitir la emisión de títulos de las empresas mexicanas en el extranjero (1989);

- la liberación de las tasas de interés pasivas y activas de los bancos, y la eliminación de diversas restricciones en materia de asignación de crédito y de encaje legal (1989); posteriormente, la eliminación de las razones de liquidez (1991);
- la eliminación de las restricciones a las participaciones cruzadas para permitir la formación de grupos financieros integrados verticalmente que incluyan bancos, aseguradoras, casas de bolsa y otros establecimientos especializados (1989);
- una enmienda constitucional que permite la propiedad privada de los bancos, lo que preparó el terreno para una total privatización de los bancos comerciales entre 1991 y 1993.
- la adopción de las normas de fondos propios de los bancos prevista en el Acuerdo de Basilea. En 1993, se establece que los fondos propios alcancen como mínimo 8 por ciento de los créditos ponderados;
- una apertura importante y por etapas del sector financiero, intensificada desde enero de 1994 en el marco del Tratado de Libre Comercio de América del Norte (TLCAN). Con la entrada en vigor del Tratado, las instituciones financieras establecidas en Estados Unidos y Canadá pudieron beneficiarse del tratamiento nacional. Este tratamiento igualmente se aplicaba a las filiales en la zona del TLCAN de las sociedades madres exteriores a esta zona, de tal suerte que, por ejemplo, instituciones financieras europeas o japonesas podían entrar al mercado mexicano gracias a sus filiales en América del Norte. Sin embargo, una limitación rigurosa de partes del mercado se fijó para un periodo de transición, tanto

por institución como para las inversiones extranjeras en su conjunto.[36]

Todas estas medidas son complementadas con la decisión tomada en abril de 1994 de volver autónomo el Banco de México. Para ello el artículo 28 de la Constitución mexicana fue reformado. Dicho artículo señala:

> El Estado tendrá un banco central autónomo en el ejercicio de sus funciones y su administración. Su objetivo prioritario será procurar la estabilidad del poder adquisitivo de la moneda nacional, fortaleciendo con ello la rectoría del desarrollo nacional que corresponde al Estado. Ninguna autoridad podrá ordenar al banco conceder financiamiento.[37]

Así, en México, con la independencia del banco central se proclama la autonomía de la política monetaria con respecto al poder ejecutivo y se prohíbe el financiamiento monetario del gasto público. Con esta medida se pretende restringir el peso de la soberanía estatal en la gestión de la moneda central, y la política monetaria sale del campo de las elecciones democráticas.[38] Se trata de despolitizar la moneda con el pretexto de la

[36] Según el TLCAN, ningún banco extranjero podía controlar más de 1.5 por ciento del mercado y, a nivel global los inversionistas no podían poseer más de 8 por ciento del total de los activos del sistema bancario. Otra restricción importante en la versión inicial del TLCAN era la obligación para la institución financiera extranjera de poseer al menos 99 por ciento de las acciones ordinarias de la filial, lo que limitaba en buena medida las posibilidades de asociación. Fausto Hernández Trillo y F. Alejandro Villagómez, "Sector financiero y el TLCAN", en B. Leycegui y R. Fernández de Castro (coords.), *¿Socios naturales ? Cinco años del Tratado de Libre Comercio de América del Norte*, cit.

[37] Citado en Francisco Borja Martínez, "El nuevo régimen del Banco de México", *Comercio Exterior*, enero de 1995, p. 14.

[38] J. Sapir, *Les économistes contre la démocratie. Pouvoir, mondialisation et démocratie*, cit. p. 134.

credibilidad de las políticas antinflacionarias.[39] Al hacer esto se aísla la gestión monetaria de las exigencias de la soberanía política, reduciendo la moneda a un mero instrumento del mercado. En estas condiciones, nos alejamos por completo de la concepción dominante durante el desarrollo estabilizador que, como vimos, consideraba al banco central como un instrumento de desarrollo económico.

Con todas estas reformas, durante este periodo el encaje legal deja de ser una herramienta de política monetaria y se establece que el Banco de México la instrumentará casi exclusivamente mediante operaciones de mercado abierto. Éstas consisten en la compraventa de títulos gubernamentales (Cetes y otros instrumentos) por el Banco de México con el objetivo de influir sobre la cantidad de dinero en circulación, modificando la base monetaria.

La liberalización financiera originó un notable aumento de los instrumentos no bancarios líquidos y de los instrumentos financieros a plazo en los agregados monetarios. En tanto que M2 / PIB pasa de 22.3 por ciento en 1988 a 32.5 en 1993, M4 / PIB aumenta de 34.4 por ciento a 51.9 en esos mismos años.[40] En estas condiciones, el diferencial entre M4 y M2 crece significativamente: de representar 12.1 por ciento del PIB en 1988, pasa a 19.4 en 1993.[41]

Todo ello se manifiesta en una creciente bursatilización del

[39] A. Orléan, *Le pouvoir de la finance*, cit., pp. 249-53.

[40] La definición de M1 incluye todos los activos que son medios de pago (billetes, monedas y cuentas de cheques en moneda nacional y en moneda extranjera). M2 incluye M1 más los instrumentos emitidos por el sistema bancario con vencimiento hasta un año de plazo y aceptaciones bancarias. M3 incluye M2 más los instrumentos emitidos fuera del sistema bancario también con un vencimiento de hasta un año de plazo. Por último, M4 consiste en M3 más los instrumentos financieros con vencimiento mayor a un año.

[41] G. Marchini, *Libéralisation, diversification et internationalisation du système financier mexicain, 1983-1993*, cit., p. 264.

sistema financiero mexicano. En efecto, el sector bursátil gana terreno (ya que la captación representa en 1990 14.92 por ciento del PIB, porcentaje superior al de 1987) y el bancario lo pierde (con una captación de 25.77, porcentaje inferior al de 1987).[42] Aunque el sistema bancario continúa captando como ahorro una mayor proporción del PIB que el sistema bursátil, este último manifiesta un gran dinamismo, acercando –según algunos autores– el régimen macrofinanciero mexicano a un régimen de acumulación dominado por las finanzas, lo que conduciría a la economía a comportarse como una "economía casino".[43] Es en este contexto de creciente importancia de los mercados financieros que se da en los años noventa la crisis del sistema bancario mexicano.

La crisis del sistema bancario

En mayo de 1990, la Constitución es reformada para permitir la propiedad privada de las instituciones bancarias comerciales, eliminando los servicios de banca y crédito de la lista de actividades económicas exclusivas del Estado. Entre 1991 y 1993, se realiza la privatización total de los bancos comerciales. Como lo han demostrado diversos analistas, el proceso de privatización mostró serias limitaciones. Entre los criterios de selección de los grupos compradores no se privilegió la experiencia en el manejo de los asuntos bancarios, y en muchas ocasiones ni siquiera se aseguró la honestidad de los compradores.[44] Estos últimos pagaron por los activos, en algunos ca-

[42] Bolsa Mexicana de Valores, *El proceso de globalización financiera en México*, cit., 1992, p. 93.

[43] Pierre Salama, "Du productif au financier et du financier au productif en Asie et en Amérique Latine", *Développement*, Conseil d'Analyse Économique-La Documentation Française, París, 2000.

[44] Orlando Delgado Selley, "Crisis bancaria y crisis económica", en José Carlos Valenzuela (coord.), *El futuro económico de la nación*, Diana, México, 1997, p. 212.

sos recurriendo al crédito, precios elevados en relación a otras experiencias de privatización.[45] Con la idea de vender rápido y al mayor precio posible se estaban poniendo los cimientos de la futura crisis bancaria.[46]

En la fase que se abre con la privatización, el sector público deja de ser el principal utilizador del crédito bancario, que se canaliza con fuerza sorprendente al sector privado. El crédito se dirige sobre todo al consumo y a la inversión doméstica, así como al comercio y los servicios, actividades que la banca nacionalizada había soslayado. El crédito al sector primario y secundario perdió importancia en términos relativos. Por otro lado, la asignación de recursos no fue óptima, ya que la banca comercial acostumbrada a prestarle al sector público no disponía de un aparato adecuado de evaluación del crédito. Con la necesidad de recuperar los elevados montos invertidos en la compra de las instituciones los bancos prestaron desmesuradamente y con un bajo control de calidad de la cartera crediticia.[47] En efecto, los préstamos fueron concedidos a partir de hipótesis muy optimistas respecto a la capacidad de rembolso de los prestatarios y en un contexto financiero muy competitivo.

A pesar de su rápida expansión, el sector bancario mexicano daba muestras de un relativo atraso cuando se le comparaba con otros países de la OCDE.[48] Las cifras de 1993 revelaban costos de explotación relativamente elevados en los bancos mexicanos. Los márgenes netos de interés en 1993 y 1994 eran de más de 5 puntos porcentuales, contra un promedio de 2.6

[45] El precio obtenido por la venta de los bancos comerciales mexicanos representó 2.8 veces el valor en libros contra solo 2.2 veces en el caso de Estados Unidos y Europa. P. Aspe Armella, *El camino mexicano de la transformación económica*, cit., p. 181.

[46] Arturo Guillén R., *México hacia el siglo XXI*, Plaza y Valdés, México, 2000, p. 195.

[47] Fausto Hernández Trillo y Omar López Escarpulli, "La banca en México, 1994-2000", *Economía Mexicana*, CIDE, México, segundo semestre de 2001, p. 365.

[48] OCDE, *Études économiques de l'OCDE. Mexique*, 1995, cit., pp. 97-99.

puntos en los otros países de la OCDE para los que se dispone de cifras comparables. Además, los gastos de personal eran también ligeramente más importantes.

Por otro lado, en México como en otros países latinoamericanos se adolecía de un insuficiente desarrollo de las normas contables. De modo que a los depositantes les resultaba difícil evaluar la calidad de los bancos, como a éstos conocer la situación de los prestatarios.[49] Aunado a lo anterior, México no contaba con normas estrictas sobre la clasificación de préstamos y reservas, menos aún con procedimientos estrictos de supervisión bancaria para asegurar el cumplimiento de las normas.[50]

En este contexto, se desarrolla el problema de las carteras vencidas.[51] Es a inicios de los noventa cuando el coeficiente de morosidad (cartera vencida / cartera crediticia total) no deja de crecer, hasta alcanzar 16.4 por ciento en el año 1995.[52] Entre los factores explicativos del crecimiento vertiginoso de las carteras vencidas hay que distinguir los factores micro, vinculados al funcionamiento propio de los bancos, y los factores macro ligados al modelo económico aplicado desde principios de los ochenta.

En relación a los primeros, hay que recordar que la prudencia no fue el punto fuerte de los banqueros mexicanos para otorgar créditos, ni de los clientes para solicitarlos. Cuando los bancos se reprivatizaron, en muchas ocasiones cayeron en manos de equipos administrativos sin experiencia bancaria, por lo que se incurrió en deficientes prácticas crediticias (ne-

[49] Liliana Rojas-Suárez y Steven R. Weisbrod, "Las crisis bancarias en América Latina: experiencias y temas", en R. Hausmann y L. Rojas-Suárez (comps.), *Las crisis bancarias en América Latina,* cit., p. 6.

[50] Aristóbulo de Juan, "Las raíces de las crisis bancarias: aspectos microeconómicos y supervisión y reglamentación", en ibid., p. 109.

[51] Alicia Girón y Eugenia Correa (coords.), *Crisis bancaria y carteras vencidas,* La Jornada-Instituto de Investigaciones Económicas-Universidad Autónoma Metropolitana, 1997, y Arturo Huerta, *Carteras vencidas, inestabilidad financiera,* Diana, México, 1997.

[52] Banco de México, *Informe anual, 1996,* cuadro 34.

gligencia respecto al destino del crédito y, por fuerza, ausencia de verificación de condiciones de rembolso, concentración de créditos, créditos otorgados a empresas en las que participa el banco, falta de correspondencia en los plazos, etcétera). A la incapacidad para operar en un entorno desregulado se agrega la inexistencia de información del historial crediticio de los agentes, propiciando la toma de decisiones equivocadas en materia de crédito.[53] Entre los factores microeconómicos no habría que olvidar el riesgo moral. Éste designa una situación en que demasiada confianza por parte de los participantes privados en el mercado, en el sentido de que el Estado siempre protegerá sus intereses, los llevó a tomar riesgos exagerados. En ese sentido, los nuevos banqueros mexicanos, que veían en el Estado una garantía implícita para ayudarlos en caso de dificultades, se vieron alentados a tomar riesgos excesivos. En particular, la existencia de un seguro de depósitos (Fobaproa)[54] para respaldar la solvencia de los bancos creó la percepción de que el gobierno mexicano no permitiría que las instituciones bancarias quebraran. Esto incentivó a los banqueros y en buena medida a los inversionistas a tomar riesgos excesivos, dando por resultado una fuerte expansión del crédito y un incremento importante en el precio de los activos financieros. Todo ello condujo a un crecimiento del índice de morosidad de la banca comercial y de desarrollo, también propiciado por el hecho de que en algunas ocasiones los nuevos banqueros

[53] Los prestamistas enfrentaron problemas de información asimétrica pues desconocían el historial, las características y las intenciones de los solicitantes del crédito. José Luis Negrín, "Mecanismos para compartir información crediticia. Evidencia internacional y la experiencia mexicana", *Documento de Investigación*, Banco de México, diciembre de 2000, p. 3.

[54] En 1991, el gobierno creó el Fondo Bancario de Protección al Ahorro (Fobaproa) que actuaba como un seguro para hacer frente a posibles contingencias que afectaran a las instituciones bancarias. Estas últimas aportaban de manera regular recursos que se capitalizaban con el tiempo.

surgidos del proceso de privatización llevaron a cabo operaciones muy arriesgadas e inclusive fraudulentas. En efecto, entre 1989 y 1994, durante la enorme expansión crediticia, algunos banqueros prestaron los recursos de los ahorradores a sus propias empresas o a sí mismos (créditos relacionados), y posteriormente declararon a estas empresas en quiebra. El gobierno se encargó entonces de rescatar estos bancos (recordemos los casos de Banca Cremi y Banco Unión intervenidos por malos manejos).[55]

Pero el problema de la cartera vencida está muy vinculado a la estrategia económica seguida desde finales de los ochenta. En materia de tipo de cambio, México siguió la estrategia del ancla nominal (*crawling peg*).[56] La inflación disminuyó espectacularmente, pero se mantuvo por encima de la inflación estadounidense. El tipo de cambio se depreció, pero en un porcentaje insuficiente para compensar el diferencial de precios con Estados Unidos. A pesar de los esfuerzos del banco central para esterilizar el aumento de las reservas provocado por las entradas masivas de capitales, los agregados monetarios se incrementaron muy pronto. La estrategia del ancla nominal provocó una apreciación continua del tipo de cambio real del peso, cuya sobrevaluación terminó siendo reconocida por la mayoría de los observadores.[57]

[55] Rafael del Villar, Daniel Backal y Juan P. Treviño, "Experiencia internacional en la resolución de crisis bancarias", *Documento de Investigación,* Banco de México, diciembre de 1997, p. 9.

[56] Un ancla nominal es una variable nominal cuyo nivel o variación son fijadas con el propósito de favorecer la estabilización de los precios. En principio, diversas variables pueden servir de ancla nominal (oferta de moneda, salarios o un bien que ejerce una fuerte influencia en el nivel general de precios), pero el tipo de cambio fue escogido. Se trata de una variable de fácil observación y que da prueba del compromiso del país en la lucha contra la inflación. Michel Aglietta y Sandra Moatti, *Le FMI. De l'ordre monétaire aux désordres financiers,* cit., pp. 105-12.

[57] H. Guillén Romo, *La contrarrevolución neoliberal en México,* cit.

Un elemento central de esta estrategia de ancla nominal era la tasa de rendimiento de los Cetes (como ya dijimos, principal tasa de referencia para la determinación de la tasa de interés en el sistema financiero mexicano). Ésta era fijada en función de las necesidades de flujo de capitales del exterior. Estos recursos eran indispensables para financiar la apertura comercial, responsable de los cuantiosos déficits externos. La desregulación financiera y la apertura comercial alentaron un creciente endeudamiento externo de los bancos y las grandes empresas. La importante diferencia de costo entre la obtención de fondos en pesos y en dólares alentó a los bancos y a las empresas a elevar sustancialmente sus pasivos a corto plazo en dólares. En la medida en que el tipo de cambio no se alteraba, el endeudamiento externo no constituía un problema. Pero en diciembre de 1994, cuando acontece la devaluación, los bancos y las grandes empresas endeudadas en dólares van a tener muchos problemas para salir adelante con sus compromisos de pago. Dicho de otra manera, las tasas de interés activas eran fijadas no sólo en función de los requisitos de rentabilidad bancaria, sino para atraer a los inversionistas financieros extranjeros cuyas divisas eran fundamentales para sostener la apertura comercial. Las tasas de interés activas se fueron distanciando de la capacidad de pago de los prestatarios. Las altas tasas de interés aumentaban la relación entre la carga del servicio de la deuda y la deuda, volviendo más difícil el cumplimiento de los pagos. Muy pronto, cerca de 8 millones de familias mexicanas y aproximadamente medio millón de empresas endeudadas soportaban una carga financiera que rebasaba sus capacidades de pago.[58] La devaluación de 1994 y la depresión resultante dieron una nueva dimensión a la insolvencia de los usuarios del crédito (la cartera vencida como proporción de la cartera total pasa a 21.5 por ciento en 1996),[59] amenazando la estabilidad del sistema financiero nacional.

[58] A. Girón y E. Correa, *Crisis bancaria y carteras vencidas*, cit., p. 30.
[59] Banco de México, *Informe anual, 1996*, cit., cuadro 34.

Después de la crisis del peso de 1994, los poderes públicos intervinieron en tres frentes para sacar a flote el sistema financiero.[60]

• Programas de apoyo a deudores. Estos programas tenían por objetivo la reestructuración de las deudas de las familias y las pequeñas y medianas empresas. Los plazos de los préstamos se ampliaron y la tasa de interés real fue fijada en UDI (Unidad de Cuenta Indexada sobre el aumento de precios). El Estado soporta el riesgo de asimetría de las tasas de interés pero los bancos continúan asumiendo los riesgos de crédito y de financiamiento.

• Intervención de algunos bancos. Desde 1995 trece bancos (subcapitalizados o mal administrados) fueron intervenidos por los poderes públicos, el último a mediados de 1997. A fines de 1998, muchos de ellos fueron cerrados o devueltos después de haber sido recapitalizados y "limpiados" de su portafolio de carteras vencidas. Estos préstamos fueron comprados por el Fobaproa, organismo estatal responsable de la insolvencia bancaria.

• Introducción de medidas tendientes a reforzar los bancos restantes a través de un programa de capitalización temporal y de un mecanismo de recompra de préstamos para alentar una capitalización permanente. El programa de capitalización temporal permitió inyectar capitales al sistema bancario bajo la forma de títulos de deudas obligatorias subordinadas y convertibles. Se trataba de préstamos temporales a un plazo máximo de cinco años convertibles en participaciones en caso de no ser rembolsados. En junio de 1997, los cinco bancos que habían sido ayudados en el marco del programa de capitalización temporal habían rembolsado sus deudas y el programa fue suspendido. Otro programa concebido para asegurar la recapitalización durable de los bancos viables permitió la compra, a través del Fobaproa, de la cartera con problemas. Estas compras eran de hecho swaps (intercambios financieros), gracias

[60] Banco de México, *Informe aual, 1995.*

a los cuales los flujos de una obligación de Estado a diez años se intercambiaban contra los flujos de una parte del portafolio de créditos de los bancos. El programa incluía un esquema para recapitalizar a los bancos. El Fobaproa adquiría dos pesos de cartera con baja probabilidad de recuperación siempre y cuando el banco aportara un peso de capital nuevo.

Cuando estalló la crisis bancaria resultó claro que los recursos de que disponía el Fobaproa eran insuficientes para organizar un rescate de todas las instituciones bancarias. En estas condiciones, la mayor parte de los recursos del rescate provinieron del erario público. La estimación en valor presente del costo fiscal del programa de salvamento no ha dejado de aumentar. De haber sido evaluado a 5.5 por ciento del PIB en 1995, se pasa a 8.4 por ciento en 1996, a 14.3 por ciento en 1999 y a 19.3 en 2000.[61] El aumento incesante de este porcentaje muestra que las autoridades decidieron que no serían los responsables de la crisis los que soportarían el costo de la reestructuración bancaria. Ésta sería soportada por los contribuyentes, ya que según la óptica gubernamental los bancos carecían de recursos para cubrir los adeudos y el Estado estaba obligado a proteger a los depositantes y a las instituciones financieras.[62]

[61] Banco de México, *Informe anual, 1995*, cuadro 25, e *Informe anual, 1996*, cit., cuadro 40; OCDE, *Études économiques de l'OCDE. Mexique*, París, 2000, p. 120, y M. M. Giugale, O. Lafourcade y V. H. Nguyen, *México. A Comprehensive Development for the New Era*, cit., p. 242.

[62] "Los accionistas de los bancos quebrados se retiraron del negocio con capital igual a cero y el Fobaproa se hizo cargo de los bancos. Sin embargo, los negocios mostraban un capital negativo por la pérdida de activos que generó la cartera vencida. En México, la llamada ley de quiebras impedía cobrar los quebrantos de negocios con cargo a otros negocios de los dueños, por lo cual el Fobaproa tuvo que cargar totalmente con el quebranto bancario". En el caso de los bancos que no quebraron pero que por la cartera vencida enfrentaron problemas de capitalización la situación fue más delicada: "En esas instituciones el gobierno también compró cartera con muy pocas probabilidades de recuperación. La sustitución de esta cartera por pagarés

Como es evidente, el cuantioso costo del rescate bancario canceló una gran cantidad de programas sociales e inversiones productivas.

El programa de rescate financiero fue objeto de numerosas críticas. Así, por ejemplo, se consideró que era un problema importante dejar la administración de la cobranza de la cartera dudosa en manos de los bancos, ya que el banco tenía pocos incentivos para recuperar esta cartera y, en caso de no hacerlo, el gobierno de todas maneras, a través del Fobaproa, le pagará su crédito.[63] Más allá de todas las críticas vertidas,[64] la cuestión que se plantea es saber si el rescate financiero desembocó en una banca más sólida al servicio de la economía real.

Una crisis sistémica[65] fue evitada. No se materializó lo que parecía entonces muy probable: la desbandada o el retiro masivo de depósitos del sistema bancario. La cartera vencida tuvo un comportamiento positivo que se manifiesta en un decreciente índice de morosidad, evaluado en 6.4 por ciento en junio de 2000, nivel no alcanzado desde 1990 si se utilizan los criterios contables actuales.[66]

La reactivación económica condujo a una mejora general

del Fobaproa ha constituido una transferencia neta de recursos del gobierno a los accionistas de estos bancos, que en muchos casos pertenecen a las capas de la sociedad con mayor riqueza. Estos banqueros tuvieron relativamente pocas pérdidas y no afrontaron el riesgo de haber prestado grandes sumas de dinero en años anteriores". Gerardo Jacobs y Alejandro Rodríguez-Arana Zumaya, "La crisis de 1994-1995 en México: causas, desarrollo y solución", en Félix Varela Parache y Gerardo Jacobs Álvarez (coords.), *Crisis cambiarias y financieras. Una comparación de dos crisis*, Pirámide, Madrid, 2003, pp. 112-13.

[63] Ibid., p. 111.

[64] Gabriel Székely (coord.), *Fobaproa e IPAB: el acuerdo que no debió ser*, APEC-El Colegio de México-Océano, México, 1999.

[65] Héctor Guillén Romo, "Globalización financiera y riesgo sistémico", *Comercio Exterior*, noviembre de 1997.

[66] Eduardo Fernández García, "Situación y retos del mercado de valores", *Documentos de Trabajo e Investigación*, n. 2000-2001, CNBV, p. 3.

de los beneficios operacionales y de las tasas de solvencia y de capitalización de los bancos. La rentabilidad de los bancos mexicanos es ya tan buena como la de los otros países de la OCDE.[67] Sin embargo, los bancos aún prefieren apuntalar su situación financiera y sus resultados a través de la adquisición de títulos públicos, el cobro de comisiones, el aumento de su margen financiero y la reducción de sus costos de operación, en lugar de satisfacer las necesidades de las empresas privadas financiando la actividad productiva. Es así como, desde finales de 1994, se ha observado una importante contracción del crédito de la banca comercial[68] y la de desarrollo.[69] El pro-

[67] OCDE, *Études économiques de l'OCDE. Mexique,* 2002, cit., p. 110.

[68] En diciembre de 1999, el saldo del financiamiento de la banca comercial al sector privado fue en términos reales de tan sólo 56.9 por ciento del saldo correspondiente a 1994. Banco de México, *Informe anual, 1999,* p. 64.

[69] A mediados de 2001 había cinco bancos de desarrollo en México: Nacional Financiera, Banco Nacional de Comercio Exterior, Banco Nacional de Obras y Servicios Públicos, Banco Nacional de Crédito Rural, Banco Nacional del Ejército, Fuerza Aérea y Armada. También a mediados de 2001 se crearon otros dos bancos: el Banco del Ahorro Nacional y de Servicios Financieros, y la Nacional Hipotecaria. Los bancos de desarrollo redujeron sus préstamos de manera más sensible que los bancos comerciales, habiendo sufrido una desintermediación neta año tras año desde 1995. A inicios de 2001, los bancos de desarrollo sólo representaban un tercio del total de los activos del sistema bancario y menos de 10 por ciento del total de los préstamos directos al sector no bancario privado. A pesar de las medidas de recapitalización incesantes, algunos bancos de desarrollo continúan trabajando con pérdidas. El hecho de que estas pérdidas no constituyan un simple fenómeno transitorio pone en evidencia la existencia de un mecanismo de subvención en la operación de estas instituciones. Para los neoliberales, este mecanismo ha creado sin duda distorsiones y obstaculizado el mercado del crédito privado, convirtiendo a la banca de desarrollo en un sector atractivo para nuevas acciones reformadoras. OCDE, *Études économiques de l'OCDE. Mexique,* 2002, cit., pp. 103-105.

blema es más duramente resentido por las pequeñas y medianas empresas, ya que las grandes a menudo tienen acceso a los préstamos del extranjero. El racionamiento del crédito ocasionó un cambio importante en las características del proceso de intermediación. En tanto que ha aumentado la importancia de las fuentes alternativas de financiamiento de las empresas como los proveedores y los bancos del extranjero, se ha reducido la de la banca nacional. El crédito de proveedores es la fuente de financiamiento más utilizada por las empresas, en especial por las chicas y las no exportadoras. Entre los motivos aducidos por las empresas para no recurrir al crédito bancario destacan las altas tasas de interés y la reticencia de la banca para prestar. Al negarse a prestar, los banqueros han dejado de cumplir su misión fundamental de financiar las actividades productivas, negando lo que es su papel esencial en una economía monetaria de producción. Están olvidando que la economía evoluciona en función de los planes de producción y de gastos de los agentes no financieros. Están pasando por alto que el financiamiento de estos planes requiere de la intervención del sistema bancario, cuyo funcionamiento a través del tiempo se traduce en un proceso continuo de creación-destrucción de la moneda.

Entre las diferentes opciones existentes para reconstruir a fondo los principales circuitos financieros del país, se optó por impulsar una transferencia sustantiva a los inversionistas extranjeros de la propiedad de las instituciones financieras. Hasta mediados de los noventa, la presencia extranjera en la banca era relativamente modesta.[70] Ello era resultado de las restricciones que limitaban la participación extranjera mayoritaria en el capital de las grandes instituciones financieras.[71]

[70] Los bancos con participación extranjera mayoritaria representaban 4 por ciento de los activos del sistema bancario mexicano en 1994. OCDE, *Études économiques de l'OCDE. Mexique*, 2000, cit., p. 122.

[71] Las que disponían de más de 6 por ciento del capital del sistema bancario: Banamex, Bancomer y Serfín. Ibid.

Estas restricciones fueron eliminadas a finales de 1998 y sustituidas con restricciones no discriminatorias sobre las participaciones individuales. Esta medida terminó por abrir la puerta a las instituciones financieras de los países centrales que, con intención de afianzar su posición global gracias a nuevos campos de valorización, optaron por la diversificación geográfica de sus actividades, abriendo sucursales o subsidiarias en países emergentes. En los años ochenta, una sola institución extranjera ejerció actividades bancarias, relativamente menores, en México. Con la eliminación parcial de las restricciones, la parte de la banca comercial con una participación extranjera importante (20 por ciento o más) aumentó para representar 24.7 por ciento de los activos bancarios en 1998. Como resultado de la liberalización completa, esta proporción tuvo un notable crecimiento, llegando a alcanzar 84.6 por ciento de los activos bancarios en 2001.[72] Hacia mediados de ese año, los tres principales bancos comerciales que representan más de la mitad de los activos del sistema se encontraban bajo el control de accionistas extranjeros: BBVA-Bancomer, Citibank-Banamex y Santander-Serfin. Con esta apertura al capital extranjero se espera reducir la fragilidad global del sistema, disminuir el riesgo de una crisis sistémica y paliar la carencia de administradores competentes, lo que redundará en una mayor eficiencia y rentabilidad.[73] En pocas palabras, los partidarios de los bancos ex-

[72] OCDE, *Études économiques de l'OCDE. Mexique*, 2002, cit., p. 102.

[73] Esta posición es claramente expresada por Barry Eichengreen en los siguientes términos: "Es menos probable que un sistema bancario con una base de activos internacionalmente diversificada sufra una desestabilización ocasionada por una disminución en la actividad económica nacional y que a su vez empeore esa recesión. Las sucursales domésticas de los bancos extranjeros tienen a sus propios prestamistas de último recurso en la forma de la oficina matriz en el exterior. Un banco internacional también podría tener un prestamista de último recurso en el banco central del Estado donde se ubica la matriz. Y allí donde hay escasez de administradores competentes, los bancos extranjeros pueden ser un canal para importar

tranjeros piensan que éstos aportarán modernidad, rigor y profundidad al sistema financiero mexicano.

Hacia un sistema mixto

El auge de los mercados de capitales resulta de lo que André Orléan denomina la convención "mercado emergente".[74] Dicha convención designa los países subdesarrollados que siguieron una política neoliberal marcada por una fuerte expansión financiera. Esos países tendrían un potencial de crecimiento mayor que el de las economías desarrolladas, ya que sus necesidades de inversión son considerables y el rendimiento de su capital más elevado. Las economías emergentes constituirían un nuevo El Dorado con un margen de progresión considerable frente al envejecido mundo desarrollado. Además, se considera que el aumento de la importancia de los títulos de los países emergentes en los portafolios financieros disminuye el riesgo para los inversionistas. Así, se va constituyendo poco a poco un análisis colectivo de las economías emergentes fundamentado en una comprensión del capitalismo mundial a largo plazo y de la teoría de la selección del portafolio que empuja a desarrollar las inversiones financieras en estos países.

En el caso de México, ejemplo de adhesión a la convención colectiva del mercado emergente, todos los indicadores confirman una consolidación de la actividad bursátil en buena medida resultado de la expansión de los fondos de pensión y de las aseguradoras. La capitalización en bolsa que representaba sólo 2.1 por ciento del PIB en 1985, representa 22.2 por ciento en 2000, tras haber alcanzado un pico de 39.7 en 1997. El número de sociedades cotizadas en bolsa pasa de 157 en 1985

pericia, ya que las matrices con reputación de probidad financiera tienen un incentivo para aplicar a sus sucursales en el exterior controles internos y normas contables muy actuales" (B. Eichengreen, *Hacia una nueva arquitectura financiera internacional*, cit.).

[74] A. Orléan, *Le pouvoir de la finance*, cit., pp. 151-66.

a 177 en 2000 tras haber alcanzado un pico de 198 en 1997.[75] Sin embargo, la aceleración de la actividad bursátil en México, como en la mayoría de los países latinoamericanos, sólo ha contribuido de manera muy insignificante al financiamiento de las empresas gracias a las nuevas emisiones de títulos.[76] Lo esencial del ahorro captado por los inversionistas institucionales se ha orientado hacia los valores públicos, y muy poco hacia las obligaciones de las sociedades o las acciones.[77] Contrariamente a la situación de muchos otros países de la OCDE, los mercados financieros mexicanos no desempeñan el importante papel de intermediación financiera para las empresas. En este sentido podemos decir parafraseando a Keynes que si el fin propiamente social de las bolsas es canalizar la nueva inversión en la dirección más favorable, no se puede considerar el resultado obtenido por la Bolsa Mexicana de Valores como un triunfo del *laissez-faire* del capitalismo mexicano. El mercado financiero mexicano, como todos los mercados financieros, es

[75] Naciones Unidas, *La situation économique et sociale dans le monde*, Nueva York, 1999, p. 175, y OCDE, *Études économiques de l'OCDE. Mexique*, 2002, cit., p.120.

[76] En una muestra de países latinoamericanos (Argentina, Brasil, Chile, México y Venezuela) las nuevas emisiones de acciones no superan 1.5 por ciento del valor total en bolsa. Naciones Unidas, *La situation économique et sociale dans le monde*, cit., p. 178.

[77] A finales del año 2000, el valor del monto de los instrumentos de deuda de las empresas privadas representaba 2 por ciento del PIB. Esto es mucho menos que el valor del monto de los instrumentos de deuda interna de la administración pública (10 por ciento del PIB), incluso si se excluye a los instrumentos no negociables como los vinculados al plan de rescate del sistema bancario. En el mercado de títulos de las empresas, los bonos de tesorería (a plazo inferior a un año) representan alrededor de dos tercios del monto, los financiamientos a más largo plazo (a más de tres años) están prácticamente ausentes y la liquidez de los mercados secundarios es débil. Lo mismo acontece en el mercado de acciones, que es aún muy estrecho. OCDE, *Études économiques de l'OCDE. Mexique*, 2002, cit., pp. 120-21.

una creación institucional, inventada "para responder a una exigencia singular de los acreedores: *volver las deudas negociables*".[78] Se trata de metamorfosear una magnitud inmovilizada, el capital productivo, en un activo o título libremente negociable. La liquidez del mercado medirá la facilidad con la cual los títulos pueden ser objeto de transacción a precios razonables. En los mercados financieros lo único que cuenta es la rentabilidad buscada por el inversionista financiero, y no la rentabilidad económica que busca el empresario. El poder financiero hace que la acumulación de capital sea comandada por las prioridades del capital de préstamo y no por las del capital industrial. La lógica financiera del régimen de acumulación se organiza a nivel nacional e internacional para permitir que los inversionistas financieros se apropien de ingresos financieros (intereses y dividendos) en las condiciones más regulares y seguras posibles.[79] En muchas ocasiones, las empresas recurren a la liquidación de activos financieros en lugar de recurrir a préstamos bancarios cuando las tasas de interés les parecen, como en México, muy elevadas. El recurso frecuente al mercado financiero para realizar plusvalías y financiar ciertos gastos explica parcialmente la fuerte volatilidad. Haciendo esto, las empresas se desvían de su actividad principal, arbitrando en favor de operaciones lucrativas.

El auge de los mercados de capitales ha incidido sobre el régimen macrofinanciero mexicano. Durante el periodo de sustitución de importaciones, el régimen macrofinanciero se aproximaba a una economía de endeudamiento dominada por completo por los bancos. En la fase actual del desarrollo hacia afuera, el régimen macrofinanciero de nuestro país se orienta cada vez más hacia un sistema mixto donde los bancos cohabitan con un importante mercado financiero. Sin embar-

[78] A. Orléan, *Le pouvoir de la finance*, cit., p. 12.

[79] François Chesnais, "Crises de la finance ou prémisses de crises économiques propres au régime d'accumulation actuel?", en F. Chesnais y D. Plihon (coords.), *Les pièges de la finance mondiale*, cit., p. 46.

go, es aún preponderante el peso de la banca frente a las otras instituciones financieras. En efecto, en el año 2000 los bancos mexicanos disponían de 77 por ciento de los activos financieros totales del sistema financiero mexicano, en tanto que 23 por ciento del resto se encontraba en manos de otras instituciones financieras: fondos de pensión, compañías de seguros, sociedades de colocación de fondos, etcétera. Aún estamos lejos de una situación como la estadounidense donde los bancos controlan una pequeña fracción de los activos financieros totales.[80] Pero más allá de los porcentajes respectivos, lo más grave de todo es que ni los bancos ni las otras instituciones financieras han cumplido de manera satisfactoria con su papel social de financiar la actividad productiva de las empresas. Contrario a lo que sostienen los economistas neoliberales que abogan por la apertura del sistema financiero de los países "en desarrollo" a las instituciones extranjeras, en el caso de México la entrada de competidores extranjeros no ha resultado en una reducción de las tarifas y de los costos del crédito. Las instituciones extranjeras llegan a los países emergentes para obtener grandes ganancias. En ese sentido, aunque poseen ventajas competitivas frente a los bancos nacionales sobrevivientes, es difícil imaginar que las instituciones foráneas se priven de altos ingresos, promoviendo rebajas de tarifas y márgenes en un contexto de aumento de la concentración.[81] Como lo han señalado dos estudiosas del sistema financiero latinoamericano:

[80] En efecto, en Estados Unidos en el año 2000, los bancos controlaban sólo 18 por ciento de los activos financieros totales y las otras instituciones financieras 82 por ciento del resto. En el caso de Canadá, para ese mismo año, los porcentajes fueron los siguientes: 49 por ciento los bancos y 51 por ciento las otras instituciones financieras. OCDE, *Études économiques de l'OCDE. Mexique*, 2002, cit., p. 118.

[81] La consolidación del sector bancario, que comenzó hacia 1995 y se aceleró en 1998 con la liberalización integral de la inversión extranjera, tuvo una incidencia sobre las tasas de concentración. En efecto, la parte de los seis principales bancos en los activos totales pasó de 74.1 por ciento en 1995, a 75.5 en 1998 y 84.6 en 2001, lo

Los posibles impactos positivos de la mayor presencia extranjera en el costo de los servicios bancarios y las condiciones de financiamiento de las economías, así como en el mejoramiento de los servicios bancarios prestados a la población, están todavía por verse.[82]

Por último, el argumento de que la banca extranjera permite reducir la fragilidad financiera y los riesgos de crisis está lejos de haberse demostrado. En efecto, en Argentina, país donde la presencia extranjera en la banca era la más importante en América Latina, los bancos extranjeros se dedicaron a especular contra la moneda local sin que sus matrices actuaran como prestamistas en última instancia, paliando la ausencia de este prestamista interno en virtud del régimen de convertibilidad.

que representa uno de los porcentajes más elevados de los países de la OCDE. Ibid., p. 122.

[82] Maria Cristina Penido de Freitas y Daniela Magalhães Prates, "La experiencia de apertura financiera en Argentina, Brasil y México", *Revista de la CEPAL*, n. 70, abril de 2000, p. 67.

7. Finanzas y trabajo

Régimen de acumulación financiero-rentista en los países centrales

Un rasgo esencial del periodo que abarca el siglo XIX y se prolonga hasta finales de la segunda guerra mundial es la tendencia a un desequilibrio entre el crecimiento de la oferta global y el de la demanda global. Si bien la extensión del trabajo asalariado y el progreso técnico permiten un aumento de la producción, nada garantiza un crecimiento paralelo de los mercados.[1]

Por un lado, los *asalariados* no consumen muchas mercancías producidas por las empresas capitalistas, sino que se abastecen con los pequeños productores independientes o por medio del autoconsumo. Además, los contratos de trabajo individuales vinculan a un patrón con un asalariado, percibido como un costo a minimizar, dejando de lado el aspecto del mercado. Finalmente, los empleos y los ingresos son precarios, siendo susceptibles de grandes variaciones.

Por otro lado, el *Estado* interviene poco para sostener la demanda global. Si bien existen empleados públicos, éstos representan una pequeña proporción de la población activa y la demanda del Estado al sector privado es muy limitada.

El periodo, anterior a la segunda guerra mundial, calificado de crecimiento clásico, desemboca en la crisis estructural de 1929-1930. En esos años se vuelve patente el desequilibrio creciente entre el alza rápida de las posibilidades de producción y el alza relativamente limitada de las posibilidades de consumo. La superación de la crisis pasa por una nueva modalidad

[1] Jacques Gouverneur, *Découvrir l'économie*, Éditions Sociales-Contradictions, París, 1998, capítulo IX.

de crecimiento que la escuela francesa de la regulación denominó fordista.[2]

El tipo de crecimiento instaurado progresivamente desde el *New Deal* en Estados Unidos y después de la segunda guerra mundial en Europa se caracteriza por la tendencia a un crecimiento paralelo de la demanda global y de la producción. Esto se explica por un nuevo contexto.

Por una parte, *la demanda de consumo de los asalariados* aumenta a un ritmo sostenido gracias a varios factores:

• los asalariados se orientan a la compra de *mercancías producidas bajo condiciones capitalistas,* disminuyendo la compra de mercancías artesanales y el autoconsumo;

• los salarios y las condiciones de trabajo son fijadas sectorial o nacionalmente a través de *contratos colectivos.* Implícita o explícitamente, los contratos vinculan los aumentos de salario a los aumentos de productividad. En estas condiciones, el poder de compra de los asalariados tiende a aumentar paralelamente a la producción por trabajador;

• el *empleo y los ingresos* tienden a estabilizarse gracias a la generalización de contratos de trabajo de duración indeterminada y al desarrollo del salario indirecto bajo diversas modalidades (seguro de desempleo, cobertura en caso de enfermedad, jubilación, etcétera);

• se desarrolla el *crédito al consumo,* estimulando y regularizando la demanda de las familias.

Por otra parte, el *Estado* ejerce una función cada vez más importante a nivel de la demanda agregada, proveyendo un número creciente de empleos estables en los servicios públicos e influyendo el nivel de actividad económica gracias a los mercados públicos y a los subsidios otorgados a las empresas.

En este contexto, los países desarrollados tuvieron durante treinta años, de 1945 a 1975, un crecimiento sin precedentes en

[2] H. Guillén Romo, *Lecciones de economía marxista,* cit., pp. 395-409, y Gérard Duménil y Dominique Lévy, *Économie marxiste du capitalisme,* La Découverte, París, 2003.

la historia ("los treinta gloriosos"). Este notable crecimiento se explica por dos factores. En primer lugar, *la productividad general* aumenta rápidamente en los años cincuenta y sesenta, originando un alza considerable de la producción. En segundo término, *una correlación de fuerzas relativamente favorable a los trabajadores* (temor al "contagio comunista" y nivel de empleo elevado), que permitió asegurar un crecimiento paralelo de los mercados bajo la forma de salarios reales crecientes y gasto público en aumento (educación, salud, prestaciones sociales). Así, sobre la base de un conjunto de instituciones (sindicatos poderosos y Estados que intervienen directamente sobre la distribución de la riqueza) se aseguró un reparto equilibrado de la riqueza entre el capital y el trabajo. En estas condiciones, se sostuvo el consumo y se alcanzó el crecimiento máximo permitido por el progreso técnico.

El notable aumento de la productividad volvió compatibles tres elementos a primera vista contradictorios: el incremento del poder de compra de los asalariados, el crecimiento del gasto público y el aumento de los beneficios. Sin embargo, a finales de los años sesenta la curva de la productividad se frena, originando conflictos de distribución.[3]

O bien se mantiene el ritmo de consumo de los asalariados y del gasto público, pero en este caso los beneficios disminuyen, las empresas dejan de invertir y el crecimiento tiende hacia cero; o bien se disminuye el ritmo de consumo de los asalariados y del gasto público, con lo que las empresas recuperan beneficios disponibles para la inversión, pero las ocasiones de inversión rentable disminuyen en virtud de la contracción de la demanda de los asalariados y la del Estado.

Durante la mayor parte de la década de los setenta, una correlación de fuerzas relativamente favorable a los trabajado-

[3] El freno al aumento de la productividad se explica por la resistencia de los trabajadores frente al progreso técnico y, sobre todo, por el peso creciente y la débil productividad del sector terciario. J. Gouverneur, *Découvrir l'économie*, cit., p. 190.

res permitió la continuación de las políticas keynesianas en su versión estándar. El consumo salarial y el gasto público continúan elevándose rápidamente, lo que provoca la caída de los beneficios y el debilitamiento de la inversión productiva con su corolario: el freno del crecimiento y el aumento del desempleo.

A fines de los años setenta, el crecimiento de la productividad es aún lento. Si bien en algunos segmentos del sector servicios la productividad aumenta (bancos, aseguradoras), el sector terciario como un todo la frena. El conflicto entre el consumo asalariado, el gasto público y los beneficios permanece, pero va a ser resuelto de otra manera. Los trabajadores se ven cada vez más debilitados por el desempleo y, con el ascenso de Thatcher en Inglaterra, las políticas keynesianas estándar terminan por ceder frente a las políticas neoliberales, que comienzan a generalizarse en el mundo industrializado. Estas políticas buscan aumentar los beneficios de las empresas, sin importar el costo para los trabajadores. Sin embargo, dichas políticas tienen resultados contradictorios. Por un lado, aumentan el beneficio global de las empresas, y por tanto sus posibilidades financieras de invertir; por el otro, presionando a la baja la demanda de los asalariados y la del Estado, reducen los mercados y las posibilidades de empleo rentable para las empresas. En estas circunstancias, el beneficio global no se invierte en operaciones de producción, sino en operaciones de transferencia de propiedad: absorción de empresas privadas, compra de empresas públicas, especulación con monedas y títulos. Así, ante la estrechez de los mercados provocada por la presión sobre los salarios y el gasto público, los capitalistas buscan valorizar sus capitales gracias a diversas operaciones de transferencia de propiedad.

> Dichas operaciones [señala Jacques Gouverneur] redistribuyen la propiedad de los medios de producción y del dinero: numerosas empresas y grupos ahí encuentran un medio privilegiado para desarrollarse y ampliar su esfera de influencia, aumentando su poder económico. Pero estas operacio-

nes no amplían la producción y el empleo: el crecimiento permanece débil y el desempleo continúa extendiéndose.[4]

En los años noventa, la correlación de fuerzas se vuelve todavía más desfavorable para los trabajadores. El desempleo sigue aumentando (con las políticas neoliberales instrumentadas incluso por coaliciones de izquierda) y el desplome de los regímenes de economía planificada deja las manos libres a los defensores del neoliberalismo. En este contexto, todas las condiciones están dadas para la consolidación de un régimen de acumulación financiero-rentista.[5] Dicho régimen se organiza a nivel de un país como a nivel internacional con el objetivo de permitir que los inversionistas financieros se apropien de ingresos financieros (intereses y dividendos) en las condiciones más regulares y seguras posibles. Se trata de valorizar el capital dinero en el sentido de Marx, y de privilegiar la liquidez en el sentido de Keynes, por encima de todo. Los mercados financieros (sobre todo los mercados secundarios, donde se realiza un intercambio incesante de títulos) son promovidos al rango de instituciones encargadas de la distribución del ingreso entre el capital y el trabajo, llegando a erigirse en auténticas instancias de regulación. Cada vez más los mercados financieros influyen de manera decisiva en las anticipaciones de las empresas y de las familias y, por tanto, en el nivel de sus gastos. Todos los elementos constitutivos de un régimen de acumulación son moldeados por las finanzas y las formas de financierización que inducen.

Actualmente, los actores más importantes de la economía

[4] Ibid., pp. 193-94.

[5] F. Chesnais, *La mondialisation du capital*, cit.; F. Chesnais, "États rentiers dominants et contradiction tendancielle. Formes contemporaines de l'impérialisme et de la crise", en G. Duménil y D. Levy (comps.), *Le triangle infernal. Crise, mondialisation, financiarisation*, cit., y F. Chesnais, "Crises de la finance, ou prémisses de crises économiques propres au régime d'accumulation actuel?", en F. Chesnais y D. Plihon (coords.), *Les pièges de la finance mondiale*, cit.

mundial no son los grandes grupos industriales transnacionales sino las instituciones financieras no bancarias, es decir, aquellas que carecen de poder de creación crediticia. Dichas instituciones se dedican a hacer rendir frutos a la liquidez que colectan gracias a un circuito de tipo D-D'.[6] Se trata de los fondos de pensión, los fondos mutuos, los fondos especulativos y las aseguradoras. Estas instituciones financieras disponen de recursos financieros tan grandes que la mayoría de los bancos son pequeños comparativamente. Estos nuevos operadores financieros han sido de lejos los principales beneficiarios de la globalización financiera. Sin embargo, aunque se trata de instituciones financieras no han abandonado la industria. Una parte significativa de sus gigantescos recursos financieros –provenientes en buena medida de las cotizaciones patronales o de ahorro salarial en el marco de los sistemas de jubilación por capitalización– está constituida por paquetes de acciones. La posesión de dichas acciones les permite desempeñar un papel central en las estrategias de inversión de los grupos industriales, a través de lo que se ha dado en llamar el "gobierno de empresa" (*corporate governance*).

Se designa con el término "gobierno de empresa" a un conjunto de reglas de gestión que los inversionistas institucionales, sobre todo anglosajones, tratan de imponer a las empre-

[6] Como lo demostró Marx, en la medida en que el capital de préstamo se valoriza en el movimiento directo D-D', sin proceso de producción, el interés aparece como un beneficio obtenido por la simple posesión de una cosa: el capital dinero que parece tener la propiedad inherente de fructificar. Dicho de otra manera, el poseedor de dinero considera que tiene una cosa que va a procurarle dinero con tal de que lo preste en lugar de gastarlo como ingreso. Con el capital financiero el fetichismo del capital llega a su máxima expresión, manifestándose de manera particular en el capital ficticio (acciones, obligaciones, depósitos bancarios). Michel Zerbato, "Une finance insoutenable. Marchés financiers et capital fictif", en G. Duménil y D. Lévy (coords.), *Le triangle infernal. Crise, mondialisation, financiarisation*, cit., pp. 79-80.

sas que controlan mediante la posesión de acciones.[7] La ideología del "gobierno de empresa" es simple: primacía del accionista sobre el dirigente de empresa; subordinación de la gestión de la empresa al interés del accionista; en caso de conflicto de intereses, predominio del interés del accionista. Más específicamente, se parte de la idea de que existe un "conflicto institucional" entre el accionista (principal) y un agente (el directivo). Los directivos buscan defender sus intereses, en términos de poder y remuneración, gracias a la información privilegiada de que disponen en el interior de la empresa, lo que reduce el poder y los ingresos entregados a los accionistas. Las nuevas reglas de gestión del "gobierno de empresa" definidas por los inversionistas anglosajones tienen por objeto reducir las "asimetrías de información" e incitar a los directivos a tener como único objetivo el aumento del valor de las acciones. Dichas reglas se refieren a la necesidad de transparencia e información a los accionistas, la composición del consejo de administración, la ausencia de medidas antiofertas públicas de compra[8]

[7] Con respecto a la noción de "gobierno de empresa", véanse los artículos de Dominique Plihon, "L'économie de fonds propres: un nouveau régime d'accumulation financière", Claude Serfati, "La domination du capital financier: quelles conséquences?" y Esther Jeffers, "De quel poids les investisseurs institutionnels américains pèsent-ils sur l'économie française?", en F. Chesnais y D. Plihon (coords.), *Les pièges de la finance mondiale*, cit; Jacques Nikonoff, *La comédie des fonds de pension*, Arléa, París, 1999; Frédéric Lordon, *Fonds de pension, piège à cons? Mirage de la démocratie actionnariale*, Raisons d'Agir, París, 2000, y A. Orléan, *Le pouvoir de la finance*, cit.

[8] Las ofertas públicas de compra son operaciones mediante las cuales una sociedad propone directa y públicamente a los accionistas de otra sociedad cotizada en bolsa comprarles (oferta pública de compra) o intercambiarles contra sus propias acciones (oferta pública de intercambio) sus títulos a un precio determinado (por lo general superior a su cotización en bolsa para que el precio sea atractivo) durante un periodo dado. Dichas operaciones son controladas por las autoridades, ya que tienen por objetivo el control de una sociedad por otra.

y la remuneración de los directivos.[9] Se reorganizan los poderes en el seno de la empresa en favor de los accionistas principales. La "tecnoestructura" o los "managers" de que hablaba Galbraith[10] en los años sesenta cede el poder a los propietarios efectivos: los accionistas. El gobierno de empresa, al fijar como único objetivo la maximización del valor en bolsa, origina una financierización creciente de la empresa y de su gestión. El control del poder en la empresa por parte de los accionistas, entre quienes predominan los inversionistas institucionales, explica que el objetivo de la *rentabilidad financiera* prevalezca sobre el objetivo de la rentabilidad económica.[11] Esto tendrá

[9] Se trata de definir formas de remuneración de los directivos que los inciten a maximizar el valor de las acciones. Una de las principales técnicas utilizadas es la distribución de *stock options.* Para la mayoría de los directivos de las grandes empresas, las *stock options* representan la fuente principal de su enriquecimiento. Con ello, su interés económico se vuelve idéntico al de los accionistas. De una manera general, los inversionistas institucionales alientan sistemas de remuneración que inciten a todos los empleados a aumentar el valor de las acciones. Esto se logra mediante la introducción de primas o bonos vinculados a los indicadores de rentabilidad financiera. Al hacer esto se logra fraccionar a los asalariados en dos grupos. Por un lado, una aristocracia obrera, presente sobre todo en las grandes empresas, que saca partido de una protección relativa de su mercado interno de trabajo y del acceso al patrimonio financiero y, por el otro, los asalariados expuestos a todo tipo de precariedad y al estancamiento de su ingreso. P.-N. Giraud, *Le commerce de promesses,* cit., pp. 311-12, y F. Lordon, *Fonds de pension, piège à cons? Mirage de la démocratie actionnariale,* cit., p. 104.

[10] En los años sesenta, el poder de los accionistas era muy débil. Sólo una parte ínfima de las acciones estaba efectivamente representada en la asambleas generales de accionistas. La dirección, a pesar de tener una parte ínfima de la propiedad de la empresa, disponía del poder. J. K. Galbraith, *Le nouvel État industriel* [1967], Gallimard, París, 1974.

[11] Los dos principales indicadores de la rentabilidad de una empresa son la rentabilidad económica y la rentabilidad financiera. La

consecuencias muy negativas sobre el nivel de actividad y de empleo procurado por las empresas.

Los nuevos métodos de gestión se orientan al objetivo de aumentar por cualquier medio el valor en bolsa de la empresa. Entre estos métodos destaca el *Valor Económico Agregado-Valor de Mercado Agregado* (EVA-MVA).[12] Dicha metodología mide el resultado económico de la empresa tras la remuneración del conjunto de capitales invertidos (endeudamiento + fondos propios). Un EVA positivo significa que el dirigente fue capaz de crear valor en beneficio de los accionistas durante un cierto periodo.

Toda la actividad económica de la empresa se orienta a la obtención de una exigencia planteada *ex ante* de remuneración financiera (se sabe, por ejemplo, que los fondos de pensión exigen una rentabilidad de por lo menos 15 por ciento de los fondos que invierten).[13] Se trata –según la expresión de Frédéric Lordon– de una especie de ingreso mínimo garantizado al capital. Con el gobierno de empresa, los otros actores de la empresa –asalariados, clientes, proveedores, subcontratistas–

rentabilidad económica es igual a la relación del resultado neto (antes de la remuneración del capital) / la totalidad del capital utilizado (fondos propios+fondos prestados). La rentabilidad financiera o rentabilidad de los fondos propios es igual a la relación del resultado neto menos el costo de los capitales prestados / fondos propios.

[12] Daniel Baudru y François Morin, "Gestion institutionnelle et crise financière", *Architecture financière internationale*, Conseil d'Analyse Économique-La Documentation Française, París, 1999.

[13] Anteriormente, la rentabilidad y el valor financiero de una empresa se constataban *ex post*. Esto es lo que los economistas habían formalizado con el modelo MEDAF (Modelo de Equilibrio de los Activos Financieros) en el que el valor de la empresa era igual al valor actualizado, a la tasa de rendimiento exigible de la secuencia de flujos de ingresos futuros. Como lo señalan Baudru y Morin, la metodología EVA representa un cambio completo de perspectiva, al sujetar el desempeño económico de la empresa a una exigencia de rentabilidad planteada *ex ante*.

se vuelven pretextos o mecanismos para aumentar el valor de las acciones.

Más allá del sistema de estímulos y de remuneraciones de los dirigentes existen varios mecanismos utilizados para aumentar la creación de valor en beneficio de los accionistas.[14]

• *Las fusiones-adquisiciones.* El valor de las acciones puede aumentar gracias a una mejor coordinación de los establecimientos fusionados y a la explotación de economías de escala. Las fusiones facilitan importantes aumentos de productividad, cuya consecuencia directa es la reducción del número de asalariados. Se trata de buscar una talla óptima para hacer frente en las mejores condiciones posibles a la competencia.[15]

• *La reubicación en dirección de las actividades básicas de la empresa.* Se trata de concentrarse en las actividades en las cuales la empresa tiene una ventaja competitiva para valorizar mejor su *know-how* frente a los competidores. Los inversionistas institucionales no aprecian las empresas muy diversificadas, cuya estructura compleja les impide tener una información transparente sobre su funcionamiento. Al modificar la composición de sus portafolios de participación, los inversionistas institucionales deciden el grado de diversificación de las empresas. En estas condiciones, son los actores financieros y no los operadores industriales los que deciden el destino de las empresas mostrando, dicho sea de paso, la primacía de lo financiero sobre lo productivo.

• *La concentración de la actividad empresarial en los segmentos más rentables.* Esto se logra externalizando la producción de algunos productos o servicios, que pueden ser realizados de manera más competitiva por otras empresas más capaces en cier-

[14] D. Plihon, "L'économie de fonds propres: un nouveau régime d'accumulation", en F. Chesnais y D. Plihon (coords.), *Les pièges de la finance mondiale,* cit., pp. 27-30.

[15] Este hecho permite explicar, al menos parcialmente, el fenómeno de concentración de capitales al que se asiste actualmente en sectores mundializados como el aeronáutico, el energético, el químico y el farmacéutico, entre otros.

tas actividades. Al hacer esto se expulsa a los asalariados de la empresa, confiando las operaciones a subcontratistas externos que recurren a trabajo precario y mal remunerado.

• *La recompra de acciones por la propia empresa.* Constituye un medio de aumentar la rentabilidad para los accionistas. Al reducir el número de acciones sin disminuir el capital social de la empresa, aumenta el valor de las acciones restantes, lo que incrementa la plusvalía realizable por acción. La operación resulta más ventajosa si la recompra es financiada con un endeudamiento cuyo costo es inferior al de los fondos propios (efecto de palanca).[16]

El método EVA-MVA coloca en el centro del dispositivo de gestión y de organización de la empresa el rendimiento exigido por los accionistas. En este contexto, la variable de ajuste es el rendimiento económico obtenido por la empresa. Bajo esta perspectiva, el riesgo económico de ausencia de realización de las anticipaciones de ingresos futuros o de EVA futuro no es soportado por los accionistas sino por la empresa. Por el contrario, los inversionistas institucionales, principales promotores del nuevo método, simplifican mucho su gestión. Sus exigencias de rentabilidad que imponen a cualquier empresa del mundo se vuelven principios indiscutibles de su presencia como accionistas en el capital de las empresas.

Por su considerable peso financiero, los inversionistas ins-

[16] Si el costo de los capitales prestados es inferior a la rentabilidad económica, el endeudamiento engendra un "efecto de palanca" positivo sobre la rentabilidad de los fondos propios. Así, una empresa con un capital de 1000 completamente constituido de fondos propios, y un resultado de 100 tiene una rentabilidad económica de 10 por ciento que coincide con la rentabilidad de los fondos propios. Si su capital está constituido de 500 de fondos propios y 500 de capitales prestados, si el costo de los capitales prestados es de 5 por ciento y si el resultado es de 100, la rentabilidad económica es de 10 por ciento, la de los fondos propios es de (100-25)/500, es decir, 15 por ciento, 25 = 500 x 5%, siendo el costo de los capitales prestados. P.-N. Giraud, *Le commerce de promesses*, cit., pp. 328-29.

titucionales han mostrado una gran capacidad para transferir los riesgos en tres direcciones: hacia las empresas, hacia los asalariados y hacia los países emergentes.[17]

En primer lugar, las *empresas* se ven confrontadas a una auténtica obligación de resultados. Su actividad en materia de gestión de activos, composición de pasivos y mecanismos de reasignación financiera de los flujos se ve condicionada al objetivo supremo de obtención de rentabilidad financiera fijada *a priori*.

En lo tocante a la transferencia hacia los *asalariados* hay que señalar que la correlación de fuerzas entre accionistas, dirigentes y asalariados ha cambiado. A partir de los años noventa, con el abandono del fordismo y la instauración del régimen financiero-rentista, se asiste a un dominio de los accionistas que a través de los inversionistas institucionales abandonan su actitud complaciente del pasado. Los inversionistas institucionales, al imponer su criterio de rentabilidad financiera *ex ante*, conducen a los directivos a utilizar la masa salarial como variable de ajuste. A este respecto Artus y Debonneuil señalan:

> Si el rendimiento del capital debe ser elevado y estable, la única solución para los directivos en caso de fluctuaciones cíclicas es reducir los costos, es decir, el empleo y los salarios. Los asalariados se han vuelto entonces el socio más débil del trío accionistas-directivos-asalariados, ya que soportan el riesgo coyuntural o específico de la empresa.[18]

De ahí la flexibilización de la organización del trabajo y la precarización del empleo, que constituyen procedimientos para transferir los riesgos hacia los asalariados.

Finalmente, existe un tercer elemento por considerar en ma-

[17] D. Baudru y F. Morin, "Gestion institutionnelle et crise financière", *Architecture financière internationale*, cit., pp. 160-69.

[18] Patrick Artus y Michèle Debonneuil, "Crises, recherche de rendements et comportements financiers: l'interaction des mécanismes microéconomiques et macroéconomiques", ibid.

teria de transferencia de riesgo: los países emergentes. Al buscar la mejor rentabilidad financiera según la norma antes descrita, los inversionistas institucionales han favorecido políticas de sobrevaluación de la moneda, contribuyendo a desestabilizar los países emergentes. Sin tratar de minimizar la responsabilidad de los países emergentes en la aparición de la crisis, no cabe duda de que las insuficiencias institucionales de dichos países vieron sus efectos amplificados por las entradas masivas de capitales, buscando una elevada rentabilidad sin tomar en cuenta el riesgo.

En síntesis, el gobierno de empresa constituye una práctica destructiva para las empresas y sus asalariados. En efecto, el aumento del valor en bolsa se consigue de manera artificial gracias a diversas manipulaciones. Además, el alza del valor en bolsa se obtiene haciendo presión sobre el empleo y las remuneraciones de los asalariados de las empresas sometidas al gobierno de empresa. Así, el mantenimiento de la jubilación de ciertos asalariados se obtiene gracias a la baja de los salarios, del empleo y de la jubilación de otros asalariados.[19]

En conclusión, la tendencia mundial a elevar los rendimientos financieros exigibles proviene de la competencia exacerbada de los inversionistas institucionales. Estos últimos rechazan asumir los riesgos propios de su actividad, transfiriéndolos a otros actores como son las empresas, los trabajadores y los países emergentes, sin olvidar a los trabajadores de estos países de los cuales nos ocupamos a continuación.

Finanzas y trabajo en la periferia latinoamericana

Desde la década de los ochenta, a raíz de la crisis de la deuda, los países latinoamericanos terminaron alineándose tarde o temprano a la concepción neoliberal de la economía.[20] Aho-

[19] J. Nikonoff, *La comédie des fonds de pension*, cit., p. 128.
[20] H. Guillén Romo, *La contrarrevolución neoliberal en México*, cit., capítulo 2.

ra bien, para la corriente neoliberal representada en Francia por Pascal Salin,[21] el derecho del trabajo, los contratos colectivos y el salario mínimo no sólo constituyen obstáculos a la libre negociación del salario y de las condiciones de trabajo, sino que perjudican la creación de empleo. Prácticamente, todos los artículos del código de trabajo que se han elaborado en diferentes países del mundo se voltearían contra los trabajadores. Esto se debe, según Salin, a que el derecho del trabajo es un puro producto de lo que Friedrich Hayek denomina "la pretensión del conocimiento". Es decir, se cree saber lo que es mejor para todos sin evaluar todas las consecuencias de las restricciones legales a la libertad contractual. Se olvidan los efectos perversos de la legislación laboral, que se manifiestan en la medida en que dicha legislación proviene de una visión errónea del mercado de trabajo.

Para los neoliberales, la legislación laboral deteriora la incitación de los patrones potenciales a firmar contratos de trabajo. El patrón será tanto más renuente a contratar un asalariado cuyo despido será más difícil y esta decisión será transferida por ley del patrón, "personaje responsable", a un inspector de trabajo "necesariamente irresponsable".[22]

Según Salin, la legislación del trabajo no se preocupa de la calidad de las relaciones entre empleadores y asalariados, ni de la especificidad de la relación de trabajo, sino que se contenta con establecer reglas generales tendientes a limitar los despidos y a reglamentar la duración del trabajo. Sin embargo, si un empleador y un asalariado tienen problemas para trabajar juntos, sin importar quién tenga la culpa, la prohibición hecha al empleador de separarse del trabajador no va a mejorar sus relaciones. No sólo la productividad de la empresa va a verse afectada, sino también la realización personal del empleador y la de su asalariado. Sería preferible una situación de gran movilidad de los asalariados, permitiéndoles encontrar el lugar en

[21] P. Salin, *Libéralisme*, cit., pp. 414-29.
[22] Ibid., p. 419.

donde sus competencias y su carácter estarán mejor adaptados a las circunstancias específicas de la empresa.

Por último, para los neoliberales el desempleo se explica por la intromisión del Estado en el contrato de trabajo. En particular, por la determinación directa del costo del trabajo (caso del salario mínimo) o por un crecimiento voluntarista del salario indirecto que modifica la estructura del costo del trabajo entre salario directo e indirecto.

Para Pascal Salin, en materia de empleo no hay nada mejor que seguir el consejo de Margaret Thatcher quien consideraba que "la mejor política de empleo es no tenerla".[23]

Este consejo parece haber sido escuchado en América Latina por el Banco Interamericano de Desarrollo (BID). Dicho organismo realizó un estudio sobre el mercado laboral latinoamericano con el objetivo de analizar la legislación laboral.[24]

En dicho estudio se considera que los *altos costos del despido* hacen que el trabajo sea percibido como un factor *cuasi* fijo que, una vez en la empresa, resulta muy difícil de ajustar. Esto implica que frente a condiciones económicas adversas pero transitorias, la empresa tenderá a mantener más trabajadores ocupados de lo que sería deseable si los costos de despido fueran menores. Esta reacción no debe sorprender, ya que corresponde a la motivación original del legislador de preservar la estabilidad laboral. No obstante, por las mismas razones la respuesta del empleo a expansiones económicas, sobre todo si son temporales, será más pequeña cuanto mayores sean los costos del ajuste. Este hecho explica por qué la respuesta del empleo al crecimiento económico de la primera mitad de los años noventa fue tan débil en América Latina. En efecto, en esta región la respuesta del desempleo a un incremento del PIB es débil comparada con países como Estados Unidos o Canadá, caracterizados por tener mercados de tra-

[23] Ibid., p. 426.

[24] BID, *Progreso económico y social en América Latina*, Washington, D. C., 1996, pp. 191-212.

bajo más flexibles.[25] La baja respuesta del desempleo ante los cambios en el producto en América Latina está relacionada con el alto costo del despido de un trabajador con diez años de antigüedad.[26]

Con el propósito de proteger al trabajador frente a la empresa, las legislaciones laborales latinoamericanas contemplan, en mayor o menor medida, *límites a las jornadas de trabajo y pagos adicionales por horas extras, trabajo nocturno y días festivos.*[27] Se trata de evitar jornadas de trabajo demasiado largas que pongan en peligro la salud del trabajador. No obstante, para el BID la legislación debe ser suficientemente flexible para permitir que las horas trabajadas se adecúen a las fluctuaciones de la demanda. Esto se vuelve indispensable por la rigidez de la legislación en materia de contratación de personal y de costos de despido.

Al igual que el BID, el Banco Mundial considera que la des-

[25] Un aumento del producto de 10 por ciento reduce el desempleo en 4 por ciento en Chile, alrededor de 3 por ciento en Uruguay y Venezuela, 2 por ciento en Argentina y México, y cerca de 1.5 por ciento en Perú y Brasil, algo muy similar a lo que ocurre en Francia y Alemania, países cuyas legislaciones laborales imponen altos costos al despido de los trabajadores. Ibid., p. 201.

[26] En la mayoría de los países latinoamericanos, el costo de despedir a un trabajador al cabo de un año supera un mes de salario y en seis países es por lo menos de tres meses. A los diez años de antigüedad, los costos de despido se incrementan: en la mayoría de los países como mínimo seis meses de salario, y en seis países más de doce meses. Eduardo Lora, "Una década de reformas estructurales en América Latina: qué se ha reformado y cómo medirlo", *Pensamiento Iberoamericano*, volumen extraordinario, 1998, p. 40.

[27] En la mayoría de los países latinoamericanos, la jornada máxima asciende a 48 horas semanales y 8 horas diarias, incluyendo los sábados. Sin embargo, Brasil y México tienen una jornada laboral semanal de 40 horas, en tanto que El Salvador, Guatemala y Venezuela de 44 horas. Los pagos por horas extras varían de 50 a más de 100 por ciento, y los pagos por días festivos laborados de 0 a más de 100 por ciento, dependiendo del país o de si se trata de jornada diurna o nocturna. BID, *Progreso económico y social en América Latina*, cit., p. 194.

regulación del mercado laboral desempeña un papel clave para el éxito de lo que se ha llamado el nuevo modelo económico en América Latina. En especial, dicha institución señala que

> en muchos países los mercados laborales están sumamente deformados, lo que introduce costos en eficiencia y dificulta el ajuste. Un mercado laboral dinámico y flexible es parte importante de las políticas orientadas hacia el mercado.[28]

La búsqueda de la flexibilidad del trabajo pasa a formar parte del discurso de los neoliberales latinoamericanos. De ahora en adelante, se busca la flexibilidad del trabajo en todas sus formas: flexibilidad cuantitativa (externa e interna) y flexibilidad cualitativa interna.[29]

La *flexibilidad cuantitativa externa* busca una fluctuación de los efectivos de la empresa en función de sus necesidades, utilizando contratos de corta duración y despidiendo en la medida en que sea necesario. La externalización, otra forma de la flexibilidad cuantitativa externa, intenta transferir a otra empresa el vínculo contractual con el trabajador. Las restricciones del contrato de trabajo ceden su paso a la flexibilidad del contrato comercial entre la empresa y su subcontratista, su proveedor o una agencia de trabajo temporal que emplea a los hombres necesarios para su producción. El empresario se libera del riesgo inherente a las fluctuaciones de actividad y lo transfiere a las empresas subordinadas.

[28] El Banco Mundial menciona un cierto número de fuentes de inflexibilidad en los mercados laborales, como son los altos costos del despido y las restricciones para contratar trabajadores temporales. El Banco Mundial, al igual que el BID, critica el hecho de que en la mayoría de los países latinoamericanos, el despido "justo" excluye las condiciones económicas adversas y una competencia internacional cada vez mayor. Banco Mundial, *Latin America and The Caribbean: A Decade After the Debt Crisis*, Washington, D. C., 1993, pp. 92-93.

[29] Bernard Brunhes, "La flexibilité du travail: réflexions sur les modèles européens", *Droit Social*, marzo de 1989.

La *flexibilidad cuantitativa interna* se logra no con una variación del número de personas que laboran para la empresa, sino con una utilización diferente de los asalariados contratados. Esto se realiza, en esencia, con una variación de la duración efectiva del trabajo tendiente a modular el tiempo de trabajo provisto en las actividades productivas: variaciones colectivas o individuales de los horarios de trabajo, modulación estacional a partir de un contrato de trabajo de duración anual, tiempo parcial o intermitente, utilización de tiempo para la formación o el mantenimiento, horas extras, etcétera. La flexibilidad cuantitativa interna también incluye la variabilidad de las remuneraciones, concebida como un mecanismo para repercutir sobre los salarios las evoluciones de las cifras de ventas o de costos de producción en función de los movimientos coyunturales.

Finalmente, las empresas recurren a la *flexibilidad cualitativa interna* o flexibilidad funcional, entendida como la posibilidad de modificar la organización del trabajo y la afectación de los asalariados. Se trata de emplear a los trabajadores contratados en funciones variables según las necesidades de la cadena productiva o de las fluctuaciones de la producción. La polivalencia de los individuos o de los equipos permite que variaciones ligeras sean amortiguadas gracias a cambios en la afectación de los trabajadores. Esto implica un esfuerzo particular de formación profesional para que los trabajadores adquieran varias calificaciones y la adopción de organizaciones flexibles.

A diferencia de las organizaciones fordistas, las *organizaciones flexibles* tienen como objetivo reducir el desperdicio y aumentar la productividad, invirtiendo la lógica taylorista, es decir, integrando la reflexión y la acción en todos los niveles de la organización.[30] Según Charles Oman, el sistema flexible combina las ventajas de la producción artesanal con las de la producción fordista, evitando los inconvenientes de ambas. Dicho sistema asocia la plasticidad y la calidad del producto, que

[30] Ch. Oman, *Globalisation et régionalisation...*, cit., pp. 96-98.

son las ventajas de la producción artesanal, con la velocidad y los bajos costos unitarios de la producción en serie.

La producción flexible introduce cambios a lo largo de toda la cadena productiva. Desde el estudio y la concepción del producto hasta la comercialización y la distribución, así como la organización interna de la fábrica y las relaciones con los proveedores. Se trata de un sistema dinámico en constante mutación que privilegia la innovación permanente del proceso productivo, así como en los productos.

Para Oman cinco rasgos distintivos caracterizan la producción flexible:

• *ingeniería simultánea.* La concepción y la fabricación de un producto dejan de ser procedimientos separados en el tiempo y en el espacio, integrándose y sincronizándose gracias a la cooperación directa entre creadores y fabricantes;

• *innovación continua.* Todos los trabajadores y no sólo un grupo de expertos aconsejan sobre la manera de mejorar los procedimientos y los productos, tratando de identificar el más minúsculo error. Se trata de reforzar el sentimiento de identificación del trabajador con los resultados de la empresa;

• *trabajo en equipo.* Los trabajadores se organizan en equipos flexibles (con un jefe y alrededor quince personas) relativamente autónomos. Se instaura un sistema de rotación de tareas al interior de los equipos y entre los equipos. La organización en equipos busca vincular la remuneración a los esfuerzos y resultados del grupo;

• *principios de "justo-a-tiempo" y de cero stock.* No se trata sólo de eliminar los costos financieros inherentes al mantenimiento de importantes stocks de productos intermedios y terminados, sino de aumentar de manera considerable la respuesta de la producción de la empresa a la evolución de la demanda. La producción en series pequeñas permite un control de la calidad del producto o servicio *ex ante,* y no remediando *ex post* los defectos de fabricación;

• *integración de la cadena productiva.* Los aprovisionamientos son coordinados en función del principio de "justo-a-tiempo", lo que aumenta en gran medida el interés de la proximidad física entre productor, proveedores y clientes. Establecer relaciones de colaboración de la empresa con proveedores y clientes es de primordial importancia.

En pocas palabras, con la producción flexible se trata de eliminar el desperdicio gracias a una mejor gestión y una organización del trabajo que utiliza al máximo los conocimientos, la creatividad y las capacidades de los individuos.

La búsqueda de la flexibilidad del trabajo y la implantación de sistemas de este tipo no sólo es materia de actualidad en el mundo desarrollado, sino también en algunas economías periféricas.[31] En América Latina, el débil crecimiento constatado en los años noventa fue la consecuencia de un arbitraje fuertemente favorable a la inversión financiera, en detrimento de la inversión productiva. El comportamiento cada vez más rentista de los inversionistas latinoamericanos tuvo consecuencias indirectas sobre la flexibilidad del trabajo, las remuneraciones y el empleo.

La política neoliberal instaurada en América Latina favorece al capital financiero gracias a las altas tasas de interés. Además, se opone a la política industrial que incita a invertir en tal o cual sector, y a conquistar tal o cual mercado. En dicho contexto, el diferencial entre rentabilidad financiera y rentabilidad productiva se agranda, provocando la financierización de las empresas industriales que van a destinar una parte creciente de sus recursos a actividades financieras abandonando, en cierta medida, su actividad principal. Los beneficios financieros y una parte creciente de los industriales se reinvierten en bolsa. Así, la financierización de las empresas opera en detrimento de la inversión productiva, afectando el empleo y los salarios. La inversión resulta insuficiente (tomando en cuenta la competencia externa aguijoneada por la apertura, la sobrevaluación del tipo de cambio y el retraso tecnológico acumu-

[31] P. Salama, "De las finanzas a la flexibilidad en América Latina y en el norte y el sureste de Asia", *Riqueza y pobreza en América Latina*, cit.

lado durante la década perdida) para mejorar la competitividad de las empresas y asegurar un mínimo de beneficios. En estas condiciones, la masa salarial y la organización del trabajo se vuelven aspectos fundamentales de una mejor valorización del capital. Un freno al aumento de los ingresos del trabajo, o todavía mejor, una baja de éstos cuando la productividad aumenta, permite generar suficiente plusvalía para incrementar ante todo las inversiones financieras y, después, las inversiones productivas.[32]

De esta manera, nuevas formas de sumisión del trabajo se instauran. Se busca la flexibilidad del trabajo, y la insuficiencia de la inversión trata de paliarse con la adopción de sistemas organizacionales flexibles que permiten aumentar la productividad. Mientras la financierización de las empresas continúe, seguirá manifestándose la influencia preponderante de las bolsas de valores emergentes en el empleo, las remuneraciones y la organización del trabajo.

Sistemas flexibles y flexibilidad del trabajo en México

Para el Banco Mundial,[33] el marco normativo y legal en que funciona el mercado laboral mexicano es obsoleto: la legislación laboral de nuestro país tiene una larga tradición de protección al trabajador codificada en el artículo 123 de la Constitución de 1917 y en la Ley Federal del Trabajo de 1931 (modificada en 1970). La protección al trabajador contempla tres elementos: a] la Ley Federal del Trabajo estipula que el patrón debe notificar al trabajador con un mes de anticipación y por escrito del despido y sus razones; b] importantes compensaciones vinculadas a separaciones involuntarias; y c] procedimientos legales para proteger a los trabajadores despedidos sin cau-

[32] Para Salama, el caso de Argentina en los años noventa es una buena ilustración de la evolución señalada. Ibid., p. 239.

[33] M. M. Giugale, O. Lafourcade y V. H. Nguyen, *Mexico. A Comprehensive Development Agenda for the New Era*, cit., capítulo 22.

sa. Según el Banco Mundial, la legislación laboral mexicana constituye más un impedimento que un mecanismo para que los trabajadores, sobre todo los pobres, se beneficien de su "capital humano". En estas condiciones, no es de sorprender que alrededor de uno de cada dos trabajadores mexicanos no pertenezca al mercado laboral formal y que de aquellos que permanecen en la informalidad, aproximadamente la mitad lo haga contra su voluntad. Igualmente, no es de sorprender que a los inversionistas les disguste la legislación laboral mexicana, ya que les impone una carga que representa 31 por ciento de la nómina salarial (prestaciones sociales 9.5 por ciento, seguro médico 9 por ciento, SAR 2 por ciento, riesgos relacionados con el trabajo 2.5 por ciento, Infonavit 5 por ciento, impuestos laborales locales, 2-3 por ciento), contra 12 y 19 por ciento en Canadá y Estados Unidos respectivamente. Para el Banco Mundial, las leyes, regulaciones e instituciones laborales mexicanas permiten una flexibilidad en los salarios reales pero no en el empleo. Esto se manifiesta en una baja tasa de desempleo formal en el país. En efecto, en México la tasa de desempleo urbano –que constituye el mejor indicador del desempleo abierto– se mantuvo entre 2 y 5 por ciento durante la mayor parte del periodo 1981-1994. Sólo en dos ocasiones, durante las crisis de 1982 y 1994, la tasa de desempleo alcanzó 7 por ciento. Para el año 2000, dicha tasa se situaba en 2.2 por ciento.[34]

Dos factores explican la baja tasa de desempleo abierto en México. En primer lugar, la definición del desempleo utilizada en la encuesta nacional de empleo urbano otorga con más facilidad el estatuto de no desempleado que la definición clásica de la OIT-OCDE. De cualquier manera, si se ajusta la tasa de desempleo en función de la definición clásica sólo se agregarían 1 o 2 puntos al porcentaje calculado, lo que aún resulta modesto en términos de los cánones de desempleo en los países de la OCDE.[35] En segundo lugar, pero aún más relevante, la

[34] INEGI, *Encuesta nacional de empleo urbano*, México, 2000.

[35] OCDE, *Études économiques de l'OCDE. Mexique*, París, 1997, p. 75.

ausencia de seguro de desempleo, aunada a un bajo nivel de ingreso de la mayoría de la población que se encuentra incapacitada para ahorrar, limita fuertemente el desempleo abierto. En México, a diferencia de lo que acontece en los países industrializados, el desempleo aumenta con el nivel de instrucción. En efecto, las tasas de desempleo de las personas con mayor nivel de instrucción (incluso estudios universitarios) son más elevadas que las de los que sólo asistieron unos cuantos años a la primaria. Como el nivel de instrucción está vinculado al ingreso familiar, sólo los trabajadores pertenecientes a familias relativamente acomodadas pueden permitirse permanecer desempleados. A este respecto, un autor señala que

> como en México no existe seguro de desempleo, estar desempleado es, por así decirlo, "un lujo" que muy poca gente se puede permitir. [De tal suerte que] cuando una persona pierde un trabajo formal, por fuerza debe dedicarse a alguna actividad informal en lugar de quedar desocupado.[36]

Según la OCDE, varios mecanismos han permitido el ajuste del mercado de trabajo mexicano.

El sector informal[37] desempeña un papel importante de

[36] Julio López G., "El empleo durante las reformas económicas", en Fernando Clavijo (comp.), *Reformas económicas en México, 1982-1999*, Fondo de Cultura Económica, México, 2000, p. 318.

[37] Existen numerosas definiciones del sector informal. Sin embargo, éstas pueden ser agrupadas en tres grandes rubros: 1] el sector informal considerado como una forma de protección para asegurar la supervivencia de la familia (OIT-ONU); 2] el sector informal considerado como una forma de escapatoria a los enredos burocráticos (Tanzi y H. De Soto); 3] el sector informal considerado como una estrategia del capital para someter las formas no capitalistas de producción, eludiendo la legislación social y fiscal con el objetivo de mantener una tasa de beneficio aceptable (F. De Oliveira y M. Castells). Thomas Coutrot y Michel Husson, *Les destins du Tiers Monde*, Nathan, París, 1993, p. 142.

amortiguador, absorbiendo la mano de obra excedente. El sector informal en México abarca un conjunto diverso y heterogéneo de individuos y empresas. Los integrantes del sector informal no suelen contar con locales, no llevan contabilidad, ni cumplen con las obligaciones de registro y reglamentación laboral. Operan en una escala muy pequeña, a menudo en actividades de subsistencia, y en general sus ingresos son tan bajos que difícilmente podrían representar una fuente de imposición fiscal. Muchos mexicanos, saltando las numerosas barreras a la entrada,[38] ingresan al sector informal en calidad de empleados domésticos, pequeños comerciantes, boleros, vendedores ambulantes y, en menor medida, como trabajadores de la construcción.[39] Como en muchos otros países del tercer mundo, el crecimiento del sector informal se aceleró en México durante los años ochenta debido a la incapacidad del sector formal para absorber una población activa en fuerte crecimiento. Así, para principios del presente siglo se calcula que el empleo informal representó 50 por ciento del empleo formal.[40]

La emigración a los Estados Unidos constituye "un escape" para una buena parte de la población y reduce las presiones demográficas sobre la oferta de trabajo. El flujo migratorio al vecino país del norte no ha dejado de incrementarse desde los años sesenta: 260 mil a 290 mil personas entre 1960 y 1970, 1.20 a 1.55 millones entre 1970 y 1980, de 2.10 a 2.60 millones entre 1980 y 1990, y más de 3 millones durante la década de los noventa. Las remesas enviadas por los trabajadores mexicanos en el extranjero contribuyen a reducir el déficit de la cuenta co-

[38] Ahorro previo, habilidad técnica, inserción en redes (étnicas, religiosas o de parentesco), o incluso bandas de malhechores o mafias. Bruno Lautier, "L'économie informelle, son rôle social et la démocratisation", *Cahiers Français*, n. 270, marzo-abril de 1995, p. 26.

[39] F. Roubaud, *Le secteur informel au Mexique*, tesis doctoral, Universidad de París X, 1991.

[40] M. M. Giugale, O. Lafourcade y V. H. Nguyen, *Mexico. A Comprehensive Development Agenda for the New Era*, cit., p. 511.

rriente de la balanza de pagos. Durante la última década, nuestro país recibió por remesas de divisas de los trabajadores más de 45 mil millones de dólares. Sólo en el año 2000, ingresaron a México por ese concepto más de 6 500 millones de dólares.[41]

Los flujos migratorios internos han permitido el ajuste de la oferta y la demanda de trabajo a nivel regional. Estos flujos se orientan hacia las regiones y los sectores más dinámicos. Antes de los setenta, se trataba de un fenómeno de éxodo rural hacia la ciudad de México, en busca de los empleos que se concentraban en la capital debido a la fuerte polarización del país. A inicios de la siguiente década, el éxodo rural se frenó y los flujos migratorios se dirigieron hacia el norte del país, donde se condensan los centros industriales más dinámicos que trabajan para la exportación y las grandes explotaciones agrícolas de Baja California.

Finalmente, la elevada flexibilidad de los salarios, tanto en el sector formal como en el informal, permite que los costos de producción se ajusten durante la recesión, volviendo innecesarios los despidos. En particular, como señala la OCDE,[42] el salario mínimo se ha reducido a tal punto que ya no constituye una restricción para las empresas.

El sistema de negociación salarial en el sector *formal* permitió *la flexibilidad de las remuneraciones*, tanto a nivel global como a nivel de región o de empresa. A nivel global, los salarios reflejan las condiciones macroeconómicas del país; a nivel regional o de empresa, buscan adaptarse a las condiciones locales y a la capacidad de pago de las empresas. Desde 1987, las negociaciones salariales sobre el mínimo se realizan normalmente cada año en el marco del pacto tripartita entre los poderes públicos, los representantes de los patrones y de los trabajadores de todos los sectores. En virtud de estos pactos, estable-

[41] Rodolfo Tuirán, Carlos Fuentes y Luis Felipe Ramos, "Dinámica reciente de la migración México-Estados Unidos", *El Mercado de Valores,* Nacional Financiera, agosto de 2001, pp. 6 y 11.

[42] OCDE, *Études économiques de l'OCDE. Mexique,* París, 1997, p. 135.

cidos con el fin de controlar las presiones inflacionarias, los trabajadores deben poner un límite a sus demandas salariales y las empresas deben moderar su margen de ganancia, en tanto que el gobierno debe controlar su gasto. En estas condiciones, los sindicatos, los empleadores y el Estado continúan interactuando dentro de la estructura corporativa construida por el presidente Cárdenas en los años treinta. La firma del primer Pacto en 1987,

> implicó que la estructura corporativa de los años treinta fuera refrendada y pudiera ser capaz de articular nuevamente a los actores de la producción y a éstos con el Estado. Los sindicatos y las cámaras empresariales reconocieron su subordinación al Estado.[43]

Pero la negociación salarial en México ha sido descentralizada. Así, una vez fijado el salario mínimo, los trabajadores negocian sus salarios en el ámbito de las empresas. Los contratos colectivos son discutidos a nivel de empresa, aunque la ley autoriza negociaciones a nivel de rama. Sólo un sindicato, el que representa a la mayoría de los asalariados de la empresa, puede firmar el contrato colectivo, que abarca entonces a la totalidad de los trabajadores. Los contratos se revisan todos los años en lo referente a la parte salarial y cada dos años por lo que toca a las otras condiciones de trabajo. En el contrato colectivo las partes negociantes establecen si el acuerdo se aplica a uno solo o a todos los establecimientos de la empresa. Los conflictos del trabajo pueden ser resueltos con negociaciones directas entre las partes, por vía de conciliación o, en última instancia, recurriendo a los tribunales. Los acuerdos de empresa o los contratos colectivos que involucran a varios empleadores pueden ser extendidos a terceras partes. Si las dos terce-

[43] Francisco Zapata, "El sindicalismo mexicano en un contexto de crisis económica y política", en Juan Manuel Ramírez y Jorge Regalado (coords.), *El debate nacional*, t. 4, Diana, México, 1997, p. 180.

ras partes de los trabajadores sindicalizados en una rama de una región geográfica dada están comprendidas por un acuerdo, éste se vuelve "contrato ley" y se aplicará obligatoriamente a toda la rama, incluso a las empresas que no lo firmaron.

Hasta ahora, como lo manifiesta la elevada movilidad del salario, los trabajadores no han tenido un gran poder de negociación para obtener aumentos, ni a nivel global ni a nivel de grupos particulares. Por el contrario, según el BID, la legislación laboral mexicana es bastante rígida comparada con la de los otros países latinoamericanos.[44] La ausencia de flexibilidad de nuestra legislación se observa en materia de contratación, despido, jornada laboral y recargos sobre la nómina. En el mismo sentido, el Banco Mundial considera que el sistema de relaciones laborales y negociación colectiva heredado de principios de siglo es excesivamente costoso, distorsiona la asignación del trabajo, disminuye la competencia y termina por revertirse contra los trabajadores. En particular, dicho sistema pone un énfasis excesivo en la estabilidad del empleo, incrementa los costos laborales y reduce el empleo, tiene un alto costo en litigios y aumenta la incertidumbre, protege de manera deficiente a los trabajadores, impide la reasignación de recursos y genera obstáculos al crecimiento y a la expansión de las empresas pequeñas.[45]

Este juicio parece ser compartido por la OCDE, que considera que la legislación mexicana en el ámbito de la protección al empleo es relativamente estricta si se le compara con la de otros países afiliados a esta organización internacional.[46] La estabilidad del empleo es un principio de la legislación laboral mexicana. Los contratos de duración determinada son autorizados sólo para tareas específicas o empleos de natura-

[44] BID, *Progreso económico y social en América Latina*, cit., cuadro 6.1, p. 194.

[45] M. M. Giugale, O. Lafourcade y V. H. Nguyen, *Mexico. A Comprehensive Development Agenda for the New Era*, cit., pp. 516-18.

[46] OCDE, *Études économiques de l'OCDE. Mexique*, 1997, cit., pp. 106-12.

leza temporal. El sistema actual de indemnización en caso de despido (con una parte vinculada a la antigüedad sin tope superior) tiende a reducir la movilidad, influyendo el comportamiento de patrones y empleados. Para la OCDE, un cierto rigor de la legislación en materia de rescisión de contrato y de pago de indemnizaciones puede justificarse por la necesidad de ofrecer un mínimo de seguridad en una economía carente de seguro de desempleo. De alguna manera, esto también es bueno, ya que "vuelve el ajuste estructural políticamente factible".[47] Sin embargo, como la creciente competencia exterior impone ajustes y una cierta movilidad, el sistema resulta costoso para las empresas, que tienen que enfrentar largos y tortuosos procesos de negociación. Para facilitar su situación, la ley contempla varios casos en los cuales los despidos colectivos son posibles, por ejemplo, en caso de modernización. Esta cláusula fue frecuentemente invocada durante los ochenta para despedir a todos los asalariados de una empresa, cerrarla y después volverla a abrir con trabajadores contratados en condiciones más ventajosas para las empresas.[48] En este caso, la empresa puede verse obligada a pagar indemnizaciones de despido relativamente elevadas. Lo mismo acontece con los despidos individuales por "causa injustificada", dentro de las que se consideran las razones económicas.

El costo relativamente elevado de los despidos, aunado al hecho de que la ley prohíbe los periodos de prueba, puede explicar la multiplicación de los contratos de duración determinada. De forma progresiva, los sindicatos han terminado por aceptar más trabajadores temporales que los previstos en

[47] Ibid., p. 106.

[48] Esto se dio, por ejemplo, en el caso de Aeroméxico, que fue remplazada por Aerovías de México, empresa que volvió a contratar a una parte del personal despedido con un nuevo contrato colectivo sin las cláusulas que, según la empresa, atentaban contra la competitividad. F. Zapata, "El sindicalismo mexicano en un contexto de crisis económica y política", en J. M. Ramírez y J. Regalado, *El debate nacional*, cit., pp. 184-85.

los contratos colectivos. Asimismo, las empresas han recurrido al uso de horas extras no sólo como excepción, sino para satisfacer las exigencias normales de la producción.

En México, los recargos a la nómina (impuestos y cotizaciones a la seguridad social) representan una parte relativamente poco importante del PIB comparada con otros países de la OCDE. En 1994 fue de 21.8 por ciento del PIB, contra 26.7 en Estados Unidos, 36.1 en Canadá y de 30 a 40 por ciento en los países pequeños de Europa.[49] Sin embargo, tomando en cuenta la importancia del sector informal, toda la carga se ejerce sobre las empresas formales, incitándolas así a informalizarse.

Para hacer frente a la alta inflexibilidad constatada en la legislación laboral mexicana, la OCDE recomienda facilitar la utilización de los contratos de trabajo de duración determinada.[50] Dichos contratos permitirían responder a las necesidades de las empresas confrontadas a fluctuaciones temporales de la demanda. En el caso de los contratos de duración indeterminada, la OCDE recomienda la adopción de periodos probatorios. Considerando que la legislación laboral mexicana en materia de contratación, de promoción y de despido es muy restrictiva para una economía abierta, la OCDE recomienda buscar una mayor flexibilidad para atenuar la carga que pesa sobre el sector expuesto de la economía.

En el mismo sentido que la OCDE, el Banco Mundial[51] recomienda la eliminación del sistema actual de pagos por despido, negociación colectiva y contratos obligatorios para la industria (contratos ley); la desaparición del ingreso obligatorio a sindicatos (cláusula de exclusión), la eliminación del reparto obligatorio de utilidades; la anulación de las restricciones a los contratos temporales, de plazo fijo y de aprendizaje; la eliminación de las promociones basadas en la antigüedad; la de-

[49] OCDE, *Études économiques de l'OCDE. Mexique,* 1997, cit., p. 109.
[50] Ibid., p. 135.
[51] M. M. Giugale, O. Lafourcade y V. H. Nguyen, *Mexico. A Comprehensive Development Agenda for the New Era,* cit., pp. 518-28.

saparición del registro de programas de capacitación otorgados por las empresas y de las obligaciones por los empleados de subcontratistas (patrón indirecto). Para el Banco Mundial, el problema con el sistema vigente de relaciones laborales no es tanto el que limite las decisiones de las empresas, sino que su costo es asumido por los trabajadores mexicanos bajo la forma de salarios más bajos y menos oportunidades de empleo a cambio de beneficios poco evidentes.

La liberalización drástica del comercio exterior mexicano explica el importante auge de las importaciones y el incremento del déficit externo. La débil competitividad de varias ramas industriales y en especial de algunos segmentos de líneas productivas explica también la amenaza de desaparición de rubros enteros del aparato productivo. La reestructuración industrial de México no resulta de una política industrial ausente en la estrategia neoliberal, sino de la aguda competencia externa. Para muchas empresas mexicanas la amenaza real de quiebra, en este nuevo contexto, constituye un fuerte aliciente para reorganizarse y recurrir a una mayor flexibilidad del trabajo, en la perspectiva de reducir el costo unitario.

Nuevas formas de organización industrial y del trabajo se desarrollaron sobre todo en las industrias ensambladoras.[52] Los programas de calidad y los grupos de calidad se expanden en la industria mexicana aunque su aplicación sea parcial (según una encuesta, un tercio de las empresas exportadoras y un quinto de las empresas orientadas al mercado interno). En la industria maquiladora más de 40 por ciento de los trabajadores participa en las nuevas formas de organización del trabajo. Las empresas mexicanas también han recurrido a la flexibilidad del trabajo para tratar de reducir los costos. A este respecto se ha señalado[53] que en México se pueden distinguir tres tipos de

[52] Jorge Carrillo, "Entreprises exportatrices et changements dans l'organisation du travail au Mexique", *Revue Tiers Monde*, abril-junio de 1998, pp. 332-33.

[53] Ibid., p. 334.

empresas o de sectores en función de su grado de flexibilidad. El primero con una fuerte flexibilidad cualitativa interna (flexibilidad funcional) caracteriza a la industria maquiladora, a la industria de exportación de automóviles y a las minas del norte de México. El segundo que privilegia la flexibilidad cuantitativa caracteriza espacios de fuerte presencia sindical, como las empresas automotrices de Ford Cuautitlán y VW, o las empresas metalúrgicas reestructuradas. El tercero es un sector donde la adopción de estrategias flexibles es muy reducida.[54]

En México, como en otros países de América Latina, la insuficiencia de la inversión se explica parcialmente por los arbitrajes que hacen las empresas en favor de las actividades financieras. Desatendiendo la inversión productiva, las empresas dejan de introducir nuevos equipos privándose de las economías de escala generadoras de reducciones de costos de producción. En este contexto, la reorganización del trabajo y la búsqueda de mayor flexibilidad siguiendo las propuestas del Banco Mundial, del BID y de la OCDE se vuelven elementos esenciales para poder sobrevivir en la competencia. La reorganización del trabajo y su flexibilidad es buscada como un auxiliar de la financierización. Más que nunca el mercado de trabajo muestra sus vínculos con el mercado financiero y la relación mundialización-trabajo se aprecia bajo otro ángulo.

[54] Aunque no queda la menor duda de que la apertura comercial, obligando a adoptar normas de calidad, produjo un proceso de homogeneización del trabajo en ciertas ramas, esto sólo es válido para una parte de las ramas exportadoras y en mucho menor medida para las ramas que producen para el mercado interno. Se vuelve cada vez más evidente que los procesos operatorios transferidos o no del extranjero son compatibles con las formas más diversas de explotación del trabajo, de tipos de mano de obra y de constitución de colectivos de trabajo. Bruno Lautier, "Pour une sociologie de l'hétérogénéité du travail", *Revue Tiers Monde*, abril-junio de 1998, p. 256.

8. Hacia la mundialización de los sistemas de pensiones

El debate sobre el futuro de los regímenes de jubilación se mundializó como resultado de la aparición, en 1994, de un célebre estudio del Banco Mundial.[1] En ese ensayo, que se volvió una referencia importante en la discusión sobre el porvenir de los sistemas de pensiones, el Banco Mundial realizó la crítica de los sistemas tradicionales de previsión social y propuso una reforma para adaptarse a las mutaciones económicas y sociodemográficas en curso o previsibles. En el centro de esta reforma, propuesta tanto para los países desarrollados como subdesarrollados, se encuentra el desarrollo de un sistema de jubilación por capitalización administrado a nivel privado a través de los fondos de pensión. Poco a poco se fue afirmando, sobre todo en los países latinoamericanos, la idea de que el cambio incluso parcial de la repartición hacia la capitalización era ineluctable. Así, varios países de América Latina comenzaron a impulsar reformas en el sentido deseado por el Banco Mundial. En este capítulo, nuestro objetivo es presentar algunos elementos que permitan reflexionar respecto a un debate cuyas implicaciones son no sólo económicas y financieras sino sociales y políticas, para países que, como México, decidieron implantar una profunda reforma de su antiguo régimen de pensiones.

Al tomar como punto de partida el modelo del ciclo de vida, presentaremos sucesivamente el debate entre partidarios de la repartición y partidarios de la capitalización, la caracterización de los sistemas nacionales de jubilación tanto en los países desarrollados como subdesarrollados, la propuesta del Banco Mundial y su aplicación en México.

[1] Banco Mundial, *Averting the Old Age Crisis*, Oxford University Press, Washington, D. C., 1994.

El modelo del ciclo de vida

El modelo del ciclo de vida, al igual que el del ingreso permanente,[2] se construye tomando como eje de la reflexión el hecho de que el consumo de un periodo particular depende de las expectativas de ingreso durante toda la vida y no del ingreso del periodo corriente. La contribución importante de la hipótesis del ciclo de vida se encuentra en la observación de que el ingreso tiene una tendencia a variar de manera sistemática durante la vida de una persona, por lo que el comportamiento personal con respecto al ahorro está determinado sobre todo por la etapa que el individuo atraviesa durante su ciclo de vida. Franco Modigliani, premio Nobel de economía 1986, desarrolló en colaboración con Richard Brumberg y Albert Ando el modelo del ciclo de vida en una serie de trabajos escritos durante los años cincuenta e inicios de los sesenta.[3] La conferencia dictada por Modigliani con motivo de la entrega del Nobel presenta una síntesis de esta contribución fundamental a la economía[4] que describe el comportamiento de los individuos en los siguientes términos: cuando una persona es joven su ingreso es bajo y a menudo se endeuda (desahorra) dado que sabe que en el futuro ganará más. Durante sus años de trabajo, el ingreso aumenta hasta alcanzar un máximo el año que precede a la jubilación. El ingreso más elevado le permite pagar la deuda contratada antes y comenzar a ahorrar para la jubi-

[2] Ingreso medio previsto por un individuo y que le sirve de referencia para determinar su nivel de consumo.

[3] Franco Modigliani y Richard Brumberg, "Utility Analysis and the Consumption Function: an Interpretation of Cross-Section Data", en K. Kurihara (coord.), *Post-Keynesian Economics*, Rutgers University Press, Nueva Jersey, 1954, y Albert Ando y Franco Modigliani, "The Life Cycle Hypothesis of Saving: Aggregate Implications and Tests", *American Economic Review*, marzo de 1963.

[4] Franco Modigliani, "Life Cycle, Individual Thrift and the Wealth of Nations", *American Economic Review*, junio de 1986.

lación. En el momento de la jubilación, el ingreso del trabajo cae a cero y la persona puede vivir gracias al ahorro acumulado.

En el modelo del ciclo de vida, la única razón de ahorrar es la de distribuir el consumo sobre la totalidad de la vida y especialmente la de acumular saldos que permitan financiar el consumo durante la jubilación. El consumo y la tasa de ahorro son función de la edad. A inicios de la vida activa, el ahorro es débil o incluso negativo si las posibilidades de endeudarse son importantes; el ahorro aumenta a medida que el individuo progresa en su carrera; se vuelve de nuevo negativo en el momento de la jubilación. Se supone que los jóvenes de menos de veinte años dependen de los adultos activos. La población de más de veinte años se desagrega en tramos de edad considerados perfectamente homogéneos; luego entonces los individuos sólo se diferencian por su edad. Por último, se plantean hipótesis simplificadoras como la ausencia de herencia, transmitida o recibida, y la ausencia de incertidumbre, lo que permite que los agentes anticipen la evolución de sus ingresos futuros.

Para Michel Aglietta, Anton Brender y Virginie Coudert, las dos últimas hipótesis no plantean ningún problema. En efecto, según estos autores,

> la hipótesis de ausencia de herencia es menos restrictiva que lo que parece a primera vista, ya que es equivalente al caso en que la herencia transmitida y recibida son de un mismo monto; se trata entonces de una simple transferencia de patrimonio de una generación a otra, sin incidencia sobre la formación del ahorro. La incertidumbre sobre la duración de la vida puede ser restablecida fácilmente en este modelo, suponiendo que el ahorro constituido por cada individuo es entregado a un fondo de jubilación colectivo que vuelve mutuos los riesgos. Cada individuo ahorra entonces en función de su esperanza de vida, aunque la duración de su vida sea incierta.[5]

[5] M. Aglietta, A. Brender y V. Coudert, *Globalisation financière: l'aventure obligée*, cit., pp. 67-68.

En estas condiciones, la riqueza final es nula; dicho de otra manera, el ahorro acumulado por un individuo es gastado durante su vida. Esto se manifiesta (si la tasa de interés real es igual a cero) en la igualdad entre la diferencia del ahorro y el desahorro de la vida activa y el consumo durante la jubilación.

Hasta aquí se ha razonado suponiendo que cada individuo ahorra para su jubilación, pero en la realidad las cosas suceden de otra manera.

Sistemas informales, repartición y capitalización

Los *sistemas informales* de pensiones en los cuales el Estado no interviene y el mercado sólo lo hace de manera marginal, constituyen el principal apoyo a la vejez en la mayoría de los países subdesarrollados. La familia ampliada (hijos, esposos, o incluso familiares más lejanos, incluyendo compadres) toma a su cargo las funciones de aseguramiento, redistribución e incluso de ahorro invirtiendo en los hijos, la tierra o el alojamiento para toda la familia. La solidaridad intergeneracional está en el corazón de este sistema: los padres tienen el deber de mantener y educar a sus hijos, los cuales cuando llegan a ser adultos tienen el deber de mantener y de ocuparse de sus padres. En este caso, la familia constituye un sustituto de las pensiones. Una persona que sabe que su familia la apoyará en caso de vejez, cesantía o enfermedad no se preocupará por cotizar en un sistema de pensiones. Esta solidaridad intergeneracional que se ha mantenido en virtud de fuertes sanciones sociales permite que en los países subdesarrollados 70 por ciento de los ancianos pueda continuar su vida, inclusive si algunas veces esto se hace en condiciones precarias.[6]

Pero muy a menudo, sobre todo en los países desarrollados, la solidaridad intergeneracional hace falta y las cosas acontecen como en la obra de teatro de Loleh Bellon, *De si tendres*

[6] Banco Mundial, *Averting the Old Age Crisis,* cit., p. 37.

liens, a la cual se refiere el economista Daniel Cohen.[7] En este caso, la sociedad formada de la pareja de generaciones de activos y jubilados constantemente renovada desempeña su papel gracias al Estado. Éste obliga a los activos a dar a los jubilados un porcentaje de su salario. En apariencia expropiados de su ingreso por la coerción del Estado, los activos por ese hecho encuentran un acceso a los intercambios intergeneracionales necesarios para el funcionamiento del sistema social. Una vez jubilados, recibirán a su vez un porcentaje del ingreso de los nuevos activos. La cotización reclamada por el Estado, si se fija a un nivel adecuado, les permitirá cumplir un intercambio intergeneracional difícil de establecer de otra manera. Cada generación paga a la precedente y se beneficia de la siguiente. Cada generación ayuda a la que la precede y recibe ayuda de la que le sigue. Como en la imagen de amor intergeneracional que produce la familia del tercer mundo (todas las personas aman a sus padres y son amadas por sus hijos) todos reciben de una generación y dan a otra. En este sistema, co-

[7] En efecto, "en esta obra, dos mujeres, la madre y la hija, entran a la escena, en dos épocas de su vida. En la primera época, la madre es una joven divorciada y la hija una niña. Todos los diálogos que se refieren a esta época tienen el mismo contenido: la hija quiere que su madre se quede en la casa en lugar de salir con hombres en la noche. La segunda época se sitúa veinte años más tarde [...]. La niña se volvió una mujer cuyas preocupaciones son ahora su marido, sus hijos, su trabajo. La madre se volvió una mujer de edad que se quedó sola y los diálogos que se refieren a esta época tienen un solo contenido: la mujer le pide a su hija que se quede con ella y que no la abandone en la soledad". En esta obra, las mujeres entran en una relación dual. "La madre no quiere suficientemente a su hija (y busca volverse a casar) porque sabe (teme) que más tarde su hija se olvide de ella para ocuparse de su vida de adulto. Sabiendo eso, la madre cuando es joven se ocupa sobre todo de ella y actuando así hace que su predicción desesperada se realice: su hija la abandona cuando se vuelve adulta". Daniel Cohen, *Les infortunes de la prosperité*, Julliard, París, 1994, pp. 31-33.

nocido bajo el nombre de *jubilación por repartición*, los activos cotizan con más gusto si saben que serán recompensados más tarde con las cotizaciones de los activos del futuro. Lejos de ser un juego de suma nula, el sistema debería ser un juego de suma positiva; todo mundo se beneficia de un don de las generaciones ulteriores que al menos lo recompensará, en términos de bienestar, del don que otorgó a las generaciones anteriores. Con la jubilación por repartición, los activos de hoy saben que cotizan para los ancianos contemporáneos: lo que unos entregan, otros lo reciben. La solidaridad financiera está en el centro del sistema de jubilación por repartición.

Frente al sistema de jubilación por repartición que constituye un pilar del estado del bienestar, se encuentra el sistema de *jubilación por capitalización.* En este caso, la capitalización se realiza en el marco colectivo de la empresa a través de los fondos de pensión. Esta noción corresponde a la instrumentación de una estructura para recolectar el ahorro constituido con las cotizaciones del patrón solo, o del patrón y sus asalariados. El fondo de pensión se encarga de hacer crecer el ahorro con el propósito de pagar una jubilación al asalariado cuando cesa su actividad. Dicho de otra manera, los jubilados reciben bajo la forma de pensiones sus propias cotizaciones incrementadas con el producto de los intereses que su caja de jubilación habrá ganado en los mercados financieros.

Así, en el caso en que los dos sistemas, repartición y capitalización, coexisten, la selección de los activos se hace entre dos posibilidades: cotizar al estado del bienestar o comprar capital a través de un fondo de pensión. El sistema más ventajoso para el *individuo* depende entonces de la comparación de los rendimientos que se pueden esperar de las dos posibilidades. Si el rendimiento de los títulos financieros es mediocre, entonces la superioridad del estado del bienestar se impondrá: la acumulación de activos financieros para preparar la jubilación será menos rentable que la cotización a una caja de seguridad social que funcionaría según el sistema de repartición. Al contrario, si el rendimiento de los títulos financieros es elevado, entonces la jubilación gracias a la capitalización se revela superior. Es decir: la jubilación por repartición será más interesante para los individuos si la tasa de crecimiento de la economía es más elevada que el rendimiento ofrecido por los mercados financieros. En el pasado, como la tasa de interés real era más débil que la tasa de crecimiento de la economía, las jubilaciones por capitalización resultaban menos ventajosas para los individuos que las jubilaciones por repartición. Pero desde finales de los años setenta, la situación se invirtió. Tomemos el caso de Francia. De inicios de los años cincuenta a mediados de los setenta, la tasa media de crecimiento de la economía fue superior a 5 por ciento en términos reales. Durante el mismo periodo, el rendimiento promedio de los mercados financieros, corregido por la inflación, se acercaba a cero.[8] Hoy, esta jerarquía se invirtió por completo. El rendimiento de las acciones (y no de las obligaciones) supera con mucho el crecimiento económico. Más específicamente, se constata en Francia entre 1967 y 1990 un rendimiento real medio anual de las acciones de 9.4 por ciento, frente a 4 por ciento de crecimiento medio anual de los ingresos reales.[9] En estas condiciones, la

[8] Ibid., pp. 37-38.

[9] Didier Blanchet, "Le débat répartition-capitalisation: un état des lieux ", *Retraites et épargne*, Conseil d'Analyse Économique-La Documentation Française, París, 1998, p. 98. Sin embargo, no hay que olvidar que se está razonando en términos individuales y no en términos macroeconómicos. Como sostiene justamente Michel Husson: "La generalización al conjunto de la economía de cálculos actuariales individuales conduce a configuraciones que no se sostienen, simplemente porque es imposible que todos los ingresos aumenten 5 a 6 por ciento cuando el PIB aumenta 2 a 3 por ciento. Cualquier diferencial entre la tasa de rendimiento financiero y la tasa de crecimiento de la economía es, en consecuencia, el indicador de una deformación en la distribución de los ingresos en favor de los ingresos financieros y en detrimento de los salarios" ("Le miroir aux alouettes des fonds de pension", en Pierre Khalfa y Pierre-Yves Chanu (coords.), *Les retraites au péril du libéralisme*, Syllepse, París, 1999, p. 44.

recomendación no se hizo esperar: aumentar el peso de la capitalización en el financiamiento de las jubilaciones, invirtiendo de manera preferencial en acciones. Con ello, el debate repartición-capitalización pasó a primer plano.

El debate repartición-capitalización

El debate entre los partidarios de la repartición y los defensores de la capitalización parte de una constatación: un envejecimiento de la población en los grandes países desarrollados, que debe acelerarse en el siglo XXI. Este envejecimiento resulta de la conjunción de dos efectos: un efecto tendencial de aumento de la esperanza de vida (debido a la baja de mortalidad) y un efecto de acordeón vinculado al nivel elevado de nacimientos entre 1945 y 1975 (el *baby boom*). En particular, es la salida masiva a la jubilación a partir de 2005 de las generaciones del *baby boom* la que pondrá bajo presión a los regímenes de jubilación por repartición.[10] En efecto, ante el crecimiento del número de jubilados, se hace imperativo un ajuste de una de las tres variables que conforman el "triángulo de las jubilaciones": las tasas de cotización, el nivel relativo de las pensiones y la edad de cese de actividad. Pensar que se pueden superar los problemas sin afectar alguna de estas tres variables es una ilusión.[11] Así, el sistema de repartición debe afrontar el envejecimiento de la población, y aunque el aumento de las tasas de cotización puede volverse aceptable gracias al crecimiento (evoluciones favorables del desempleo y de las tasas de actividad), los márgenes de maniobra son estrechos.

De cualquier manera, hay que tener claro que el choque demográfico no tiene nada que ver con el sistema de financia-

[10] Didier Blanchet, "Fiabilité des perspectives démographiques?", *Revue d'Économie Financière*, n. 23, París, invierno de 1992.

[11] Didier Blanchet y Bertrand Villeneuve, "Que reste-t-il du débat répartition-capitalisation?", *Revue d'Économie Financière*, n. 40, París, marzo de 1997.

miento: ambos sistemas están expuestos a los efectos del aumento de la esperanza de vida. Como señala Didier Blanchet,

> un mismo monto de cotización asegura una renta más débil si hay que pagarla durante un periodo más largo, sea bajo el juego de una restricción actuarial (en capitalización) o de equilibrio instantáneo (en repartición).[12]

Se trata, de cierta manera, de un problema real o de cantidades físicas. En efecto, la producción anual de bienes de consumo realizada por los activos es consumida por los activos y los inactivos. Si estos últimos son más numerosos, extraen una parte más importante de la producción anual disponible en detrimento del consumo de los activos. Así, en el momento en que un poder de compra es distribuido a los jubilados, su modo de financiamiento (repartición o capitalización) importa poco. El que la extracción tome la forma de cotización o de tasa de interés para entregar al fondo de pensión, no cambia en nada el asunto.

Aún más, la capitalización va a resultar también afectada por la evolución demográfica. Cuando estos fondos deban pagar muchas pensiones a las numerosas generaciones que partirán a la jubilación después de 2010, deberán comenzar a vender sus activos (acciones, bonos gubernamentales, etcétera) para encontrar los financiamientos necesarios. Las personas en edad de trabajar susceptibles de comprar estos activos serán menos numerosas. Este contexto de venta masiva de activos a una población reducida va a crear una disminución considerable del valor de esos activos, reduciendo el valor del capital previsto para las jubilaciones y los recursos disponibles para los jubilados.[13]

Dejando de lado el argumento demográfico, los defensores de la capitalización razonaron de otra manera: a demografía

[12] Ibid., p. 160.

[13] Bruno Palier, *La réforme des retraites,* Presses Universitaires de France, París, 2003, p. 33.

dada, la capitalización tendría un mejor rendimiento a largo plazo y sería un sistema globalmente más eficaz. El contraataque de los defensores de la repartición no se hizo esperar: incluso si la capitalización tiene un mejor rendimiento a largo plazo, su desarrollo comporta costos a corto y mediano plazos que el análisis debe tomar en consideración. Como estos costos superan las ganancias a largo plazo, es necesario justificar la capitalización haciendo intervenir otros argumentos. Entre éstos, es el argumento de precaución el que según D. Blanchet parece más sólido.

> La apuesta de la permanencia en repartición pura, para la generación actual, comporta [dice Blanchet] un riesgo: el que las generaciones futuras rechacen las alzas asociadas de cotizaciones obligatorias, o rechacen al menos asegurarlas totalmente.[14]

En efecto, al igual que la deuda pública, la repartición es un instrumento de transmisión de cargas a las generaciones futuras, las cuales como es evidente no pueden ser consultadas sobre la importancia de la deuda que aceptan avalar. Ésta sólo será respetada por las generaciones activas si anticipan para el futuro, con respecto a ellas, una solidaridad parecida por parte de las generaciones futuras. Si en un momento dado, las generaciones activas piensan que las generaciones precedentes se sirvieron muy bien (jubilaciones generosas respecto a las cotizaciones) y que ellas podrían ser objeto de un tratamiento inverso (pequeñas jubilaciones con respecto a las cotizaciones), la solidaridad intergeneracional corre el riesgo de ser cuestionada. En estas condiciones, recurrir a la capitalización constituye el medio de protegerse contra el riesgo *político* de cuestionar "el pacto social", fundamento de la solidaridad intergeneracional.

[14] D. Blanchet, "Le débat répartition-capitalisation: un état des lieux", *Retraites et épargne*, cit., p. 94.

Así, se vuelve factible la evolución hacia un sistema mixto (mezcla de repartición y de capitalización) en el cual

> se bloquea el nivel de las deducciones para la repartición en su monto actual (en proporción del ingreso nacional) y se completa con la capitalización, ya sea de manera libre y descentralizada (fondos de pensión, ahorro individual) o de manera más restrictiva (escenario de constitución de reservas en el seno de los sistemas de repartición, financiados con alzas inmediatas de cotizaciones).[15]

Sin embargo, la elección de la introducción de una dosis de capitalización en los sistemas actuales de repartición hace correr nuevos riesgos que no hay que descartar. En efecto, cuando se capitaliza el ahorro individual entregado por los asalariados a una caja de jubilación de empresa o de rama de industria, el monto de la jubilación será función, por un lado, de lo que el asalariado habrá podido acumular durante su vida activa y, por el otro, del éxito con el cual se habrá hecho fructificar su ahorro. Ahora bien, este éxito depende de la situación de los mercados financieros mundiales y, en menor medida, de la competencia intrínseca de los administradores de fondos. Como señalan Gérard Cornilleau y Henri Sterdyniak, con la introducción de una dosis de capitalización

> una parte de las jubilaciones futuras ya no está garantizada por el contrato implícito que representa el sistema de jubilaciones por repartición, sino por un título, lo que da una cierta garantía a los futuros jubilados contra los azares políticos pero aumenta su vulnerabilidad a los choques bursátiles o inflacionistas.[16]

[15] Ibid., p. 102.

[16] Gérard Cornilleau y Henri Sterdyniak, "Les retraites en France: des débats théoriques aux choix politiques", en Bernard Cochemé

Un crac bursátil o incluso una corrección severa de las burbujas especulativas que se forman en los mercados podría tener como consecuencia privar, en algunos días, a millones de jubilados de lo esencial, sino es que de la totalidad de sus ingresos de vejez (dependiendo del sistema de pensión privado al cual el individuo pertenezca), condenándolos a la pobreza. Un crac bursátil destruye antes que nada el patrimonio de las capas privilegiadas de la población, pero cada vez más el capital en el cual se cimienta una parte de las jubilaciones de los asalariados en los países donde existen fondos de pensión. Esto es tanto más verdadero cuanto sabemos que los fondos de pensión se han vuelto los jugadores más temidos en las principales bolsas del mundo.[17]

En lo que toca a los riesgos inflacionistas, el problema está en que, como justamente señala Jean-Michel Charpin,[18] las finanzas saben transferir en el tiempo compromisos nominales pero son incapaces de transferir compromisos reales, es decir, que son impotentes para anunciar por adelantado el valor real futuro de los compromisos que transfieren, el cual depende de la evolución de la economía real.

A pesar de estas reticencias, la introducción de la jubilación por capitalización comienza a abrirse paso en muchos países, alentada por las empresas que ven en su elección un medio para obtener fondos propios, por las compañías de seguros y los bancos que esperan administrar los fondos y por los economistas que piensan que el ahorro aumentará gracias a los fondos acumulados por los regímenes de capitalización.

y Florence Legros (coords.), *Les retraites. Genèse, acteurs, enjeux*, Armand Colin, París, 1995, p. 332.

[17] No hay que olvidar que en Europa, los vaivenes de la actividad económica y de las tasas de interés real condujeron antes de la segunda guerra mundial a la quiebra de los sistemas fundados en la capitalización, lo que posteriormente influyó de manera decisiva en la adopción de los sistemas de repartición.

[18] Jean-Michel Charpin, "Commentaire ", *Retraites et épargne*, cit., pp. 77-80.

Si se clasifican, siguiendo a François Charpentier,[19] los países desarrollados según el nivel de capitalización que han introducido en su sistema de jubilación, hay que distinguir tres modelos: el modelo anglosajón, el modelo alemán y el modelo latino.

Dos características distinguen el *modelo anglosajón* de los modelos alemán y latino. Por un lado, si bien existe un régimen de base en repartición, el grado de cobertura del riesgo vejez que asegura es por lo general muy bajo y algunas veces se trata de una suma fijada por adelantado de manera invariable. No es más que una simple "red de seguridad". En este caso, el régimen público de pensión se limita a asegurar al conjunto de la población una especie de mínimo en la vejez.[20] Se llega entonces a una de las características principales de los fondos de pensión: su importancia en un sistema de jubilación es inversamente proporcional a la cobertura asegurada por la repartición. Por otro lado, estos fondos colectivos de jubilación son generalmente administrados fuera de la empresa y las sumas depositadas son colocadas en los mercados financieros según modalidades que varían de un país a otro. Entre los países adeptos al modelo anglosajón se encuentran Estados Unidos e Inglaterra, pero también Canadá, los Países Bajos, Suiza, Japón, Australia y, en una menor medida, los países escandinavos. En todos estos países, las sumas colocadas en los fondos de pensión se acercan o superan 20 por ciento del PIB.[21]

[19] François Charpentier, *Les fonds de pension*, Economica, París, 1994.

[20] No olvidemos que para favorecer las pensiones privadas en capitalización, Margaret Thatcher cuestionó los sistemas públicos de jubilación gracias a una política de erosión del nivel de prestaciones otorgado por el Estado y de privatización progresiva del régimen complementario de jubilación pública.

[21] Para más detalles con respecto al modelo anglosajón véase ibid., pp. 39-58; F. J. Fabozzi, F. Modigliani y M. G. Ferri, *Mercados e*

El *modelo alemán* es muy particular. En él, los regímenes del patrón tenían un carácter marginal con respecto al régimen de la seguridad social. Este último, impulsado por Bismarck en 1889, estaba compuesto de un régimen de seguro de vejez para los asalariados del sector privado en el cual cotizaban los patrones, los asalariados y el Estado. Es importante considerar que 70 por ciento de las pensiones eran pagadas en Alemania por este régimen de base que funcionaba en repartición, y aseguraba una tasa de remplazo elevada de alrededor de 70 por ciento del último salario de actividad. En el caso de Alemania, los fondos de pensiones estaban muy lejos de tener el poder de los fondos anglosajones, aunque participaban de manera no despreciable en el financiamiento de la economía.[22] Sin embargo, en el año 2001 se realizó una reforma de envergadura con el objetivo de reducir las tasas de remplazo de las pensiones otorgadas por el sistema de repartición gracias a un aumento del vínculo entre cotizaciones y prestaciones. Se supone que estas bajas deberían ser compensadas parcialmente con un desarrollo de los regímenes voluntarios de capitalización.

En el *modelo latino*, los fondos de pensión desempeñaban un papel nulo o despreciable. Todos los países que seguían tal modelo (Francia, España, Italia, Grecia y Portugal) eran muy hostiles a una concepción individualista de la protección social y preferían un enfoque más orientado por la solidaridad. A título de ejemplo, tomemos el caso de Francia. Se trata de un sistema que en esencia funciona en repartición y es relativamente generoso, asegurando al jubilado un ingreso de remplazo elevado con respecto al último salario. Además, el sistema francés de jubilación asegura una real solidaridad no sólo entre los activos y los inactivos, sino entre las categorías sociales.

instituciones financieras, cit., capítulo 9; Richard Farnetti, "Le rôle des fonds de pension et d'investissement collectifs anglo-saxons dans l'essor de la finance globalisée", en François Chesnais (comp.), *La mondialisation financière. Genèse, coût et enjeux*, Syros, París, 1996.

[22] F. Charpentier, *Les fonds de pension*, cit., pp. 58-62.

Dicho de otra manera, mientras más bajo sea el salario durante el periodo de actividad, más elevada será la tasa de remplazo del trabajador, y a la inversa.[23] Por desgracia, tanto en Francia como en Italia y otros países europeos se está realizando una serie de reformas que apuntan sólo a una reducción programada de las pensiones financiadas en repartición. Se considera que dedicar una parte importante de las ganancias de productividad al financiamiento de las pensiones equivaldría a un aumento de las cotizaciones sociales, lo que resultaría inadaptado al nuevo contexto mundial.[24]

Pero dejemos de lado provisionalmente el mundo desarrollado y miremos lo que pasa en América Latina. Hasta inicios de los años noventa, la mayoría de los sistemas de pensiones eran de naturaleza contributiva y administrados por el Estado. Se trataba, o bien de una fórmula de repartición simple en que las pensiones de los jubilados eran pagadas con las contribuciones de los trabajadores activos o bien de un arreglo de prima media escalonada con contribuciones que permitían la constitución de reservas para el pago de obligaciones futuras.

Los sistemas públicos de pensión en América Latina se caracterizaban hasta inicios de los años noventa por la dispersión de regímenes, una débil cobertura, desigualdades entre sectores y regiones, y crecientes debilidades financieras.

Aunque los sistemas tradicionales de jubilación en América Latina son generalmente administrados por el sector público, incluyen tanto a los trabajadores del Estado como a los del sector privado. Es común constatar la existencia paralela de regímenes diferenciados en función de la actividad o de la ocupación. En diez países de América Latina existen programas especiales que cubren total o parcialmente a los trabajadores del Estado. Al menos en seis países hay programas especiales para los militares. En muchos países, existen trata-

[23] Ibid., pp. 19-36.

[24] Para más detalles sobre las reformas en los países europeos véase B. Palier, *La réforme des retraites*, cit.

mientos específicos para actividades tan diversas como la bancaria, los ferrocarriles, el petróleo, las minas o para los profesores y los médicos. No obstante, la cobertura de los sistemas es por lo general muy baja: sólo 38.3 porciento de la población económicamente activa de los países de América Latina cotiza para la jubilación y tan sólo se pagan jubilaciones al 30.8 por ciento de la población de más de sesenta años (se trata de un promedio simple de los países de los que se dispone de información).[25]

A inicios de los años noventa, Chile era la única excepción en América Latina. En efecto, este país pasó en 1981 de un sistema de jubilación con repartición a un sistema privado de administración de jubilación completamente basado en la capitalización individual, lo que lo acerca al modelo anglosajón.[26]

Pero volvamos al mundo desarrollado. Tras haber funcionado bien durante "los gloriosos treinta", los regímenes de repartición instrumentados por varios países hoy atraviesan una grave crisis. Tres tipos de explicación se dan al respecto:[27]

1] a nivel demográfico, resalta la baja de la fecundidad y el aumento de la esperanza de vida, lo que afecta negativamente al parámetro esencial para el buen funcionamiento de un régimen de jubilación por repartición, a saber: la relación entre el número de activos y el de jubilados. En efecto, cuanto más baja es esta relación, mayores serán las dificultades del régimen de jubilación;

2] la crisis económica provoca pérdidas masivas de ingresos, debido al desempleo (cuantos más desempleados hay, me-

[25] BID, *Progreso económico y social en América Latina*, cit., p. 216.

[26] El artífice de la reforma chilena fue el ministro del Trabajo y de la Seguridad Social José Piñera, quien presidía el Centro Internacional para la Reforma de Pensiones. Para un análisis de la excepción chilena, véase Jaime Ruiz-Tagle P., "El nuevo sistema de pensiones en Chile: una evaluación preliminar", *Comercio Exterior*, México, septiembre de 1996.

[27] F. Charpentier, *Les fonds de pension*, cit., capítulo I.

nores son las cotizaciones) y a un freno al aumento de los salarios (cuando los salarios aumentan menos rápido, las cotizaciones se comportan igual). Ahora bien, estas pérdidas llegan justo en el momento en que los regímenes de jubilación deben pagar pensiones generosas calculadas sobre la base de remuneraciones que se habían beneficiado del excepcional crecimiento de "los gloriosos treinta";

3] la tercera fuente de dificultades está vinculada a las transformaciones del mundo del trabajo. No sólo jóvenes llegan más tarde al mercado de trabajo, sino que lo hacen en condiciones de precariedad (contratos de duración determinada, interinatos, etcétera) y bajo la forma de tiempo parcial o de trabajo de fin de semana, etcétera. Los perfiles de carrera son cada vez más atípicos, marcados por rupturas entre los periodos de empleo y desempleo. Como resulta evidente, estas evoluciones tienen repercusiones negativas en el esfuerzo contributivo de los asalariados. Aunado a ello, el comportamiento de muchas empresas en el sentido de externalizar algunas de sus funciones y servicios y desarrollar la subcontratación, empuja fuera de la empresa, hacia empleos no asalariados, a personas que antes cotizaban en los regímenes de asalariados. Por último, el recurso creciente por parte de las empresas a fórmulas de remuneración como la participación de los asalariados en los frutos de la expansión, la participación en los beneficios y/o en las mejoras de productividad, o incluso las *stock options*[28] para los ejecutivos superiores, penaliza los regímenes de jubilación, ya que no están sujetas a cargas sociales. En este contexto, el gran problema de la jubilación en los países desarrollados "radica en el hecho de que se cotiza cada vez menos tiempo, para gozar de una jubilación cada vez más rápidamente y cobrarla durante más tiempo".[29]

Pero los problemas no se plantean sólo en los países desa-

[28] Se trata de acciones de la empresa propuestas a los dirigentes en condiciones particulares definidas por el consejo de administración.

[29] Ibid., p. 18.

rrollados. Los sistemas de jubilación por repartición implantados desde hace mucho tiempo en América Latina comenzaron a manifestar muy serias deficiencias. En algunas ocasiones, los regímenes dependen de fuertes subsidios del Estado dado que las contribuciones son insuficientes para el financiamiento de las pensiones. En otros casos, los excedentes entre contribuciones y jubilaciones son consumidos por la rama salud de la seguridad social, o bien son invertidos en activos de bajo rendimiento (bonos del Tesoro a tasas de interés muy bajas), o incluso dedicados al financiamiento de los planes de vivienda cuyo rendimiento es muy débil.

En muchos países latinoamericanos se constata una caída de la relación entre activos y jubilados, resultado del envejecimiento de la población inherente al proceso de desarrollo, el aumento del desempleo y el fuerte crecimiento de la economía informal.

En la mayoría de los países de la región, las jubilaciones son ajustadas a la inflación de manera muy irregular. A menudo, ajustan sólo la pensión mínima. En estas circunstancias, frente a tasas muy altas de inflación, las jubilaciones reales promedio se han desplazado hacia el mínimo, de suerte que en estos países entre 40 y 70 por ciento de los jubilados percibe sólo la jubilación mínima, la cual está muy lejos de asegurar una existencia decente.

Los regímenes de repartición en América Latina han sufrido un nivel elevado de evasión, alentado por la fórmula utilizada para fijar el monto de la jubilación. Esta última, siendo función del promedio de los mejores años que preceden a la jubilación, empuja a los trabajadores y a los empresarios a subdeclarar ingresos durante la mayor parte de la vida activa, y a sobredeclarar ingresos a medida que la jubilación se aproxima.

Los planes de jubilación por repartición *tal y como funcionan* son muy injustos por al menos dos razones:

1] su fuerte dependencia de subsidios implica que las jubilaciones son financiadas con los impuestos. Como la mayoría de los países latinoamericanos dependen de los impuestos indirectos, esto significa que los más pobres contribuyen al financiamiento de jubilaciones a las cuales no tienen derecho.

2] las jubilaciones están repartidas de manera muy desigual entre los distintos sectores políticos y económicos. Poderosos grupos de presión como el ejército, algunos altos funcionarios y los trabajadores afiliados a las grandes centrales sindicales llegan a obtener generosas pensiones muy por encima del promedio.

Para hacer frente a la gran cantidad de problemas que plantean los regímenes de jubilación por repartición tanto en los países desarrollados como en los subdesarrollados, el Banco Mundial propuso la mundialización de los sistemas de jubilación gracias a la aplicación de un modelo con vocación universal.

La propuesta del Banco Mundial: un modelo global para las pensiones

En 1994, el Banco Mundial publica un ensayo que tuvo una amplia resonancia: *Averting the Old Age Crisis.*[30] Se trata de un auténtico manual de análisis y procedimientos para dirigir a los países del mundo entero hacia una nueva ortodoxia en materia de jubilaciones. La constatación es abrumadora: en 1990, el número de personas de más de sesenta años en el mundo era de 500 millones. Para 2030 será de 1 400 millones.[31] La esperanza de vida crece y como decrece el número de nacimientos, la proporción de personas en edad avanzada aumenta rápidamente, representando una carga económica importante para las nuevas generaciones. En estas condiciones, el financiamiento de los sistemas de pensión existentes no puede ser asegurado. Esta constatación parece válida tanto para los países en desarrollo donde la urbanización, la movilidad creciente de la población, las hambrunas y las guerras tienden a hacer desapa-

[30] Banco Mundial, *Averting the Old Age Crisis*, cit.
[31] Ibid., p. 1.

recer las familias ampliadas y todos los otros modos tradicionales de sostén de los viejos, cuanto para los países desarrollados donde los costos crecientes de las pensiones pesan sobre las finanzas públicas y el crecimiento económico en general. Se debe, por tanto, desde ahora reservar los fondos públicos a los más pobres y obligar a las capas medias a dirigirse hacia los mecanismos de ahorro individual para asegurar su vejez.

Con esta idea central, los expertos del Banco Mundial construyeron un modelo que reposa en tres pilares y puede ser aplicado al mundo entero.

1] Un *pilar público de asistencia.* Sería obligatorio, administrado por el Estado y financiado con los impuestos. Tendría como finalidad limitar la pobreza entre las personas mayores. Así, cumpliría una función redistributiva hacia los más desvalidos. El pago de una pensión bajo condición de recursos podría adoptar tres modalidades: según las necesidades, según un mínimo garantizado o uniforme. Como se ve, se vuelve a encontrar aquí la noción tan importante para el Banco Mundial de "red de seguridad".

2] Un *pilar de ahorro privado obligatorio.* Sería administrado por el sector privado e integralmente prefinanciado, es decir, que las sumas que sirven al pago de pensiones serían capitalizadas. Este pilar llenaría una función de ahorro obligatorio para todas las categorías sociales y les permitiría transferir una parte del ingreso de la vida activa hacia la jubilación. Este segundo pilar podría tomar la forma, ya sea de regímenes profesionales instrumentados a nivel de una rama o de una empresa, o de planes de jubilación individuales. Es importante señalar que el Banco Mundial prefiere la segunda opción, ya que tiene dos ventajas: al no estar vinculado al empleo, este ahorro sería susceptible de ser transferido de un empleo a otro y los asalariados dispondrían de una completa libertad de elección en sus colocaciones. Este segundo pilar debe funcionar según principios estrictamente actuariales. El cálculo de las pensiones debe hacerse sobre el modelo de cálculo actuarial propio de los seguros privados. Éstos establecen el monto de las rentas en función del monto de las cotizaciones, de las tasas de interés de que se benefician las colocaciones efectuadas y de la esperanza de vida de la persona que percibe la renta en el momento de la primera liquidación de la pensión. El modelo del Banco Mundial sustituye el principio del remplazo del ingreso (tasa de remplazo del salario) con el de correspondencia actuarial entre el monto de cotizaciones y de las pensiones. En nombre de la equidad, se promueven pensiones vinculadas no a los ingresos, sino al monto de cotizaciones o primas pagadas por los individuos: cada uno según sus cotizaciones y no según su estatuto. Por último, el segundo pilar debe ser suficientemente reducido para permitir la expansión del tercero.

3] Un *pilar de ahorro privado voluntario.* Se trata de un pilar administrado por el sector privado y prefinanciado de manera integral, tratándose en este caso de una iniciativa voluntaria. Este pilar cumple una función de ahorro para los individuos que tienen la capacidad de hacerse de ingresos suplementarios para la jubilación. Al igual que el segundo, este pilar puede tomar la forma de regímenes profesionales o de planes de jubilación individuales. Para facilitar su desarrollo los gobiernos deberán luchar contra la inflación, construir un marco reglamentario que dé confianza a los ahorradores y prever estímulos fiscales. Según el Banco Mundial,[32] el sistema obligatorio de pilares múltiples no sólo mejoraría la situación de las personas de edad avanzada, sino que también ayudaría a los países para:

• tomar decisiones claras con respecto a los grupos beneficiados y perjudicados con las transferencias del pilar público, tanto al interior de una generación como entre generaciones. Esto debería reducir las redistribuciones perjudiciales y la pobreza;

• establecer una relación estrecha entre las contribuciones y los beneficios obtenidos del pilar obligatorio privado. Ello permitiría reducir las tasas de cotización, la evasión y las distorsiones del mercado de trabajo;

[32] Ibid., pp. 26-27.

• aumentar el ahorro a largo plazo, la actividad de los mercados de capitales y el crecimiento gracias a la adopción en el segundo pilar de la modalidad de financiamiento total y control descentralizado;

• diversificar el riesgo al máximo gracias a una combinación de gestión pública y privada; de beneficios determinados por la política y el mercado; de financiamiento cimentado en el aumento de los salarios y de la renta del capital; además de la posibilidad de invertir en un amplio abanico de valores públicos y privados, de capital y de deuda, nacionales y extranjeros;

• proteger el sistema contra la presión política, fuente de ineficiencias e injusticias.

Para el Banco Mundial, la combinación pertinente de los pilares no es la misma en todo tiempo y lugar. Depende de los objetivos, de la historia y de las circunstancias de cada país, más específicamente del acento puesto en la redistribución respecto al ahorro, de sus mercados financieros y de sus capacidades en materia de recaudación de impuestos y reglamentación. El tipo de reforma necesaria y el ritmo al cual debe ser introducido el sistema de pilares múltiples es también variable: rápido en los países de ingreso medio y elevado, y muy lento en los países de ingreso bajo. Pero a juicio del Banco Mundial, todos los países deben desde ahora dedicarse con urgencia a reformar sus sistemas de pensiones.

No hay que perder de vista que la mundialización de los sistemas de jubilación no significa sólo que muchos países van a aplicar las recomendaciones del Banco Mundial, sino también que el sistema de capitalización preconizado no permite permanecer en un espacio nacional, como ocurre con el sistema de repartición. Los fondos de pensión que van a recaudar y administrar las cotizaciones son actores importantes de los mercados financieros internacionales, y su campo de actividad es mundial. A este respecto, los fondos de pensión chilenos pueden llegar a inyectar ahorro en los mercados asiáticos e inversamente. Como el monto de las pensiones depende de las ganancias obtenidas por los fondos colocados, se pueden imaginar muchas combinaciones posibles: los activos chilenos financiando las pensiones asiáticas y a la inversa. Es en este sentido que el sistema propuesto es mundial, lo que modifica el conflicto entre generaciones, ya que adquiere una dimensión geográfica nueva.

La publicación del reporte del Banco Mundial, que reposa sobre una concepción neoliberal que favorece la capitalización sobre la repartición, suscitó numerosos debates. Sin embargo, poco a poco todos los organismos internacionales que se ocupan de alguna manera de las pensiones (FMI, OCDE, BIT) terminaron por aprobar la propuesta. Todos promueven un sistema mixto de pensiones en el cual la redistribución se concentra en el primer pilar, el principio actuarial domina el segundo pilar obligatorio y busca desarrollar un tercer pilar voluntario financiado en capitalización. En estas condiciones, se comprende que los actores financieros (bancos, fondos de colocación, aseguradoras) se froten las manos pensando en los beneficios potenciales e intervengan, aunque no sea siempre de manera visible, en el debate sobre las pensiones.

La reforma mexicana del sistema de pensiones

Siguiendo el ejemplo chileno de 1981, varios países latinoamericanos instrumentaron en años recientes una serie de reformas radicales tendientes a instituir un sistema de jubilación privada con capitalización. Los países reformistas son por orden cronológico los siguientes: Perú (1993), Colombia (1994), Argentina (1994), Uruguay (1996), Bolivia (1997) y finalmente México (1997). Más allá de las diferencias significativas de las reformas adoptadas, explicadas en parte por la diversidad de países involucrados, todas tienen como punto común la incorporación de un pilar de capitalización obligatorio pero administrado por el sector privado.[33] Con el fin de captar la impor-

[33] Para más detalles sobre estas reformas, véase *Comercio Exterior*, septiembre de 1996, número dedicado a la reforma del sistema de pensiones en América Latina.

tancia de los cambios en materia de jubilación que se están procesando en América Latina, examinemos la reforma mexicana que sigue, con ligeras modificaciones, las recomendaciones del Banco Mundial.

El sistema público de pensiones en México está compuesto por diversos planes ofrecidos por instituciones de seguridad social, gobiernos estatales, empresas paraestatales y otros organismos sociales. Las dos principales instituciones de seguridad social son el Instituto Mexicano del Seguro Social (IMSS) y el Instituto de Seguridad y Servicios Sociales de los Trabajadores del Estado (ISSSTE). A éstos se agrega el Instituto de Seguridad Social para las Fuerzas Armadas de México (ISSFAM). En el caso de las empresas paraestatales cabe destacar los sistemas de pensiones de Petróleos Mexicanos (Pemex) y Comisión Federal de Electricidad (CFE). La cobertura conjunta de los cinco programas antes mencionados en 1996 sólo representaba 33.9 por ciento de la población económicamente activa.[34] La baja cobertura de los sistemas públicos de pensiones en México obedece a razones de tipo institucional estructural, vinculadas al funcionamiento del mercado de trabajo.[35] Entre las razones institucionales destaca la falta de confianza en el sistema de pensiones público y en el destino final de los fondos, en virtud del largo historial de corrupción gubernamental. En cuanto a las razones estructurales vale la pena señalar que la familia ha desempeñado el papel de un buen sistema de pensión informal, lo que reduce los incentivos para cotizar a un sistema formal. Por último, en lo tocante al funcionamiento del mercado laboral se insiste en el hecho de que la dualidad formal-in-

[34] Fernando Solís Soberón y F. Alejandro Villagómez, "Las pensiones", en Fernando Solís Soberón y F. Alejandro Villagómez (comps.), *La seguridad social en México*, CIDE-Consar-Fondo de Cultura Económica, México, 1999, p. 112.

[35] Gonzalo Hernández Licona, *Políticas para promover una ampliación de la cobertura de los sistemas de pensiones: el caso de México*, CEPAL, Santiago de Chile, enero de 2001.

formal de este mercado, provocada entre otras cosas por los altos costos laborales y burocráticos, implica tener menos puestos de trabajo con derecho a cotizar en el sistema de pensiones.

En 1994, poco más de 80 por ciento de los pensionados recibía una pensión promedio inferior al salario mínimo indicador de la línea de pobreza extrema.[36] Así es que con una baja cobertura nacional y con pensiones que no permiten satisfacer las necesidades mínimas de la población, se encontraban reunidas las condiciones para proponer una reforma del sistema público de pensiones sin encontrar las resistencias que se conocieron en Europa. En estas condiciones, se consideró que había que comenzar por reformar el sistema de pensiones del IMSS que en 1997 cubría al 79.94 por ciento de la población pensionada con la esperanza de continuar más adelante con la reforma del sistema de pensiones del ISSSTE, que en ese mismo año cubría al 15.18 por ciento de la población pensionada.[37]

La justificación de la reforma del sistema de pensiones mexicano se hizo a partir de consideraciones internas y externas.[38] Las consideraciones internas se refieren a factores internos del propio sistema. Las consideraciones externas ponen el acento en factores externos vinculados a él. Entre las primeras se señalan los desequilibrios actuariales y los problemas de elaboración (como por ejemplo la falta de movilidad de los beneficios) que conducen a graves presiones financieras sobre los organismos encargados de administrarlos. Asimismo, se hace referencia a la informalidad del mercado de trabajo como consecuencia de los incentivos que conducen a la evasión. Entre

[36] F. Solís Soberón y F. A. Villagómez, "Las pensiones", en F. Solís Soberón y F. A. Villagómez (comps.), *La seguridad social en México,* cit., p. 122.

[37] G. Hernández Licona, *Políticas para promover una ampliación de la cobertura de los sistemas de pensiones: el caso de México,* cit., p. 7.

[38] F. Solís Soberón y F. A. Villagómez, "Las pensiones", en F. Solís Soberón y F. A. Villagómez (comps.), *La seguridad social en México,* cit., pp. 124-35.

las consideraciones externas destacan los cambios en la dinámica demográfica, que se traducen en una creciente necesidad de obtener recursos fiscales para mantener los sistemas de pensiones, lo cual resulta incompatible con el discurso de las finanzas sanas y el equilibrio fiscal.[39] En estas circunstancias, no resultaba difícil encontrar argumentos para justificar la reforma que de cualquier manera se realizaría, ya que se trata de un proceso mundial y México no podría ser la excepción.

La reforma del sistema mexicano de pensiones que entró en vigor el 1° de julio de 1997 transformó el antiguo régimen de repartición del IMSS en un régimen de capitalización.[40] En el corazón del nuevo dispositivo se encuentra la constitución de cuentas de jubilación individuales administradas por las Afores, es decir, Administradoras de Fondos para el Retiro. Además de las cotizaciones obligatorias, los trabajadores tienen la posibilidad de efectuar depósitos voluntarios en su cuenta, en tanto que el Estado abona una cotización fija. Las cotizaciones de los patrones al Infonavit se depositan también en estas cuentas individuales.

Las administradoras privadas de fondos de pensión (Afores) colocan el ahorro para la jubilación en los mercados de capitales por intermedio de las Sociedades de Inversión Especializadas de Fondos para el Retiro (Siefores), respetando la reglamentación y bajo la vigilancia de la Comisión Nacional del Sistema de Ahorro para el Retiro (Consar).

Los trabajadores escogen con toda libertad su Afore pero

[39] No deja de ser curioso que en el caso de México sin hablar de choque demográfico como en Europa, se invoque la dinámica demográfica como un factor que empuja a la reforma. En efecto, en tanto que en Europa, la tasa de dependencia demográfica (proporción de personas de sesenta y cinco años o más con respecto a la PEA) en el año 2000 era de aproximadamente 25 por ciento, en México era de sólo 6.95 por ciento. Ibid., p. 129, y B. Palier, *La réforme des retraites*, cit., p. 32.

[40] OCDE, *Études économiques de l'OCDE. Mexique*, París, 1998, pp. 80-83.

sólo pueden cambiar una vez por año, a fin de evitar los gastos de administración tan importantes que se constataron en la experiencia chilena.[41] Asimismo, el trabajador es libre de colocar su capital en diferentes Siefores de una misma Afore. Por otro lado, la reglamentación que entró en vigor en abril de 1996 autoriza cualquier entidad (intermediarios financieros nacionales y extranjeros, IMSS, sindicatos, etcétera) a crear una Afore a condición de ser solvente y disponer de la capacidad técnica necesaria. La participación extranjera puede llegar hasta 100 por ciento para los países miembros del TLCAN y a 49 por ciento para los demás. Por razones evidentes, los bancos que fueron objeto de una intervención por parte del Estado se encuentran excluidos. Para evitar prácticas monopólicas, durante los primeros cuatro años ninguna Afore puede administrar más de 17 por ciento de la totalidad de las cajas de retiro nacionales. Este tope sube a 20 por ciento después de cuatro años.[42]

Cada Afore tiene la posibilidad de ofrecer diversas Siefores con diferentes riesgos; sin embargo, debe ofrecer al menos una Siefore de ingreso fijo con instrumentos indexados. Todos los títulos, a excepción de los emitidos o avalados por el gobierno federal, deberán estar calificados por una empresa calificadora de valores autorizada por la Comisión Nacional Bancaria y de Valores. Por el momento, los títulos tienen que ser emitidos por una entidad mexicana en el interior o en el exterior de México, lo que favorece una cierta diversificación. Las Siefores no tienen derecho de comprar títulos en el mercado primario ni títulos emitidos por empresas emparentadas cuando pertenecen a un grupo. En estas condiciones, la cartera de las Siefores está compuesta de instrumentos emitidos o garantizados por el gobierno federal (bonos del gobierno federal, ajustabonos y certificados de Tesorería de la Federación) y de ins-

[41] Jaime Ruiz Tagle P., "El nuevo sistema de pensiones en Chile: una evaluación preliminar", *Comercio Exterior*, México, septiembre de 1996, pp. 705-706.

[42] OCDE, *Études économiques de l'OCDE. Mexique*, 1997, cit., pp. 165-67.

trumentos de renta variable (instrumentos de deuda emitidos por las empresas privadas, títulos de deuda emitida, aceptada o garantizada por la banca múltiple y la banca de desarrollo; títulos cuyas características específicas mantienen el poder de compra; acciones de otras sociedades de inversión exceptuando las Siefores).

Los derechos de pensión acumulados por un trabajador afiliado al IMSS son totalmente transferibles, y en la jubilación, el trabajador podrá comprar una renta con las cotizaciones acumuladas. Para ser precisos, podrá elegir entre la firma de un contrato con una compañía de seguros que le pagará una renta vitalicia (una renta constante en términos reales de por vida) o la programación de un plan de jubilación. En este último caso, el trabajador asume el riesgo de supervivencia, es decir, el riesgo de vivir más allá de la esperanza media de vida considerada. Para los trabajadores que ya han cotizado en el marco del antiguo sistema de repartición existe la posibilidad de escoger en el momento de la jubilación el sistema bajo el cual desean percibir sus prestaciones. De cualquier manera, el Estado garantiza una pensión mínima igual al salario mínimo. Si los derechos de pensión acumulados corresponden a una pensión más baja, el gobierno se compromete a utilizar los ingresos fiscales generales para proveer el financiamiento necesario para el pago de la pensión mínima.

El costo de la transición del antiguo régimen de repartición al nuevo régimen de capitalización fue evaluado entre 0.7 por ciento y 1 por ciento del PIB por año en el curso de los veinte próximos años, cayendo por debajo de 0.5 por ciento a más largo plazo.[43] Este costo será financiado gracias al presupuesto del Estado, pero se considera que al financiarlo el Estado reduce su deuda implícita. Por otro lado, el nuevo régimen de pensiones tendrá también consecuencias muy importantes a nivel de los mercados financieros. En efecto, el paso a un régimen con capitalización administrado por empresas privadas

[43] OCDE, *Études économiques de l'OCDE. Mexique*, 1998, cit., p. 83.

creará una demanda de instrumentos financieros que ejercerá una influencia fundamental sobre la evolución del sistema financiero mexicano. El nuevo régimen creará flujos de ahorro en dirección de las cuentas administradas por las Afores. A este respecto, las reglas de inversión de los fondos de pensión desempeñarán un papel central en la orientación de esta nueva demanda de instrumentos financieros que, sin duda, alentará el desarrollo de un mercado de títulos más activo y más profundo. Así, más allá de las ventajas para los trabajadores que se esperaría estarían mejor asegurados en la vejez, la reforma mexicana apunta hacia objetivos macroeconómicos de largo plazo, como el aumento de la tasa de ahorro y el desarrollo de los mercados de capitales.

Algunas consideraciones en torno a la reforma mexicana del sistema de pensiones

La reforma mexicana constituye una versión ligeramente modificada de la propuesta del Banco Mundial.[44] La más importante diferencia radica en el hecho de que en el primer pilar, pilar público de asistencia, la pensión garantizada pagada con recursos fiscales no está separada del segundo pilar, el pilar de ahorro privado obligatorio. En efecto, sólo las personas que han cotizado durante 1 250 semanas tendrán derecho a percibir la pensión garantizada. No se trata de una pensión mínima universal como la propuesta por el Banco Mundial, "sino de una pensión selectiva y condicionada a la contribución, lo que significa que parte de los recursos para su financiamiento son aportados por el propio asegurado".[45]

La reforma del sistema mexicano de pensiones favorece fuertemente al capital financiero. El nuevo sistema de jubilación está sometido al control privado en sus dos fases: la de la ad-

[44] Asa Cristina Laurell, *La reforma contra la salud y la seguridad social*, Era, México, 1997, p. 61.

[45] Ibid., p. 63.

ministración de los fondos de pensión gracias a las Afores y la del pago de la pensión gracias a las Afores y a las compañías de seguros. Se asistirá así a una gran concentración de fondos en manos privadas desconocida hasta hoy en el país, ya que –según las estimaciones del IMSS– las Afores y las aseguradoras dispondrán de fondos financieros equivalentes a 25 por ciento del PIB en diez años, a 45 por ciento en veinte años y a 60 por ciento en treinta años.[46] Esta enorme concentración estimada de fondos es también confirmada por el Banco Mundial. Según esta institución, los activos en manos de las Afores exceden actualmente los 10 mil millones de dólares (2.5 por ciento del PIB) y superarán 165 mil millones de dólares en 2015, convirtiendo a las Afores "en el más importante inversionista institucional en México".[47] En efecto, según la OCDE en el año 2000 los fondos de pensión, las compañías de seguros y otras sociedades de colocación de fondos controlaban ya 9 por ciento del ahorro financiero.[48] Gracias al control sobre estos recursos, las Afores y las compañías de seguros dispondrán de un poder económico exorbitante sólo limitado parcialmente por la legislación. La propiedad formal del asegurado sobre su cuenta no cambia para nada el asunto, ya que no tiene derecho de retirar los recursos ni de intervenir en las decisiones de las Afores. Así, gracias a la reforma, es probable que emerja un nuevo poder económico alrededor de las compañías de seguros (la mayoría privadas y pertenecientes a grupos financieros nacionales y extranjeros) y de las Afores (en su mayoría propiedad de bancos, compañías de seguros y casas de bolsa). En diciembre de 2000, cuatro grandes firmas controlaban aproximadamente 60 por ciento del mercado, dominando el sector.[49] En esta situación, algunos analistas han expresado con justa razón

[46] Ibid., p. 64.

[47] M. M. Giugale, O. Lafourcade y V. H. Nguyen, *Mexico. A Comprehensive Development Agenda for the New Era*, cit., p. 228.

[48] OCDE, *Études économiques de l'OCDE. Mexique*, 2002, cit., p. 116.

[49] Ibid., pp 117-19.

el temor de que la política de bienestar social de la población se subordine a los intereses de los grupos financieros.[50]

Aunque la ley estipula que el portafolio de inversión de las Siefores debe ser seguro para evitar que los trabajadores pierdan su ahorro, es evidente que los asegurados corren riesgos financieros vinculados a las fluctuaciones del mercado. Al respecto, hay que considerar que con el nuevo sistema el trabajador está obligado a asumir riesgos cuyo control le escapa por completo. Si bien tiene la posibilidad de elegir entre diferentes Afores y Siefores, no puede evitar correr los riesgos de los mercados financieros. Además, en un país como México en que la escolaridad promedio es de aproximadamente siete años es muy factible que la mayoría de los trabajadores carezcan de la cultura económica y financiera necesaria para hacer una buena elección.

Algunos expertos en seguridad social han señalado también que el nuevo sistema presenta serios inconvenientes para los asegurados, ya que las condiciones para tener acceso a la jubilación aumentan con relación al antiguo sistema, sin hablar del hecho de que el monto de la jubilación se vuelve incierto.[51] En efecto, con la reforma se pasa de 500 a 1 250 semanas de cotización para tener derecho a la jubilación. En el contexto prevaleciente del mercado de trabajo (carencia de plazas e inestabilidad del empleo) es seguro que muchos trabajadores tendrán dificultad para cotizar 1 250 semanas. La devolución de las cotizaciones para los que habrán cotizado menos de 1 250 semanas sólo representa un paliativo. Así, alguien que haya cotizado 1 000 semanas únicamente recibirá el equivalente de 2 o 3 salarios anuales, lo que dista de ser satisfactorio para asegurar la vejez. En estas condiciones, muchos ciudadanos mexicanos corren el riesgo de continuar pasando sus últimos días en la pobreza o francamente en la indigencia.

[50] A. C. Laurell, *La reforma contra la salud y la seguridad social*, cit., pp. 64-69.

[51] Ibid., pp. 72-78.

Por lo que toca a los trabajadores que tendrán derecho a pensión, nada indica que estarán al abrigo de la precariedad. En efecto, en el sistema de capitalización individual se conoce el monto de las cotizaciones, pero los beneficios son inciertos dado que dependen del monto ahorrado. Ahora bien, los elementos que determinan el monto del ahorro, y luego entonces el de la jubilación, son el salario percibido, el tiempo de cotización, la comisión percibida por las Afores y la tasa de rentabilidad. Se trata de demasiadas variables para asegurar sobre todo en el contexto actual (bajos salarios y desempleo elevado) que el trabajador percibirá una pensión superior a la que hubiera tenido derecho con el sistema de repartición (con más razón si hubiera sido reformado). Así, basta con que el salario del trabajador sea bajo, que sufra de largos periodos de desempleo, que pague altas comisiones administrativas a las Afores y que su inversión financiera tenga una rentabilidad mediocre, para que el trabajador se encuentre en condiciones de precariedad.

En relación con las consecuencias macroeconómicas esperadas del ahorro suplementario obtenido con la introducción del sistema de capitalización, hay que ser muy prudentes. Para algunos economistas mexicanos promotores de la reforma, México carece de ahorro y en particular de ahorro de largo plazo. La instauración del sistema con capitalización colmaría esta carencia: las empresas podrían invertir más fácilmente el capital y, por tanto, la producción aumentaría en el futuro, de modo que las jubilaciones (incluso las obtenidas bajo el sistema de repartición para los trabajadores que deciden permanecer en el antiguo sistema) podrían ser más fácilmente financiadas. El debate sobre las jubilaciones nos remite al debate sobre la carencia de ahorro; la idea subyacente en la reforma mexicana sigue siendo que la insuficiencia del ahorro bloquea la inversión, de tal suerte que bastaría con alentar el ahorro de las familias para obtener automáticamente un aumento de la inversión. Sin embargo, no vemos por qué mecanismo este aumento tendría lugar. Si la inversión depende esencialmente de la demanda anticipada o de los beneficios, un aumento del ahorro de las familias, es decir, una baja del consumo, ocasionaría una disminución de la demanda que provocaría una baja más que un aumento de la inversión, ya sea por la disminución de mercados o por la baja de beneficios en periodo de baja actividad. El único mecanismo posible sería el de una baja de las tasas de interés. Pero un alza de la tasa de ahorro no tendría por sí misma impacto sobre las tasas de interés mexicanas, fuertemente determinadas por el exterior. En efecto, no hay que olvidar que la política monetaria mexicana está muy condicionada por el exterior en virtud de la libre convertibilidad del peso, la cual obliga a ofrecer tasas de interés elevadas sobre los activos en moneda nacional a fin de igualar el rendimiento de los instrumentos financieros externos, más la prima asociada al riesgo cambiario. Por otro lado, resulta curioso pedir a las familias que aumenten su ahorro, es decir sus activos, cuando el Estado desea mantener a un bajo nivel la deuda interior pública y la oferta de títulos privados de alta calidad permanece limitada (la crisis financiera de 1995 perjudicó el crédito de los grandes emisores no financieros en los mercados nacionales de capitales).

Sin duda, es muy pronto para hacer un balance serio de una reforma tan reciente y cuyos efectos se harán sentir sobre todo a mediano y largo plazos. No obstante, los argumentos presentados nos dejan escépticos en cuanto a la capacidad de la reforma instrumentada para mejorar el bienestar de la población jubilada y para contribuir a superar las dificultades de la economía mexicana.

De cualquier manera, frente a la elección fundamental entre "una sociedad basada en el reconocimiento colectivo del asalariado, funcionando sobre la solidaridad intergeneracional, capaz de debatir y de decidir democráticamente"[52] y una sociedad concebida como "un conjunto de individuos aho-

[52] P. Khalfa y P.-Y. Chanu (coords.), *Les retraites au péril du libéralisme*, cit., p. 9.

rrando cada uno por su lado [...] sometidos a los azares de los mercados financieros, incapaces de determinar su futuro",[53] las autoridades mexicanas no vacilaron un instante en escoger su campo. Para ser coherentes con el modelo neoliberal implantado desde los años ochenta, favorecieron la adopción de la pensión capitalizada para los derechohabientes del IMSS con la idea de continuar con la totalidad de los pensionados públicos.

La reforma del sistema de pensiones seguramente agravará los fuertes rezagos de nuestro país a nivel mundial en materia social, constatados a través del indicador de desarrollo humano.

[53] Ibid.

9. Regreso hacia una economía humana: el Indicador de Desarrollo Humano

Para superar los enfoques tradicionales de comparación internacional de los niveles de vida, el Programa de Naciones Unidas para el Desarrollo (PNUD) propone en 1990 el Indicador de Desarrollo Humano (IDH). Dicho indicador, situado en la tradición humanista de François Perroux e inspirado en la óptica del desarrollo de Amartya Sen, pretende captar a través de una cifra las capacidades fundamentales de supervivencia y de elección de vida de que disponen los individuos de cada país. Tras presentar los resultados para México del Indicador de Desarrollo Humano y de otros indicadores propuestos por el PNUD (el Índice de Pobreza Humana, el Indicador Sexoespecífico de Desarrollo Humano y el Indicador de Participación de las Mujeres) en este capítulo se analizan las ventajas y límites de este enfoque.

La comparación internacional de los niveles de vida

El PIB per cápita es una medida de la riqueza producida y disponible en promedio por habitante. Sin embargo, sólo se trata de un promedio estadístico, que oculta las desigualdades sociales. Además, el nivel de vida abarca muchos más factores que los que considera el PIB per cápita.[1] Incluso, si el PIB retiene algunos elementos no mercantiles, valorados convencionalmente al costo de factores (educación, salud, policía y de una mane-

[1] Con respecto a la noción de nivel de vida, véase Amartya Sen et al., *El nivel de vida*, Editorial Complutense, Madrid, 2001; Amartya Sen, "Pobre en términos relativos" y "Espacio, capacidad y desigualdad", y Meghnad Desai, "Pobreza y capacidades: hacia una medición empíricamente aplicable", *Comercio Exterior*, mayo de 2003.

ra general los servicios públicos) no toma en cuenta los bienes y servicios gratuitos incluidos en el nivel de vida. Tal es el caso del trabajo del ama de casa o de los abuelos, de la pesca individual y de la caza, que no son contabilizados en el PIB per cápita pero que son elementos constitutivos del nivel de vida, sobre todo en los países subdesarrollados. La consideración de estos elementos permitiría comprender que en muchos países del llamado tercer mundo se pueda vivir con ingresos monetarios en apariencia irrisorios.

Para comparar el ingreso de personas que viven en diferentes países hay que comenzar por convertir los datos disponibles en una unidad de cuenta común. Sin embargo, esta conversión en función de los tipos de cambio no toma en cuenta la diferencia de precios entre los países. En efecto, para el sector expuesto, la competencia tiende a homogeneizar los precios en los diferentes países, incluso si esta tendencia no desemboca en un precio único a nivel mundial. Pero para los servicios domésticos que no están sometidos a la competencia internacional, los precios pueden variar fuertemente de un país a otro. Como el indicador del PIB por cabeza incorpora la producción del sector expuesto y la del sector resguardado, se necesita para el cálculo restituir un valor igual en todos los países para estas producciones con el fin de poder comparar los niveles de vida. Los PIB en paridades de poder de compra (PPA) permiten solucionar este problema.

Las paridades de poder de compra son tasas de conversión monetaria que eliminan las diferencias de niveles de precios entre los países. El PIB per cápita se expresa, para lograr un parangón internacional, en dólares de igual poder adquisitivo. Dicho de otra manera, una suma de dinero, convertida en moneda nacional gracias a estas tasas, permitirá comprar la misma canasta de bienes y servicios en todos los países.

Las paridades de poder de compra constituyen un mejor medio de convertir el ingreso que los tipos de cambio cuando se desean comparar los niveles de vida. Sin embargo, su utilización plantea grandes problemas teóricos y prácticos. A este respecto, la idea principal de Sen es que los éxitos y fracasos en el nivel de vida son cuestiones que atañen a las condiciones de vida, y no a la burda imagen de la opulencia relativa que el PIB o el PNB per cápita trata de reflejar con un número real. Los habitantes de Gabón, África del Sur, Namibia o Brasil son más ricos en términos de PNB per cápita que los de Sri Lanka, China o los del Estado hindú de Kerala. Sin embargo, estos últimos gozan de una esperanza de vida mucho más larga. En el mismo sentido se puede afirmar que aunque los negros estadounidenses son más pobres que sus compatriotas blancos y más ricos que los habitantes del tercer mundo, la probabilidad de alcanzar una edad avanzada es mucho menor para ellos que para los habitantes de numerosos países del tercer mundo como China, Sri Lanka o algunos Estados hindúes.[2]

Si tomamos en cuenta las numerosas críticas a la medida del nivel de desarrollo a través del PIB o del PNB per cápita, Naciones Unidas por medio del PNUD promueve en 1990 una visión alternativa del desarrollo. Se trata de superar la perspectiva economicista del Banco Mundial centrada en el tener (dinero y cosas) más que en el ser (bienestar y capacidades de los seres humanos). El proyecto es encomendado al paquistaní Mahbub ul-Haq. Éste se rodea de un grupo de destacados consultores como Paul Streeten, Meghnad Desai, Gustav Ranis, Keith Griffin y sobre todo el hindú Amartya Sen, premio Nobel de economía 1998. El "nuevo" enfoque conocido con el nombre de enfoque del desarrollo humano debe mucho al pensamiento de Sen en materia de desarrollo.

El pensamiento de Amartya Sen en materia de desarrollo

La influencia de Amartya Sen en la economía del desarrollo es muy antigua. En los años sesenta participa en los debates sobre la planificación hindú y la selección de técnicas para los

[2] Amartya Sen, *Un nouveau modèle économique. Développement, justice, liberté,* Odile Jacob, París, 2000, p. 16.

países subdesarrollados. En los setenta, se orienta hacia la economía pública con sus trabajos sobre "bienestar y elecciones colectivas", en la línea de Kenneth Arrow. Durante la siguiente década sus investigaciones manifiestan un particular interés por las cuestiones de la pobreza y las hambrunas. Sen cuestiona la opinión dominante según la cual la falta de alimento es la causa más importante del hambre. Muestra que a menudo algunas hambrunas tienen lugar cuando la cantidad de alimento disponible es suficiente. El análisis de los factores económicos y sociales que influyen en los distintos grupos de la sociedad y sus oportunidades reales es entonces esencial para aprehender de manera pertinente los mecanismos que interactúan en las hambrunas contemporáneas. En esta perspectiva, es la incapacidad de ciertos grupos para procurarse los bienes y no la penuria lo que explica las hambrunas. En especial con respecto a este último punto, Sen demuestra que el hambre aparece sólo donde no hay democracia.

Más recientemente, en 1999, publica su libro *Development as Freedom*,[3] que constituye una brillante síntesis de sus principales ideas. La tesis central del libro es que el "desarrollo puede ser aprehendido como un proceso de expansión de las libertades reales de que gozan los individuos".[4] Centrándose en las libertades humanas, Sen evita una definición muy estrecha del desarrollo que lo reduce a un crecimiento del PNB, al aumento de los ingresos, a la industrialización, a los progresos tecnológicos, o incluso a la modernización social. No cabe duda que el crecimiento del PNB o de los ingresos reviste una gran importancia como medio de extender las libertades de que gozan los miembros de una sociedad. Pero otros factores determinan estas libertades: las posesiones económicas y sociales (como por ejemplo los medios que facilitan el acceso a la educación y a la salud), tanto como las libertades políticas y cívicas

[3] Ibid.
[4] Ibid., p. 13.

(por ejemplo, la libertad de participar en un debate público o de ejercer un derecho de control).

Para Sen, cuando se estima el desarrollo no hay que limitarse a examinar la variación del PNB o de algún otro indicador general de expansión económica. Es indispensable considerar el impacto de la democracia y de las libertades públicas sobre la vida y las capacidades de los individuos, tomando en cuenta, en particular, las relaciones entre la existencia de derechos cívicos y políticos, por un lado, y la prevención de catástrofes, como las hambrunas, por el otro. La obtención de derechos cívicos otorga a los ciudadanos la posibilidad de atraer la atención sobre sus necesidades elementales y de ejercer presiones a favor de una acción pública adecuada. La reacción de los gobiernos a situaciones de desamparo depende, en gran medida, de la presión ejercida a través de los derechos de expresión, de voto, de manifestación, etcétera.[5]

Según Sen, su perspectiva de las libertades no pretende invalidar la copiosa literatura que durante siglos ha enriquecido la comprensión de los procesos humanos. En años recientes, los trabajos sobre el desarrollo se han concentrado en esencia en indicadores fragmentarios, como el crecimiento del PNB por habitante.[6] Nada impide inspirarse en enfoques menos limitados, comenzando por el de Aristóteles en su *Ética a Nicómaco.*[7]

Para el autor se debe partir de las libertades sustanciales, dándoles la preeminencia cuando se quieren juzgar las ventajas individuales y evaluar los éxitos o fracasos sociales. Su principal preocupación es que los individuos sean capaces de vivir

[5] Ibid., pp. 155-56.

[6] Hay autores como Bruton que aunque consideran que el desarrollo es un concepto multidimensional no les parece necesario buscar una medida multidimensional, ya que para ellos en casi todos los casos el producto per cápita es un sustituto eficaz. H. J. Bruton, *Principles of Economic Development*, Prentice Hall, Nueva York, 1965.

[7] A. Sen, "La riqueza no es evidentemente el bien que buscamos sino simplemente algo útil para otra cosa", *Un nouveau modèle économique. Développement, justice, liberté,* cit., p. 288.

el tipo de vida que desean. Esta perspectiva ofrece una visión del desarrollo muy alejada de los esquemas habituales que privilegian el PNB, el progreso técnico o la industrialización. Cualquiera que sea la importancia que se dé a estos factores, no constituyen criterios esenciales de desarrollo. El criterio esencial es la libertad de elección y la superación de los obstáculos que impiden el despliegue de las libertades.

De esta manera, es necesario superar la perspectiva tradicional del desarrollo en términos de "crecimiento de la producción por habitante". El nivel de ingreso no explica siempre otros datos tan importantes como la capacidad de vivir mucho tiempo, o la capacidad de escapar a la muerte evitable o incluso la posibilidad de ocupar un empleo gratificante o de vivir en un ambiente pacífico y seguro:

> Estas diversas variables no tienen vínculos directos con el nivel de ingresos o con la prosperidad económica y, sin embargo, reflejan posibilidades que es legítimo desear.[8]

Para Sen no cabe la menor duda de que la prosperidad económica contribuye a mejorar las elecciones de la gente, permitiéndoles llevar una vida más satisfactoria, pero se puede decir lo mismo de la educación, la salud y otros factores que influyen en las libertades efectivas de que gozan los individuos. Estos "desarrollos sociales" constituyen componentes directos del desarrollo que ayudan a vivir más tiempo, más libre y de modo más fructífero, además del papel que desempeñan en la mejora de la productividad, del crecimiento económico y de los ingresos individuales. Siguiendo a Amartya Sen,

> en una gran medida, los informes anuales sobre el desarrollo humano del PNUD, publicados desde 1990, quieren responder a esta necesidad y adoptar esta amplia perspectiva.[9]

[8] Ibid., p. 290.
[9] Ibid., p. 337.

En ese año se considera que llegó el momento de desarrollar un enfoque global para mejorar el bienestar humano, un enfoque capaz de cubrir todos los aspectos de la vida humana para todos los individuos, tanto en los países ricos como en los países pobres, en el presente como en el futuro. Este enfoque trataba de superar una definición estrecha del desarrollo económico, para cubrir el abanico completo de elecciones humanas. Según Paul Streeten, dicho enfoque

> subrayaba la necesidad de colocar al individuo –sus necesidades, sus aspiraciones, sus capacidades– en el centro del esfuerzo del desarrollo.[10]

En pocas palabras, se consideraba que el desarrollo humano no tenía sentido si no se le ponía al servicio del hombre sin distinción de clase social, de raza, de nacionalidad, de religión, de comunidad o de edad. Tal es la preocupación fundamental de la noción de desarrollo humano.

El desarrollo humano

Tras una década de crisis ("la década pérdida") en la que sólo se hablaba de equilibrios presupuestales y de finanzas sanas, el "nuevo" enfoque propuesto por el PNUD coloca en el centro de sus preocupaciones el desarrollo humano.

> El desarrollo humano [señala Streeten] es el proceso de ampliación de las elecciones de los individuos: no sólo entre varios jabones, marcas de televisión o modelos de coche, sino elecciones resultantes de la expansión de las capacidades y potencialidades humanas [...]. Se necesita tener la capacidad de vivir mucho tiempo y en buena salud, de instruir-

[10] Paul Streeten, "Dix ans de développement humain", en PNUD, *Rapport mondial sur le développement humain, 1999*, De Boeck Université, París-Bruselas, 1999, p. 16.

se y de tener acceso a los recursos para alcanzar un nivel de vida decente. Estos elementos los encontramos en el Indicador de Desarrollo Humano.[11]

El Indicador de Desarrollo Humano (IDH) es una útil herramienta propuesta por vez primera en 1990 por el PNUD para medir el desarrollo humano. Dicho indicador permite evaluar el nivel medio alcanzado por cada país a partir de tres aspectos esenciales:

- longevidad y salud representados por la esperanza de vida al nacimiento;
- instrucción y acceso al saber, representados por la tasa de alfabetización de los adultos (dos tercios) y la tasa bruta de escolaridad para todos los niveles (un tercio);
- posibilidad de disponer de un nivel de vida decente representado por el PIB por habitante (en PPA).

Resulta claro que en ausencia de estas tres posibilidades fundamentales (vida larga y saludable, adquisición de conocimientos, recursos para llevar una vida decente) muchas otras oportunidades permanecen inaccesibles.

Antes de calcular el Indicador de Desarrollo Humano se necesita establecer un índice para cada una de las tres dimensiones señaladas. La determinación de estos índices dimensionales correspondientes a la esperanza de vida, el nivel de instrucción y al PIB requiere de la definición de una gama de variación con un mínimo y un máximo.

Los resultados obtenidos en cada dimensión se expresan con un valor comprendido entre 0 y 1 según la siguiente fórmula general:

Índice dimensional = (valor constatado – valor mínimo) / (valor máximo – valor mínimo)

[11] Ibid.

Se considera que los valores máximos y mínimos para el calculo del IDH son los siguientes: 85 y 25 años para la esperanza de vida al nacer, 100 y 0 por ciento para la tasa de alfabetización de los adultos, 100 y 0 por ciento para la tasa bruta de escolaridad combinada y 40 mil y 100 dólares (en PPA) para el PIB por habitante.

El Indicador de Desarrollo Humano corresponde a la media aritmética de estos índices dimensionales. Este indicador mide la amplitud de los retrasos en aspectos bien determinados de la vida humana (educación, longevidad, etcétera). A este respecto, se ha señalado que el PNUD contribuye al análisis económico introduciendo la noción de carencia.[12] En efecto, con respecto a la posición ocupada en el *ranking* mundial, la carencia manifiesta el camino que queda por recorrer para alcanzar el objetivo de desarrollo humano en el criterio considerado.

El Informe de 1997 introduce el Indicador de Pobreza Humana para los "países en desarrollo" (IPH-1). En tanto que el Indicador de Desarrollo Humano mide el nivel medio alcanzado por un país, el Indicador de Pobreza Humana para los "países en desarrollo" se preocupa por las carencias observables en tres dimensiones fundamentales ya consideradas por el primero:

- vivir mucho tiempo con buena salud: riesgo de morir a una edad relativamente precoz, expresado por la probabilidad al nacer de no vivir hasta los cuarenta años;
- adquirir conocimiento e instrucción: exclusión del mundo de la lectura y de la comunicación, expresada por la tasa de analfabetismo de los adultos;
- disponer de un nivel de vida decente; imposibilidad de acceder a lo que procura la economía en su conjunto, expresada por el porcentaje de la población carente de puntos de agua

[12] Siméon Fongang, *Indicateur de Développement Humain du PNUD*, L'Harmattan, París, 2000, p. 124, y Blandine Destremau y Pierre Salama, *Mesures et démesure de la pauvreté*, Presses Universitaires de France, París, 2002, capítulo 3.

acondicionados y por el porcentaje de niños de menos de cinco años que sufren de insuficiencias de peso.[13]

En tanto que el Indicador de Desarrollo Humano mide los progresos alcanzados en un país, el Indicador de Pobreza Humana pone el acento sobre una base nacional en la proporción de habitantes víctimas de los tres déficits antes citados (de supervivencia, de instrucción y de ingreso). Dicho de otra manera, el Indicador de Pobreza Humana se interesa en la proporción de individuos de un país que no se benefician de los progresos de los que da cuenta el Indicador de Desarrollo Humano. Así, una comparación de ambos indicadores expresa la buena o mala distribución de los frutos del progreso en el seno de un país.

Como las formas de indigencia y los déficits o carencias que sufren los individuos de una sociedad varían en función del contexto económico y social, el PNUD decidió en 1998 elaborar un índice distinto para medir la pobreza humana en los países desarrollados miembros de la OCDE: el indicador de pobreza IPH-2. Dicho indicador comporta cuatro variables.

- vivir mucho tiempo con buena salud: riesgo de morir a una edad relativamente precoz, expresado por la probabilidad al nacer de no vivir hasta los sesenta años;
- adquirir conocimiento e instrucción: exclusión del mundo de la lectura y de las comunicaciones, expresado por la tasa de analfabetismo de los adultos (entre dieciséis y sesenta y cinco años);
- disponer de un nivel de vida decente: expresado por el porcentaje de la población que vive por debajo del umbral de la pobreza monetaria (la mitad de la mediana del ingreso disponible de las familias);[14]

[13] El cálculo del IPH-1 es más simple que el del IDH. En efecto, los criterios utilizados para medir las carencias ya están normalizados entre 0 y 100 puesto que se trata de porcentajes. Luego entonces, no es necesario recurrir a índices dimensionales.

[14] Recordemos que la mediana es un indicador estadístico de tendencia central que separa una población en dos partes iguales.

• exclusión: expresada con la tasa de desempleo de larga duración (al menos doce meses).

Como vemos, en el caso de la supervivenia y de la instrucción se utilizan los mismos criterios que para el IPH-1, pero fijando objetivos más elevados. En el caso del nivel de vida decente, se redefine el criterio para adaptarlo al contexto del mundo desarrollado. A todo esto se agrega una variable de exclusión del mundo del trabajo y de la vida social.

El Informe Mundial sobre Desarrollo Humano de 1995 establece dos indicadores para apreciar las desigualdades entre los sexos, en detrimento de las mujeres. Se trata, por un lado, del Indicador Sexoespecífico del Desarrollo Humano (ISDH) y, por el otro, del Indicador de Participación de las Mujeres (IPF).

El Indicador Sexoespecífico del Desarrollo Humano mide los mismos progresos y se funda en las mismas variables que el Indicador de Desarrollo Humano, pero concentrándose en las disparidades sociológicas entre hombres y mujeres en los tres aspectos considerados. Se trata simplemente de un indicador de desarrollo humano revisado a la baja para tomar en cuenta las desigualdades sociológicas entre los sexos. Cuanto más fuertes sean las disparidades en términos de desarrollo humano de base, mayor será la desviación que separa el Indicador Sexoespecífico del Desarrollo Humano del Indicador de Desarrollo Humano.

Por último, el Indicador de Participación de las Mujeres trata de determinar hasta qué punto las mujeres participan en la vida económica y política. Dicho indicador evalúa las desigualdades entre los hombres y las mujeres en aspectos clave de la vida económica y política, considerando la participación y el poder de decisión. Las variables tomadas en cuenta son el porcentaje de las mujeres en el parlamento, el gobierno, la alta administración pública y la dirección de las empresas. También se considera la proporción de puestos técnicos y de mando ocupados por mujeres, así como las desigualdades hombre / mujer en los ingresos del trabajo. A diferencia del Indicador Sexoespecífico del Desarrollo Humano, se resaltan las desigualdades en el plano de las oportunidades en muchos aspectos. Dicho de otra manera, el Indicador de Participación de las Mujeres evalúa más las oportunidades que se les dan a las mujeres que sus capacidades.

Los indicadores del PNUD en el caso de México

EL INDICADOR DE DESARROLLO HUMANO (IDH)

En el año 2003, el Programa de Naciones Unidas para el Desarrollo (PNUD) publicó los resultados en materia de desarrollo humano para 175 países.[15] Según su nivel de desarrollo humano, los países se clasificaron en países con un desarrollo humano elevado (IDH superior o igual a 0.80), con un desarrollo humano mediano (IDH entre 0.50 y 0.79) y con un desarrollo humano débil (IDH inferior a 0.50). Esta clasificación es diferente a la del Banco Mundial, que clasifica los países en términos del nivel de ingreso: países de ingreso elevado (PIB por habitante superior o igual a 9 206 dólares en 2001), países de ingreso intermedio (de 746 a 9 205 dólares) y países de ingreso débil (hasta 745 dólares).

La clasificación realizada según el IDH puede diferir de la efectuada a partir del PIB por habitante, lo que demuestra que se pueden alcanzar niveles elevados de desarrollo humano sin disponer de un ingreso elevado, y que un ingreso importante no es garantía de un alto nivel de desarrollo humano.[16] De manera general, se puede decir que la diferencia de clasificación según el PIB por habitante (en PPA) y según el IDH denota el es-

[15] PNUD, *Rapport mondial sur le développement humain, 2003,* Economica, París, 2003, pp. 237-40.

[16] Por ejemplo, Angola y Vietnam tienen ingresos similares, pero Vietnam ha hecho más esfuerzo para convertir su ingreso en desarrollo humano. Asimismo, Jamaica tiene un mejor desempeño que Marruecos en materia de IDH con un ingreso prácticamente idéntico.

fuerzo realizado en favor del desarrollo humano. En efecto, las diferencias positivas resultan de la implicación del Estado en las políticas sociales (países escandinavos, Francia, el exbloque socialista, etcétera). En el caso de algunos países del tercer mundo (monarquías petroleras, Brasil, etcétera), las fuertes diferencias negativas se explican por la persistencia acentuada de algunas de las características del subdesarrollo, como las profundas desigualdades y el enriquecimiento de una élite económica.[17]

México, con un IDH de 0.80 que lo coloca en el lugar 55 en el año 2001, está en el último lugar de los países con un desarrollo humano elevado.[18] En términos de PIB por habitante (en PPA) nuestro país se clasifica en el lugar 58 entre los países de nivel de desarrollo intermedio, con un PIB por habitante (en PPA) de 8 430 dólares. Su rango a nivel mundial casi no varía al pasar de una clasificación en términos de PIB por habitante (en PPA) a otra en términos de IDH, lo que denota que no se realiza en México un gran esfuerzo en el desarrollo humano que le permitiera mejorar mucho más en el *ranking* mundial.[19]

EL INDICADOR DE POBREZA HUMANA PARA LOS "PAÍSES EN DESARROLLO" (IPH-1)

El IPH-1 permite clasificar a 94 "países en desarrollo" desde el menos pobre, Barbados, hasta el más pobre: Nigeria. México ocupa el décimo tercer lugar, siendo sólo superado en América Latina por Barbados (lugar 1), Uruguay (2), Chile (3), Cos-

[17] Stéphanie Treillet, *L'économie du développement*, Nathan, París, 2002, p. 22.

[18] México tiene en ese año un IDH inferior a varios países latinoamericanos: Barbados (lugar 27), Argentina (34), Uruguay (40), Costa Rica (42), Chile (43), Bahamas (49), Saint-Kitts y Nevis (51), Cuba (52), Trinidad y Tobago (54).

[19] Como es el caso, por ejemplo, de Cuba entre los países latinoamericanos.

ta Rica (4), Cuba (5), Trinidad y Tobago (8), Panamá (9), Colombia (10), Venezuela (11) y Belice (12).[20]

Este Indicador de Pobreza Humana no se debe confundir con el Indicador de Pobreza Monetaria, medida por el porcentaje de la población que dispone de menos de 1 dólar por día (en PPA de 2001). En el caso de México, este porcentaje es de 8 por ciento. A este respecto, cabe señalar que México obtiene mejores resultados en términos de pobreza humana que de pobreza monetaria.

EL IPH-2 DE CANADÁ Y ESTADOS UNIDOS, SOCIOS DE MÉXICO EN EL TLCAN

Canadá y Estados Unidos forman parte de la evaluación del IPH-2 que realizó el PNUD para 17 países desarrollados de la OCDE.[21] En dicha evaluación, en la que Suecia obtiene el primer lugar, Estados Unidos y Canadá, séptimo y octavo a nivel mundial según el Indicador de Desarrollo Humano, obtienen respectivamente los lugares 17 y 12 de los diecisiete países estudiados. Así, nuestros socios comerciales en el Tratado de Libre Comercio, sobre todo Estados Unidos con el último lugar, destacan en el primer mundo por sus altos niveles de pobreza.

EL INDICADOR SEXOESPECÍFICO DE DESARROLLO HUMANO (ISDH)

Recordemos que cuanto más cercano esté el ISDH de un país de su Indicador de Desarrollo Humano (IDH), las desigualdades sociales entre hombres y mujeres de un país serán menos importantes. A este respecto, se puede decir que el ISDH de México (0.790) es sólo ligeramente inferior a su IDH (0.800), lo que refleja que en nuestro país no hay sensibles desigualda-

[20] PNUD, *Rapport mondial sur le développement humain, 2003*, cit., p. 247.

[21] Ibid., p. 243.

des entre las mujeres y los hombres en su acceso al desarrollo humano.

Por otra parte, en el informe del PNUD del año 2003 se presentan los resultados del cálculo del ISDH para 144 países.[22] México obtiene el lugar 52, siendo superado en América Latina por 7 países: Barbados (lugar 27), Argentina (34), Uruguay (39), Costa Rica (41), Chile (43), Bahamas (46), y Trinidad y Tobago (50).

EL INDICADOR DE PARTICIPACIÓN DE LAS MUJERES (IPF)

En el Informe Mundial sobre el Desarrollo Humano 2003, el PNUD publicó el *ranking* de 70 países para los cuales se calculó el IPF.[23] En dicho *ranking*, con un IPF de 0.516 México ocupa el lugar 43, siendo superado en América Latina por varios países: Bahamas (lugar 18), Costa Rica (19), Barbados (20), Trinidad y Tobago (22), República Dominicana (37), Bolivia (38), Perú (39) y Uruguay (42).

Ventajas y límites del enfoque del desarrollo humano

Por primera vez un informe de un organismo internacional fundamenta su argumentación en autores como Aristóteles, Kant, Quesnay, Adam Smith, Ricardo, Malthus, Marx y John Stuart Mill, lo que constituye una auténtica revolución. Se trata, entre otras cosas, de demostrar que el aumento del ingreso debe ser considerado como un medio y no como un fin en sí. Con ello, el informe relativiza la importancia del crecimiento como indicador de "buena vida". Se opera una disociación entre la acumulación de riquezas y lo que se considera una "buena vida".[24]

[22] Ibid., p. 313.

[23] Ibid., p. 317.

[24] Gilbert Rist, *Le développement. Histoire d'une croyance occidental*, Presses de la Fondation Nationale des Sciences Politiques, París, 1996, p. 335.

La problemática del desarrollo humano hace del ser humano no sólo la *finalidad* sino el *medio* del desarrollo. Los individuos son tanto los beneficiarios del progreso económico y social como los principales actores de los procesos que conducen a dicho progreso.[25] Según el PNUD, los individuos tienen la posibilidad de, por un lado, invertir en el desarrollo de sus capacidades (salud, educación, formación) y, por otro lado, hacer uso de sus capacidades, es decir, participar plenamente en todos los aspectos de la vida y expresarse libremente y de manera creativa.

El Indicador de Desarrollo Humano da cuenta de las capacidades de los individuos, pero en su seno se opera una distinción. Dos de ellas están íntimamente ligadas al ser humano: salud y educación (bienes internos o bienes del cuerpo). La tercera capacidad es externa: el ingreso. De los tres criterios retenidos en el indicador, la esperanza de vida y la alfabetización pueden ser percibidos como valores en sí. Por el contrario, el ingreso es en esencia un medio para el logro de otros fines; constituye un medio de llegar al desarrollo humano, en tanto que la salud y los niveles de instrucción son finalidades. El ingreso forma parte de la óptica del tener o de la problemática del enriquecimiento, en tanto que la salud y la instrucción forman parte de la óptica del ser.

El enfoque del desarrollo humano es muy diferente del enfoque del capital humano de Gary Becker (premio Nobel de economía 1992). Este último enfoque busca promover el progreso económico gracias a una inversión en el ser humano, particularmente con el aumento de los conocimientos y las aptitudes. Además de la educación que es el principal medio retenido en este enfoque, la teoría del capital humano contempla los gastos en salud, ya que permiten mantener la capacidad de producción de los individuos. En tanto que en el enfoque del desarrollo humano la salud y la educación son buscados como finalidades, en el enfoque del capital humano son medios para

[25] S. Fongang, *Indicateur de Développement Humain du PNUD*, cit., capítulo III.

alcanzar otros fines. En el enfoque del capital humano, la inversión en capital humano apunta al ser por lo que tiene y no por lo que es. Se trata de que los individuos tengan buena salud y posean buenos conocimientos para aumentar su productividad, y no para aumentar su bienestar. Dicho de otra manera, la salud y los conocimientos no son valores finales, buscados por ellos mismos, sino valores intermedios que tienen más bien la productividad como finalidad. Desde este punto de vista, las necesidades humanas deben atenderse sólo en la medida en que se espere una mayor contribución a la producción. De ahí la falta de interés por satisfacer las necesidades de categorías de la población que, por alguna razón, no participan en la producción y en los intercambios mercantiles.

Los informes del PNUD, publicados anualmente desde 1990, establecen un auténtico *ranking* mundial de los logros en materia de desarrollo humano. Dichos informes tienen el mérito de proponer instrumentos concretos para resaltar algunos hechos que hasta ahora no habían sido considerados de manera sistemática, ni habían sido objeto de comparaciones internacionales muy precisas. El enfoque del PNUD ha venido parcialmente a equilibrar un mundo donde la información global en materia de desarrollo estaba por completo dominada por los informes economicistas del Banco Mundial.[26]

A pesar de las enormes ventajas que representa el análisis del PNUD con respecto al análisis economicista del Banco Mundial, una serie de interrogantes se plantean en torno a los indicadores de desarrollo humano. Estas interrogantes las expre-

[26] Aún más, en el informe del año 2002 se presenta un estudio sobre la necesidad de profundizar la democracia a nivel mundial. Dicho estudio, que entre otras cosas, analiza las actividades del FMI y del Banco Mundial, no vacila en subrayar el déficit democrático que caracteriza a las instituciones financieras internacionales. Una crítica severa respecto a las instituciones financieras internacionales se acompaña de un claro apoyo a los movimientos mundiales de la sociedad civil. PNUD, *Rapport mondial sur le développment humain, 2002*, De Boeck Université, Bruselas, 2002.

saron los propios autores del informe del año 1993 en los siguientes términos:

1] ¿Por qué retener solamente tres dimensiones? ¿Es demasiado o muy poco?

2] ¿Las variables (indicadores) escogidas para medir las dimensiones son pertinentes? ¿Para cada dimensión, las variables asociadas son muchas o no son muy numerosas?

3] ¿Las medidas están sujetas a errores de estimación? Y en caso afirmativo ¿estos errores falsean los resultados obtenidos? Una cuestión subsidiaria es la de la actualidad de los datos utilizados para elaborar los indicadores que componen el IDH.

4] ¿La elección del mínimo o el máximo se justifica o es arbitraria? De cualquier manera, ¿cuán sensibles son los indicadores a alternativas referentes a los máximos y los mínimos?

5] ¿Por qué retener una ponderación igual para cada elemento? ¿Cuál es la sensibilidad de los resultados a las variaciones de las ponderaciones?[27]

Todas estas interrogantes muestran los límites del enfoque del PNUD en materia de selección de las variables, de sus ponderadores y de la elección de los valores máximos y mínimos. Además, los diferentes indicadores (IDH, IPH-1, IPH-2, ISDH, IPF) constituyen una media nacional que enmascara a menudo, sobre todo en los países subdesarrollados, fuertes desigualdades entre clases sociales, regiones, comunidades, etcétera. Por último, los indicadores se construyen a partir de un corto número de variables económicas y sociales, sin tomar en cuenta variables políticas como la estabilidad de las instituciones, la democracia, el nivel de corrupción, etcétera. De cualquier manera, el análisis del PNUD es muy útil para recordar una evidencia frecuentemente olvidada: un mayor crecimiento no sirve si no mejora el desarrollo humano, cuestión que planteó hace mucho tiempo François Perroux.

[27] PNUD, *Rapport mondial sur le développement humain, 1993*, Economica, París, 1993, p. 116.

Perroux está a favor de una política de crecimiento, considerada como el pleno empleo de todos los recursos materiales y humanos, presentes y potenciales, con la condición de que sea armónica y conduzca al desarrollo humano[28] entendido como la cobertura de los "costos del hombre".

La noción de costos del hombre la presentó Perroux por primera vez en 1952.[29] Dichos costos son aquellos que permiten alimentar a los hombres, curarlos y otorgarles acceso a la cultura y a las distracciones. Los costos del hombre son: "Los gastos fundamentales del estatuto humano de la vida para cada uno en un grupo determinado".[30] Los costos del hombre no se reducen simplemente a los costos de mantenimiento de los trabajadores. Perroux aclara que estos costos "atañen a todo ser humano, sea quien sea, porque es un ser humano y no porque desempeña alguna actividad".[31]

Los costos del hombre son profundamente históricos, ya que las necesidades que cubren son función del estado y del ritmo de desarrollo de las fuerzas productivas en cada sociedad. Según Perroux, como la experiencia ha demostrado que cada ser humano no está en todos lados ni siempre en condición de asumir dichos costos, "la expresión 'costo del hombre' designa prácticamente los costos prioritarios asumidos por el poder público (no necesariamente un Estado nacional) para beneficiar a todos los seres humanos de las condiciones fundamentales de su vida".[32]

[28] "Por oposición al crecimiento casi mecánico de un producto tratado como una cosa, el desarrollo es una relación entre hombres". F. Perroux, *L'économie du XXe siècle*, cit., p. 285.

[29] François Perroux, "Les coûts de l'homme", *Économie Appliquée*, n. 1, 1952.

[30] F. Perroux, *L'économie du XXe siècle*, cit., p. 435.

[31] Ibid., p. 380.

[32] Ibid., p. 435.

El no cubrir dichos costos es sinónimo de destrucción, y esta monstruosa destrucción es producto del subdesarrollo.

Así, según Perroux, el subdesarrollo es una situación en la cual los costos del hombre no son cubiertos. Las economías subdesarrolladas no otorgan a todos los miembros de la población el mínimo en materia de salud, educación y acceso a una vida decente.

En cualquier país y especialmente en los subdesarrollados, la cobertura de los "costos del hombre" resultará de medidas específicas y de una política económica de desarrollo. Dichas medidas y dicha política pueden ser favorecidas con los valiosos datos de los informes del PNUD, que, de alguna manera, retoman la óptica del desarrollo de Perroux y responden a muchas de las interrogantes que planteó este gran economista francés desde inicios de los cincuenta. Así, no cabe la menor duda de que el análisis pnudiano del desarrollo se sitúa plenamente en la tradición humanista de Perroux, cuya preocupación central fue siempre la búsqueda de "una economía para los hombres" tan olvidada en México desde hace más de veinte años por los sucesivos gobiernos neoliberales.

Bibliografía

Aglietta, Michel, *Macroéconomie financière. Finance, croissance et cycles*, t. 1, La Découverte, París, 1995.

——, *Macroéconomie financière. Crises financières et régulation monétaire*, t. 2, La Découverte, París, 2001.

——, Anton Brender y Virginie Coudert, *Globalisation financière: l'aventure obligée*, Economica-CEPII, París, 1990.

—— y P. Moutot, "Le risque de système et sa prévention", *Cahiers Économiques et Monétaires de la Banque de France*, n. 41, París, 1993.

—— y Sandra Moatti, *Le FMI. De l'ordre monétaire aux désordres financiers*, Economica, París, 2000.

Alegría, Tito, Jorge Carrillo y Jorge Alonso Estrada, "Reestructuración productiva y cambio territorial: un segundo eje de industrialización en el norte de México", *Revista de la CEPAL*, n. 61, Santiago de Chile, abril de 1997.

Ando, Albert y Franco Modigliani, "The Life Cycle Hypothesis of Saving: Aggregate Implications and Tests", *American Economic Review*, Pittsburgh, marzo de 1963, .

Artus, Patrick y Michèle Debonneuil, "Crises, recherche de rendements et comportements financiers: l'interaction des mécanismes microéconomiques et macroéconomiques", *Architecture financière internationale*, Conseil d'Analyse Économique-La Documentation Française, París, 1999.

Aspe Armella, Pedro, *El camino mexicano de la transformación económica*, Fondo de Cultura Económica, México, 1993.

ATTAC, *Remettre l'OMC à sa place*, Mille et Une Nuits, París, 2001.

Azariadis, C. y R. Guesnerie, "Prophéties créatrices et persistance des théories", *Revue Économique*, n. 5, París, 1982.

Bagehot, Walter, *Lombard Street*, Richard D. Irwin, Homewood, 1962.

Bairoch, Paul, "Globalization: Myths and Realities", en Robert Boyer y Daniel Drache (coords.), *States Against Markets*, Routledge, Londres y Nueva York, 1996.

Balassa, Bela, *The Theory of Economic Integration*, George Allen and Unwin, Londres, 1962.

——, *The Structure of Protection in Developing Countries*, The Johns Hopkins University Press, Baltimore, 1971.
Banco de México, *Informe anual, 1995.*
——, *Informe anual, 1996.*
——, *Informe anual, 1999.*
——, *Informe anual, 2001.*
Banco Interamericano de Desarrollo, *Progreso económico y social en América Latina. Informe 1996*, Washington, D. C., 1996.
Banco Mundial, *Latin America and The Caribbean: A Decade After the Debt Crisis*, Washington, D. C., 1993.
——, *Averting the Old Age Crisis*, Oxford University Press, Washington, D. C., 1994.
——, *Private Capital Flows to Developing Countries. The Road to Financial Integration*, Oxford University Press, Washington D. C., 1997.
Baudru, Daniel y François Morin, "Gestion institutionnelle et crise financière", *Architecture financière internationale*, Conseil d'Analyse Économique-La Documentation Française, París, 1999.
Benaroya, François, "Organisations régionales et gouvernance mondiale", en Pierre Jacquet, Jean Pisani-Ferry y Laurence Tubiana (comps.), *Gouvernance mondiale*, Conseil d'Analyse Économique-La Documentation Française, París, 2002.
Beteta, Mario Ramón, "El banco central como instrumento del desarrollo económico de México", *Comercio Exterior*, México, junio de 1961.
Béziade, Monique, *La monnaie*, Masson, París, 1986.
Bhagwati, J., *Anatomy and Consequences of Trade Control Regimes*, National Bureau of Economic Research-Ballinger, Cambridge,1978.
Blanchard, O. y M. Watson, "Bulles, anticipations rationnelles et marchés financiers", *Annales de l'INSEE*, n. 54, abril-junio de 1984.
Blanchet, Didier, "Fiabilité des perspectives démographiques?", *Revue d'Économie Financière*, n. 23, París, invierno de 1992.
—— y Bertrand Villeneuve, "Que reste-t-il du débat répartition-capitalisation?", *Revue d'Économie Financière*, n. 40, París, marzo de 1997.
——, "Le débat répartition-capitalisation: un état des lieux", *Retraites et épargne*, Conseil d'Analyse Économique-La Documentation Française, París, 1998.
Boissieu, Christian de, "Le destin de la bulle financière", *Futuribles* n. 192, noviembre de 1994.

Bolsa Mexicana de Valores, *El proceso de globalización financiera en México,* colección Planeación y Desarrollo de Mercado, México, 1992.
Borja Martínez, Francisco, "El nuevo régimen del Banco de México", *Comercio Exterior,* México, enero de 1995.
Bourdieu, Pierre, *Contre-feux,* Liber-Raisons d'Agir, París, 1998.
—— y Loïc Wacquant, "La nouvelle vulgate planétaire", *Le Monde Diplomatique,* París, mayo de 2000.
Bourguinat, Henri, *Finance internationale,* Presses Universitaires de France, París, 1992.
——, *La tyrannie des marchés,* Economica, París, 1995.
——, *L'économie morale,* Arléa, París, 1998.
Boyer, Robert, "Les mots et les réalités", *Mondialisation. Au delà des mythes,* La Découverte, París, 1997.
——, "Dos desafíos para el siglo XXI: disciplinar las finanzas y organizar la internacionalización", *Revista de la CEPAL,* n. 69, Santiago de Chile, diciembre de 1999.
——, "La crisis argentina: un análisis desde la teoría de la regulación", *Realidad Económica,* n. 191, Instituto Argentino para el Desarrollo Económico, Buenos Aires, noviembre-diciembre de 2002.
Braudel, Fernand, *Civilisation matérielle, économie et capitalisme. XVe-XVIIIe siècle,* 3 t., Armand Colin, París, 1979. Edición en español: *Civilización material, economía y capitalismo. Siglos XV-XVIII,* 3 t., Alianza, Madrid, 1984. Versión en español de Néstor Míguez.
——, *La dynamique du capitalisme,* Flammarion, París, 1985. Edición en español: *La dinámica del capitalismo,* Fondo de Cultura Económica, México, Breviarios, 1986; 2ª reimpresión, 1994. Traducción de Rafael Tusón.
Brender, Anton, *La France face à la mondialisation,* La Découverte, París, 1998.
Brothers, Dwight S. y Leopoldo Solís (comps.), *México en busca de una nueva estrategia de desarrollo,* Fondo de Cultura Económica, México, 1992.
Brunhes, Bernard, "La flexibilité du travail: réflexions sur les modèles européens", *Droit Social,* París, marzo de 1989.
Brunhoff, Suzanne de y Bruno Jetin, "Taxe Tobin: une mesure forte contre l'instabilité financière", en François Chesnais y Dominique Plihon (coords.), *Les pièges de la finance mondiale,* La Découverte-Syros, París, 2000.

Bruton, H. J., *Principles of Development Economics*, Prentice Hall, Nueva York, 1965.
Buitelaar, Rudolf M., Ramón Padilla y Ruth Urrutia, *Centroamérica, México y República Dominicana: maquila y transformación productiva*, Cuadernos de la CEPAL, n. 85, Santiago de Chile, 1999.
Bulmer-Thomas, Víctor (comp.), *El nuevo modelo económico en América Latina. Su efecto en la distribución del ingreso y en la pobreza*, Fondo de Cultura Económica, México, 1997.
——, *La historia económica de América Latina desde la independencia*, Fondo de Cultura Económica, México, 2000.
Byé, Maurice y Gérard Destanne de Bernis, *Relations économiques internationales*, Dalloz, París, 1987.
Cárdenas, Enrique, "Lecciones recientes sobre el desarrollo de la economía mexicana y retos para el futuro", *México. Transición económica y comercio exterior*, Banco Nacional de Comercio Exterior-Fondo de Cultura Económica, México, 1999.
Cardoso, Eliana y Ann Helwege, *La economía latinoamericana. Diversidad, tendencias y conflictos*, Fondo de Cultura Económica, México, 1993.
Carrillo, Jorge, "Entreprises exportatrices et changements dans l'organisation du travail au Mexique", *Revue Tiers Monde*, París, abril-junio de 1998.
CEPAL, *Mercado Común Latinoamericano*, México, 1959.
——, *El regionalismo abierto en América Latina y el Caribe*, Naciones Unidas, Santiago de Chile, 1994.
——, *México. La industria maquiladora*, Santiago de Chile, 1996.
——, *Balance preliminar de las economías de América Latina y el Caribe*, Santiago de Chile, 2001.
Charpentier, François, *Les fonds de pension*, Economica, París, 1994.
Charpin, Jean-Michel, "Commentaire", *Retraites et épargne*, Conseil d'Analyse Économique-La Documentation Française, París, 1998.
Chesnais, François, *La mondialisation du capital*, Syros, París, 1994.
—— (coord.), *La mondialisation financière. Genèse, coût et enjeux*, Syros, París, 1996.
——, *Tobin or not Tobin? Une taxe internationale sur le capital*, L'Esprit Frappeur, París, 1998.
——, "États rentiers dominants et contradiction tendancielle. Formes contemporaines de l'impérialisme et de la crise", en Gérard Duménil y Dominique Levy (comps.), *Le triangle infernal. Crise,*

mondialisation, financiarisation, Actuel Marx Confrontation, Presses Universitaires de France, París, 1999.
—— y Dominique Plihon (coords.), *Les pièges de la finance mondiale*, Syros, París, 2000.
——, "Crises de la finance, ou prémisses de crises économiques propres au régime d'accumulation actuel?", en François Chesnais y Dominique Plihon (coords.), *Les pièges de la finance mondiale*, Syros, París, 2000.
——, "Mondialisation: le capital rentier aux commandes", *Les Temps Modernes*, n. 607, París, enero-febrero de 2000.
Chossudovsky, Michel, *La mondialisation de la pauvreté*, Ecosociété, Montreal, 1998.
Coase, R., "The Nature of the Firm", *Economica*, vol. 4, 1937.
Cohen, Benjamin J., "La question du contrôle des mouvements de capitaux", *Revue Économique*, París, marzo de 2001.
Cohen, Daniel, *Les infortunes de la prospérité*, Julliard, París, 1994.
——, *Richesse du monde, pauvretés des nations*, Flammarion, París, 1997.
Cornilleau, Gérard y Henri Sterdyniak, "Les retraites en France: des débats théoriques aux choix politiques", en Cochemé Bernard y Florence Legros (coords.), *Les retraites. Genèse, acteurs, enjeux*, Armand Colin, París, 1995.
Coutrot, Thomas y Michel Husson, *Les destins du Tiers Monde*, Nathan, París, 1993.
Crozet, Yves, Lahsen Abdelmalki, Daniel Dufourt y René Sandretto, *Les grandes questions de l'économie internationale*, Nathan, París, 1997.
Davanne, Olivier, *Instabilité du système financier international*, Conseil d'Analyse Économique-La Documentation Française, París, 1998.
Davidson, Paul, "Are Grains of Sand in the Wheels of International Finance Sufficient to Do the Job When Boulders Are Often Required?", *The Economic Journal*, Londres, mayo de 1997.
Deblock, Christian y Dorval Brunelle, "Les États-Unis et le régionalisme économique dans les Amériques", en *Études Internationales*, n. 2, Montreal, junio de 1998.
Delgado Shelley, Orlando, "Crisis bancaria y crisis económica", en José Carlos Valenzuela (coord.), *El futuro económico de la nación*, Diana, México, 1997.
De Melo, Jaime, Claudio Montenegro y Arvind Panagariya, "L'intégration régionale hier et aujourd'hui", *Revue d'Économie du Développement*, n. 2, Clermont-Ferrand, 1993.

Desai, Meghnad, "Pobreza y capacidades: hacia una medición empíricamente aplicable", en *Comercio Exterior*, México, mayo de 2003.
Destremau, Blandine y Pierre Salama, *Mesures et démesure de la pauvreté*, Presses Universitaires de France, París, 2002.
Devlin, Roberto y Ricardo Ffrench-Davis, "Hacia una evaluación de la integración regional en América Latina", *Comercio Exterior*, México, noviembre de 1999.
Dumas, André, *L'économie mondiale*, De Boeck Université, Bruselas, 2002.
Duménil, Gérard y Dominique Levy (coords.), *Le triangle infernal. Crise, mondialisation, financiarisation*, Actuel Marx Confrontation, Presses Universitaires de France, París, 1999.
——, *Économie marxiste du capitalisme*, La Découverte, París, 2003.
Eichengreen, Barry, *Hacia una nueva arquitectura financiera internacional*, Oxford University Press, México, 2000.
Fabozzi, Frank, J. Franco Modigliani y Michael G. Ferri, *Mercados e instituciones financieras*, Prentice Hall, México, 1996.
Farnetti, Richard, "Le rôle des fonds de pension et d'investissement collectifs anglo-saxons dans l'essor de la finance globalisée ", en François Chesnais (coord.), *La mondialisation financière. Genèse, coût et enjeux*, Syros, París, 1996.
Félix, David, "La globalización del capital financiero", *Revista de la CEPAL*, número extraordinario, 1998.
Fernández García, Eduardo, "Situación y retos del mercado de valores", *Documentos de Trabajo e Investigación*", n. 2000-2001, CNBV.
Ferrer, Aldo, *Hechos y ficciones de la globalización*, Fondo de Cultura Económica, Buenos Aires, 1997.
——, *De Cristóbal Colón a Internet: América Latina y la globalización*, Fondo de Cultura Económica, Buenos Aires, 1999.
Ffrench-Davis, Ricardo, *Macroeconomía, comercio y finanzas para reformar las reformas en América Latina*, McGraw Hill-CEPAL, Santiago de Chile, 1999.
Fiori, José Luis, Marta Skinner de Lourenço y José Carvalho de Noronha (comps.), *Globalização: o fato e o mito*, Universidad del Estado de Río de Janeiro, 1998.
Fisher, Irving, "Théorie des grandes dépressions par la dette et la déflation" [1933], traducido en la *Revue Française d'Économie*, vol. 3, 1988. En México fue publicado por la revista *Problemas del Desarrollo*, n. 119, Facultad de Ciencias Políticas y Sociales-Uni-

versidad Nacional Autónoma de México, octubre-diciembre de 1999.

—— y Roberto Devlin, "Hacia una evaluación de la integración regional en América Latina", *Comercio Exterior*, México, noviembre de 1999.

Fongang, Siméon, *Indicateur de Développement Humain du PNUD*, L'Harmattan, París, 2000.

Freitas, Penido de, Maria Cristina y Daniela Magalhães Prates, "La experiencia de apertura financiera en Argentina, Brasil y México", *Revista de la CEPAL*, n. 70, Santiago de Chile, abril de 2000.

Friedman, Milton, "The Case for Flexible Exchange Rates", *Essays in Positive Economics*, Chicago University Press, 1953. Edición en español: *Ensayos sobre economía positiva*, Gredos, Madrid, 1967.

Furtado, Celso, *El capitalismo global*, Fondo de Cultura Económica, México, 1999.

Galbraith, J. K., *Le nouvel État industriel* [1967], Gallimard, París, 1974.

Gavin, Michael y Ricardo Hausmann, "Las raíces de las crisis bancarias: el contexto macroeconómico", en Ricardo Hausmann y Liliana Rojas-Suárez (comps.), *Las crisis bancarias en América Latina*, Banco Interamericano de Desarrollo-Fondo de Cultura Económica, Santiago de Chile, 1997.

Gerbier, Bernard, "L'impérialisme géoéconomique", en Gérard Duménil y Dominique Levy (coords.), *Le triangle infernal. Crise, mondialisation, financiarisation*, Actuel Marx Confrontation, Presses Universitaires de France, París, 1999.

Ghigliazza, Sergio, "El papel de la banca central en la modernización financiera", en Dwight S. Brothers y Leopoldo Solís (comps.), *México en busca de una nueva estrategia de desarrollo*, Fondo de Cultura Económica, México, 1992.

Giraud, Pierre-Noël, *L'inégalité du monde*, Gallimard, París, 1996.

——, *Le commerce des promesses. Petit traité sur la finance moderne*, Seuil, París, 2001.

Girón, Alicia y Eugenia Correa (coords.), *Crisis bancaria y carteras vencidas*, La Jornada-Instituto de Investigaciones Económicas-Universidad Autónoma Metropolitana, México, 1997.

Giugale, Marcelo M., Olivier Lafourcade y Vinh. H. Nguyen, *México. A Comprehensive Development Agenda for the New Era*, The World Bank, Washington, D. C., 2001.

González Méndez, Héctor, "Algunos aspectos de la concentración en el sistema financiero mexicano", *Documentos de Investigación*, n. 34, Banco de México, marzo de 1981.
Gouverneur, Jacques, *Découvrir l'économie*, Éditions Sociales-Contradictions, París, 1998.
Goux, Jean-François, *Économie monétaire et financière*, Economica, París, 1998.
Grien, Raúl, *La integración económica como alternativa inédita para América Latina*, Fondo de Cultura Económica, México, 1994.
Griffith-Jones, Stephany, "Las afluencias de capital internacional en la América Latina", en Víctor Bulmer-Thomas (comp.), *El nuevo modelo económico en América Latina*, Fondo de Cultura Económica, México, 1997.
—— y Barbara Stallings, "Nuevas tendencias financieras globales: implicaciones para el desarrollo", en *Pensamiento Iberoamericano*, n. 27, Madrid, enero-junio de 1995.
Grimbert, David, Pierre Mordacq y Emmanuel Tchemeni, *Les marchés émergents*, Economica, París, 1995.
Guillaumont, Patrick, *Économie du développement*, t. 3, Presses Universitaires de France, París, 1985.
Guillén R., Arturo, *México hacia el siglo XXI*, Plaza y Valdés, México, 2000.
Guillén Romo, Héctor, *Los orígenes de la crisis en México, 1940-1982*, Era, México, 1983.
——, *Lecciones de economía marxista*, Fondo de Cultura Económica, México, 1988.
——, *El sexenio de crecimiento cero. México, 1982-1988*, Era, México, 1990.
——, *La contrarrevolución neoliberal en México*, Era, México, 1997.
——, "Globalización financiera y riesgo sistémico", *Comercio Exterior*, México, noviembre de 1997.
Haberler, G., "Integration and Growth of the World Economy", *The American Economic Review*, marzo de 1965.
Hale, David D., "Les marchés émergents et la transformation de l'économie mondiale", *Revue d'Économie Financière*, n. 30, París, otoño de 1994.
Haq, Mahbub ul-, Inge Kaul e Isabelle Grunberg (coords.), *The Tobin Tax Coping with Financial Volatility*, Oxford University Press, Nueva York, 1996.
Hausmann, Ricardo y Liliana Rojas-Suárez (comps.), *Las crisis ban-*

carias en América Latina, Banco Interamericano de Desarrollo-Fondo de Cultura Económica, Santiago de Chile, 1997.
Hernández Licona, Gonzalo, *Políticas para promover una ampliación de la cobertura de los sistemas de pensiones: el caso de México,* CEPAL, Santiago de Chile, enero de 2001.
Hicks, J. R., *The Crisis in Keynesian Economics,* Basil Blackwell, Oxford, 1974.
Hirsch, Joachim, "¿Qué es la globalización?", *Cuadernos del Sur,* Buenos Aires, mayo de 1997.
Hirschman, Albert O., "The Political Economy of Import-Substituting Industrialization in Latin America", *The Quarterly Journal of Economics,* Massachusetts Institute of Technology, Cambridge, febrero de 1968.
——, *Exit, Voice and Loyalty: Response to Decline in Firms, Organizations and States,* Harvard University Press, Cambridge, 1970.
Hirst, Paul, "Globalização: mito ou realidade?", en José Luis Fiori, Marta Skinner de Lourenço y José Carvalho de Noronha (coords.), *Globalização: o fato e o mito,* Universidad del Estado de Río de Janeiro, 1998.
Huerta, Arturo, *Carteras vencidas, inestabilidad financiera,* Diana, México, 1997.
Hugon, Philippe, *Économie Politique Internationale et Mondialisation,* Economica, París, 1997.
——, "Les économies en développement au regard des théories de la régionalisation", *Revue Tiers Monde,* n. 169, París, enero-marzo de 2002.
Husson, Michel, *Misère du capital. Une critique du néolibéralisme,* Syros, París, 1996.
——, "Le miroir aux alouettes des fonds de pension", en Pierre Khalfa y Pierre-Yves Chanu (coords.), *Les retraites au péril du libéralisme,* Syllepse, París, 1999.
Ianni, Constantino, "La crisis de la ALALC y las corporaciones transnacionales", *Comercio Exterior,* México, diciembre de 1972.
Ibarra, David, "Mercados, desarrollo y política económica", *El Perfil de México en 1980,* vol. I, Siglo XXI, México, 1971.
——, "Nacional Financiera, un banco de desarrollo en metamorfosis" y "¿Es aconsejable una política industrial en México?", *Política y Economía. Semblanzas y ensayos,* Miguel Ángel Porrúa, México, 1999.
INEGI, *Encuesta nacional de empleo urbano,* México, 2000.

Jacobs, Gerardo y Alejandro Rodríguez-Arana Zumaya, "La crisis de 1994-1995 en México: causas, desarrollo y solución", en Félix Varela Parache y Gerardo Jacobs Álvarez (coords.), *Crisis cambiarias y financieras. Una comparación de dos crisis*, Pirámide, Madrid, 2003.

Jacquet, Pierre, Jean Pisani-Ferry y Laurence Tubiana (comps.), *Gouvernance mondiale*, Conseil d'Analyse Économique-La Documentation Française, París, 2002.

Jeffers, Esther, "De quel poids les investisseurs institutionnels américains pèsent-ils sur l'économie française?", en François Chesnais y Dominique Plihon (coords.), *Les pièges de la finance mondiale*, Syros, París, 2000.

Kaldor, Nicholas, "Speculation and Economic Activity", *Review of Economic Studies*, n. 1, vol. 7, Londres, 1939.

Katz, Isaac, "El impacto regional del Tratado de Libre Comercio", en Beatriz Leycegui y Rafael Fernández de Castro (coords.), *¿Socios naturales? Cinco años del Tratado de Libre Comercio de América del Norte*, ITAM-Miguel Ángel Porrúa, México, 2000.

Kébadjian, Gérard, *L'économie mondiale*, Seuil, París, 1994.

——, "Analyse économique et mondialisation: six débats", *Regards croisés sur la mondialisation*, Cahier du GEMDEV, n. 26, París, junio de 1998.

Kenen, Peter B., "The Feasibility of Taxing Foreign Exchange Transactions", en Mahbub ul-Haq, Inge Kaul e Isabelle Grunberg (coords.), *The Tobin Tax Coping with Financial Volatility*, Oxford University Press, Nueva York, 1996.

Keynes, John Maynard, "The General Theory: Fundamental Concepts and Ideas", *Quarterly Journal of Economics*, febrero de 1937.

——, *Théorie générale de l'emploi, de l'intérêt et de la monnaie*, París, Payot, 1969. Edición en español: *Teoría general de la ocupación, el interés y el dinero*, Fondo de Cultura Económica, México, 1943; segunda edición corregida, 1965; 6ª reimpr., 1981. Traducción de Eduardo Hornedo.

——, *The Economic Consequences of the Peace*, en *Collected Writings*, vol. I, Macmillan-Cambridge University Press, 1971. Edición en español: *Las consecuencias económicas de la paz*, Crítica, Barcelona, 1987.

Khalfa, Pierre y Pierre-Yves Chanu (coords.), *Les retraites au péril du libéralisme*, Syllepse, París, 1999.

Kindleberger, Charles, *Les mouvements internationaux de capitaux*, Dunod, París, 1990.

——, *El orden económico internacional*, Crítica, Barcelona, 1992.
——, *Histoire mondiale de la spéculation financière*, PAU, París, 1994.
Knight, F., *Risk, Uncertainty and Profit*, London School of Economics, Londres, 1921.
Krasker, W., "The Peso Problem in Testing the Efficiency of Forward Exchanged Markets", *Journal of Monetary Economics*, n. 6, 1980.
Kregel, Jan, "Flujos de capital, banca mundial y crisis financiera después de Bretton Woods", *Comercio Exterior*, México, enero de 1999.
Krueger, A., "Exchange Control, Liberalization and Economic Development", *American Economic Review*, Pittsburgh, mayo de 1973.
Krugman, Paul R., "Market-based Debt-Reduction Schemes", en J. Frenkel (coord.), *Analytical Issues in Debt*, Fondo Monetario Internacional, Washington, D. C., 1989.
—— y Maurice Obstfeld, *Économie internationale*, De Boeck Université, Bruselas, 1995.
——, *La mondialisation n'est pas coupable*, La Découverte, París, 1998.
——, *De vuelta a la economía de la Gran Depresión*, Norma, Bogotá, 1999.
Kurihara, K. (coord.), *Post-Keynesian Economics*, Rutgers University Press, Nueva Jersey, 1954.
Lafay, Gérard, *Comprendre la mondialisation*, Economica, París, 1997.
——, Colette Herzog, Michael Freudenberg y Deniz Ünal-Kesenci, *Nations et mondialisation*, Economica, París, 1999.
Laurell, Asa Cristina, *La reforma contra la salud y la seguridad social*, Era, México, 1997.
Lautier, Bruno, "L'économie informelle, son rôle social et la démocratisation", *Cahiers Français*, n. 270, París, marzo-abril de 1995.
——, "Pour une sociologie de l'hétérogénéité du travail", *Revue Tiers Monde*, París, abril-junio de 1998.
Le Cacheux, Jacques, "Mondialisation économique et financière: de quelques poncifs, idées fausses et vérités", *Revue de l'OFCE*, número extraordinario, Observatoire Français des Conjonctures Économiques, París, marzo de 2002.
Léonard, Jacques (coord.), *Les mouvements internationaux de capitaux*, Economica, París, 1997.
——, "Mouvements de capitaux et instabilité financière internationale. Contrôle et prévention de risques", en Jacques Léonard (coord.), *Les mouvements internationaux de capitaux*, Economica, París, 1997.

Little, J., T. Scitovsky y M. Scott, *Industry and Trade in Some Developing Countries*, Oxford University Press, Cambridge, 1970.

López, G. Julio, "El empleo durante las reformas económicas", en Fernando Clavijo (comp.), *Reformas económicas en México, 1982-1999*, Fondo de Cultura Económica, México, 2000.

Lora, Eduardo, "Una década de reformas estructurales en América Latina: qué se ha reformado y cómo medirlo", *Pensamiento Iberoamericano*, volumen extraordinario, Madrid, 1998.

Lordon, Frédéric, *Fonds de pension, piège à cons? Mirage de la démocratie actionnariale*, Raisons d'Agir, París, 2000.

Lustig, Nora Claudia y Miguel Székely, "México: evolución económica, pobreza y desigualdad", en Enrique Ganuza, Lance Taylor y Samuel Morley (comps.), *Política macroeconómica y pobreza en América Latina y el Caribe*, PNUD-CEPAL-BID-Mundi-Prensa, Madrid, 1998.

Macario, Santiago, "Proteccionismo e industrialización en América Latina", *Boletín Económico de América Latina*, n. 1, vol. IX, Santiago de Chile, marzo de 1964.

Machlup, Fritz, *A History of Thought on Economic Integration*, Columbia University Press, Nueva York, 1977.

Maddison, Angus, *L'économie mondiale, 1820-1992*, OCDE, París, 1997.

—— et al., *La economía política de la pobreza, la equidad y el crecimiento: Brasil y México*, Fondo de Cultura Económica, México, 1993.

Magariños, Mateo, *Diálogos con Raúl Prebisch*, Banco Nacional de Comercio Exterior-Fondo de Cultura Económica, México, 1991.

Marchini, Geneviève, *Libéralisation, diversification et internationalisation du système financier mexicain, 1983-1993*, tesis doctoral, Universidad de París 13, 1997.

Mattli, Walter, *The Logic of Regional Integration*, Cambridge University Press, Cambridge, 1999.

McKinnon, Ronald I., *Money and Capital in Economic Development*, Brookings Institution, Washington, D. C., 1973.

Michalet, Charles-Albert, *La séduction des nations ou comment attirer les investissements*, Economica, París, 1999.

——, *Qu'est-ce que la mondialisation?*, La Découverte-Syros, París, 2002.

Michalski, Wolfgang, "¿Son compatibles el multilateralismo y el regionalismo?", *México: transición económica y comercio exterior*, Bancomext-Fondo de Cultura Económica, México, 1999.

Minsky, H. P., "The Financial Instability Hypothesis: Capitalist Processes and The Behavior of the Economy", en C. P. Kindleberger

y J. P. Laffargue (coords.), *Financial Crises, Theory, History and Policy*, Cambridge University Press-Éditions de la Maison des Sciences de L'Homme, París, 1982.
——, *Stabilizing an Unstable Economy*, Yale University Press, New Heaven, 1986.
Modigliani, Franco y Richard Brumberg, "Utility Analysis and the Consumption Function: an Interpretation of Cross-Section Data", en K. Kurihara (coord.), *Post-Keynesian Economics*, Rutgers University Press, Nueva Jersey, 1954.
——, "Life Cycle, Individual Thrift and the Wealth of Nations", *American Economic Review*, Pittsburgh, junio de 1986.
Mortimore, Michael y Wilson Peres, "La competitividad empresarial en América Latina y el Caribe", *Revista de la CEPAL*, n. 74, agosto de 2001.
Mucchielli, Jean-Louis, *Multinationales et mondialisation*, Seuil, París, 1998.
Nacional Financiera y CEPAL, *La política industrial en el desarrollo económico de México*, México, 1971.
——, *La economía mexicana en cifras*, México, 1990.
Naciones Unidas, *La situation économique et sociale dans le monde*, Nueva York, 1999.
Negrín, José Luis, "Mecanismos para compartir información crediticia. Evidencia internacional y la experiencia mexicana", *Documento de Investigación*, Banco de México, diciembre de 2000.
Nikonoff, Jacques, *La comédie des fonds de pension*, Arléa, París, 1999.
Observatoire de la Mondialisation, *Lumière sur l'AMI*, L'Esprit Frappeur, París, 1998.
OCDE, *Études économiques de l'OCDE. Mexique*, París, 1995.
——, *Études économiques de l'OCDE, 1994-1995. Mexique*, París, 1995.
——, *Politiques de libre-échange au Mexique*, París, 1996.
——, *Études économiques de l'OCDE. Mexique*, París, 1997.
——, *Études économiques de l'OCDE. Mexique*, París, 1998.
——, *Études économiques de l'OCDE. Mexique*, París, 2000.
——, *Études économiques de l'OCDE. Mexique*, París, 2002.
Oman, Charles, *Globalisation et régionalisation: quels enjeux pour les pays en développement?*, OCDE, París, 1994.
Orléan, André, "Les désordres boursiers", *La Recherche*, n. 232, vol. 22, París, mayo de 1991.
——, "Contagion spéculative et globalisation financière: quelques

enseignements tirés de la crise mexicaine", en André Cartapanis (coord.), *Turbulences et spéculations dans l'économie mondiale*, Economica, París, 1996.
——, *Le pouvoir de la finance*, Odile Jacob, París, 1999.
——, "A quoi servent les marchés financiers?", *Université de tous les savoirs. L'économie, le travail, l'entreprise*, vol. 3, Odile Jacob, París, 2002.
Ortiz Mena, Antonio, *El desarrollo estabilizador: reflexiones sobre una época*, Fondo de Cultura Económica, México, 1998.
Ottavj, Christian, *Monnaie et financement de l'économie*, Hachette, París, 1995.
Palier, Bruno, *La réforme des retraites*, Presses Universitaires de France, París, 2003.
Passet, René, *Éloge du mondialisme par un "anti" présumé*, Fayard, París, 2001.
——, *Une économie de rêve! "La planète folle"*, Mille et Une Nuits, París, 2003.
Perroux, François, "Les coûts de l'homme", *Économie Appliquée*, n. 1, París, 1952.
——, "Les forces d'intégration et le type d'intégration", *L'Éurope sans rivages* (1954), PUG, Ginebra, 1990.
——, *L'économie du XXe siècle*, Presse Universitaires de Grenoble, Grenoble, 1991.
——, "Marché 'mondial'?", *L'économie du XXe siècle*, Presse Universitaires de Grenoble, Grenoble, 1991.
——, "Trois outils d'analyse pour l'étude du sous-développement", *L'économie du XXe siècle*, Presse Universitaires de Grenoble, Grenoble, 1991.
Pinto, Aníbal, "El pensamiento de la CEPAL y su evolución", *América Latina: una visión estructuralista*, Facultad de Economía-Universidad Nacional Autónoma de México, México, 1991.
Plihon, Dominique, "Les enjeux de la globalisation financière", en Dominique Plihon (comp.), *Mondialisation. Au delà des mythes*, La Découverte, París, 1997.
——, "Évolution et rôle de la finance internationale. La théorie moderne répond-elle à nos interrogations?", en Jacques Léonard (coord.), *Les mouvements internationaux de capitaux*, Economica, París, 1997.
——, "L'économie de fonds propres: un nouveau régime d'ac-

cumulation financière", en François Chesnais y Dominique Plihon (coords.), *Les pièges de la finance mondiale*, Syros, París, 2000.

PNUD, *Rapport mondial sur le développement humain, 1993*, Economica, París, 1993.

——, *Rapport mondial sur le développent humain, 2001*, De Boeck Université, Bruselas, 2001.

——, *Rapport mondial sur le développment humain, 2002*, De Boeck Université, Bruselas, 2002.

——, *Rapport mondial sur le développement humain, 2003*, Economica, París, 2003.

Prebisch, Raúl, "Reflexiones sobre la integración económica latinoamericana", *Comercio Exterior*, México, noviembre de 1961.

——, *Hacia una dinámica del desarrollo latinoamericano*, Fondo de Cultura Económica, México, 1963.

——, *La cooperación internacional en la política de desarrollo latinoamericano*, CEPAL, Santiago de Chile, 1973.

Rist, Gilbert, *Le développement. Histoire d'une croyance occidental*, Presses de la Fondation Nationale des Sciences Politiques, París, 1996.

Rivera-Bátiz, Francisco L. y Luis A. Rivera-Bátiz, *International Finance and Open Economy Macroeconomics*, Macmillan, Nueva York, 1994.

Rodríguez, Octavio, *La teoría del subdesarrollo de la CEPAL*, Siglo XXI, México, 1980.

Rojas-Suárez Liliana y Steven R Weisbrod, "Las crisis bancarias en América Latina: experiencias y temas", en Ricardo Hausmann y Liliana Rojas-Suárez (coords.), *Las crisis bancarias en América Latina*, BID-Fondo de Cultura Económica, Santiago de Chile, 1997.

Röpke, Wilhem, *International Economic Desintegration*, Hodge, Edimburgo, 1942.

Ros, Jaime, "México en los años noventa: '¿Un nuevo milagro económico?' Algunas notas acerca del legado económico y de políticas de la década de 1980", en María Lorena Cook, Kevin. J. Middlebrook y Juan Molinar Horcasitas (comps.), *Las dimensiones políticas de la reestructuración económica*, Cal y Arena, México, 1996.

Roubaud, F., *Le secteur informel au Mexique*, tesis de doctorado, Universidad de París X, 1991.

Ruiz-Tagle, P. Jaime, "El nuevo sistema de pensiones en Chile: una evaluación preliminar", *Comercio Exterior*, México, septiembre de 1996.

Salama, Pierre, "De las finanzas a la flexibilidad en América Latina

y en el norte y el sureste de Asia", *Riqueza y pobreza en América Latina*, Fondo de Cultura Económica, México, 1999.
——, "América Latina: ¿integración sin desintegración?", *Riqueza y pobreza en América Latina*, Fondo de Cultura Económica, México, 1999.
——, "Du productif au financier et du financier au productif en Asie et en Amérique Latine", *Développement*, Conseil d'Analyse Économique-La Documentation Française, París, 2000.
——, "L'Argentine piégée par l'ultra-libéralisme", Reporte de la FIDH, París, septiembre de 2002.
Salin, Pascal, *Libéralisme*, Odile Jacob, París, 2000.
Samuelson, Paul A., William D. Nordhaus, Lourdes Dieck y José de Jesús Salazar, *Macroeconomía (con aplicaciones a México)*, McGraw Hill, México, 1999.
Sapir, Jacques, *Les économistes contre la démocratie. Pouvoir, mondialisation et démocratie*, Albin Michel, París, 2002.
Schmitt, Bernard, *L'ECU et les souverainetés nationales en Europe*, Dunod, París, 1988.
Schvarzer, Jorge y Hernán Finkelstein, "Bonos, cuasi monedas y política económica", *Realidad Económica*, n. 193, IADE, Buenos Aires, enero-febrero de 2003.
Sen, Amartya, *Un nouveau modèle économique. Développement, justice, liberté*, Odile Jacob, París, 2000.
—— et al., *El nivel de vida*, Editorial Complutense, Madrid, 2001.
——, "Pobre en términos relativos", *Comercio Exterior*, México, mayo de 2003.
—— y James Foster, "Espacio, capacidad y desigualdad", *Comercio Exterior*, México, mayo de 2003.
Serfati, Claude, "La domination du capital financier: quelles conséquences?", en François Chesnais y Dominique Plihon (coords.), *Les pièges de la finance mondiale*, Syros, París, 2000.
Shaw, Edward S., *Financial Deepening in Economic Development*, Oxford University Press, Nueva York, 1973.
Siroën, Jean-Marc, "L'endettement des nations et le risque pays", en J. M. Siroën (coord.), *Finances internationales*, Armand Colin, París, 1993.
——, *L'économie mondiale*, Armand Colin, París, 1994.
——, *La régionalisation de l'économie mondiale*, La Découverte, París, 2000.

Silva Herzog, Jesús, "El debate de la apertura comercial en las economías en desarrollo y desarrolladas de cara al siglo XXI", *México, transición económica y comercio exterior*, Bancomext-Fondo de Cultura Económica, México, 1999.
Solimano, Andrés (comp.), *Los caminos de la prosperidad. Ensayos del crecimiento y el desarrollo*, Fondo de Cultura Económica, México, 1998.
Solís Soberón, Fernando y F. Alejandro Villagómez, "Las pensiones", en Fernando Solís Soberón y F. Alejandro Villagómez (comps.), *La seguridad social en México*, CIDE-Consar-Fondo de Cultura Económica, México, 1999.
Stiglitz, Joseph E., *La grande désillusion*, Fayard, París, 2002.
Streeten, Paul, "Dix ans de développement humain", en PNUD, *Rapport mondial sur le développement humain, 1999*, De Boeck Université, París y Bruselas, 1999.
Suárez, Francisco, "Comentarios al artículo de Aristóbulo de Juan", en Dwight S. Brothers y Leopoldo Solís (comps.), *México en busca de una nueva estrategia de desarrollo*, Fondo de Cultura Económica, México, 1992.
Székely, Gabriel (coord.), *Fobaproa e IPAB: el acuerdo que no debió ser*, APEC-El Colegio de México-Océano, México, 1999.
Tavares, Maria da Conceição, "Auge y declinación del proceso de sustitución de importaciones en el Brasil", *Boletín Económico de América Latina*, n .1, vol. IX, Santiago de Chile, marzo de 1964.
—— y Gerson Gomes, "La CEPAL y la integración económica de América Latina", *Revista de la CEPAL*, número extraordinario, Santiago de Chile, 1998.
Tinbergen, Jan, *International Economic Integration*, Elsevier, Amsterdam, 1954.
Tobin, James, *Retour sur la Taxe Tobin. Textos escogidos*, Confluences, Bègles, 2000.
Treillet, Stéphanie, *L'économie du développement*, Nathan, París, 2002.
Trillo, Fausto Hernández y F. Alejandro Villagómez, "Sector financiero y el TLCAN", en Beatriz Leycegui y Rafael Fernández de Castro (coords.), *¿Socios naturales ? Cinco años del Tratado de Libre Comercio de América del Norte*, ITAM-Miguel Ángel Porrúa, México, 2000.
Trillo, Fausto Hernández y Omar López Escarpulli, "La banca en México, 1994-2000", *Economía Mexicana*, CIDE, México, segundo semestre, 2001.
Tuirán, Rodolfo, Carlos Fuentes y Luis Felipe Ramos, "Dinámica re-

ciente de la migración México-Estados Unidos", *El mercado de valores*, Nacional Financiera, agosto de 2001.
Vidal, Gregorio, *Grandes empresas, economía y poder en México*, Plaza y Valdés-Universidad Autónoma Metropolitana, México, 2000.
Villar, Rafael del, Daniel Backal y Juan P. Treviño, "Experiencia internacional en la resolución de crisis bancarias", *Documento de Investigación*, Banco de México, diciembre de 1997.
Villarreal, René, *Liberalismo social y reforma del Estado: México en la era del capitalismo. Liberalismo posmoderno*, Nafinsa-Fondo de Cultura Económica, México, 1993.
—— y Rocío Ramos de Villarreal, *México competitivo 2020. Un modelo de competitividad sistémica para el desarrollo*, Océano, México, 2002.
Viner, Jacob, *The Customs Union Issue*, Stevens and Sons, Nueva York, 1950.
Vitelli, Guillermo, "La raíz de los males está en la política económica: una explicación de los resultados de la convertibilidad", *Realidad Económica*, n. 181, IADE, Buenos Aires, julio-agosto de 2001.
Wade, Robert, "Globalization and its Limits: Reports of the Death of the National Economy Are Greatly Exaggerated", en Suzanne Berger y Ronald Dore (coords.), *National Diversity and Global Capitalism*, Cornell University Press, Ithaca y Londres, 1996.
Weeks, John, "El sector manufacturero en América Latina y el nuevo modelo económico", en Víctor Bulmer-Thomas (comp.), *El nuevo modelo económico en América Latina. Su efecto en la distribución del ingreso y en la pobreza*, Fondo de Cultura Económica, México, 1997.
Wyplosz, Charles, "La mondialisation: l'économie en avance sur les institutions", en Pierre Jacquet, Jean Pisani-Ferry y Laurence Tubiana (comps.), *Gouvernance mondiale*, Conseil d'Analyse Économique-La Documentation Française, París, 2002.
Zapata, Francisco, "El sindicalismo mexicano en un contexto de crisis económica y política", en Juan Manuel Ramírez y Jorge Regalado (coords.), *El debate nacional*, vol. 4, Diana, México, 1997.
Zerbato, Michel, "Une finance insoutenable. Marchés financiers et capital fictif", en Gérard Duménil y Dominique Levy (comps.), *Le triangle infernal. Crise, mondialisation, financiarisation*, Actuel Marx Confrontation, Presses Universitaires de France, París, 1999.

Esta obra se terminó de imprimir
en el mes de julio del 2005
en los talleres de Litográfica Ingramex, S.A. de C.V.
Centeno 162-1, Col. Granjas Esmeralda
México, D. F. 09810